Op zoek naar Asha

Abonneer u nu op de Karakter Nieuwsbrief.
Ga naar www.karakteruitgevers.nl en:
* ontvang maandelijks informatie over de nieuwste titels;
* blijf op de hoogte van speciale aanbiedingen en kortingsacties;
* én maak kans op fantastische prijzen!
www.karakteruitgevers.nl biedt informatie over al onze boeken,
Nova Zembla-luisterboeken en softwareproducten.

Shilpi Gowda

Op zoek naar Asha

Karakter Uitgevers B.V.

Oorspronkelijke titel: Secret Daughter
© 2010 by Shilpi Somaya Gowda
Vertaling: Els Musterd-de Haas
© 2010 Karakter Uitgevers B.V., Uithoorn
Opmaak binnenwerk: ZetSpiegel, Best
Omslagontwerp: Mariska Cock
Omslagbeeld: Mohamad Itani/Arcangel/Hollandse Hoogte

ISBN 978 90 6112 548 8
NUR 332

Voor mijn ouders,
voor het vele geven in hun leven
zodat alles mogelijk zou zijn in het mijne.

Proloog

Hij houdt het versleten stukje papier krampachtig in zijn hand en probeert de letters die erop staan te vergelijken met de rode tekens op het bordje op de deur voor hem. Hij kijkt een paar keer van het papier naar de deur om er zeker van te zijn dat hij geen fout maakt. Als hij het zeker weet, drukt hij op de bel, en binnen klinkt een schril gerinkel. Terwijl hij wacht, gaat hij met zijn handpalm over het koperen plaatje naast de deur en voelt met zijn vingers aan de randen van de reliëfletters. Als de deur opeens opengaat, trekt hij zijn hand terug en geeft een ander papiertje aan de jonge vrouw die opendoet. Ze leest het, kijkt naar hem op en doet een stap achteruit om hem binnen te laten.

Met een kleine beweging van haar hoofd beduidt ze hem dat hij haar moet volgen door de gang. Hij voelt even of zijn overhemd onder zijn buikje wel in zijn broek zit, en haalt zijn vingers door zijn grijzende haar. De jonge vrouw loopt een kantoor in, geeft het papiertje aan iemand binnen en wijst hem dan een stoel. Hij stapt naar binnen, gaat zitten en vouwt zijn handen in elkaar.

De man achter het bureau tuurt naar hem door zijn smalle bril. 'Ik begrijp dat u iemand zoekt.'

Deel 1

A

1

Het begin van rouw

Dahanu, India, 1984
Kavita

Bij het invallen van de schemering ging ze naar de verlaten hut, zonder iemand iets te zeggen toen ze de eerste onmiskenbare krampen diep vanbinnen voelde. Hij is leeg, met uitzondering van het matje waar ze nu op ligt, met haar knieën opgetrokken tegen haar borst. Als de volgende pijngolf door haar lichaam trekt, drukt Kavita haar vingernagels in haar handpalmen en bijt in de tak die ze tussen haar tanden houdt. Ze ademt zwaar maar rustig, terwijl ze wacht tot de kramp in haar gezwollen buik weer wegtrekt. Ze richt haar blik op de bleekgele schaduw van de flikkerende olie-lamp op de aarden vloer, haar enige gezelschap in de donkere uren van de nacht. Ze heeft geprobeerd haar kreten te smoren, totdat het ondraaglijk is geworden om dat nog langer te doen. Al snel, weet ze, als ze de neiging krijgt om te gaan persen, zullen haar kreten de dorpsvroedvrouw waarschuwen. Ze bidt dat de baby voor de dageraad wordt geboren, omdat haar echtgenoot bijna nooit wakker wordt voor de zon opkomt. Het is het eerste van maar twee gebeden die Kavita voor dit kind durft te doen, bang als ze is om te veel van de goden te vragen.

In het zware gerommel van de donder in de verte weerklinkt de dreiging van regen die de hele dag al in de lucht heeft gehangen. Het vocht in de lucht zet zich als druppeltjes transpiratie op haar voorhoofd af. Als de hemel zich eindelijk opent en de stortbuien beginnen, zal dat een opluchting zijn. De moessons hebben altijd een bepaalde geur voor haar gehad: rauw en aardachtig, alsof de bodem, gewassen en regen zich allemaal in de lucht hebben vermengd. Het is de geur van nieuw leven.

De volgende wee komt plotseling en beneemt haar de adem. Donkere zweetplekken zijn verschenen op haar dunne katoenen sariblouse, die strak zit bij de rij kleine haakjes tussen haar borsten. Ze is deze keer zwaarder geworden, vergeleken met de vorige keer. Haar echtgenoot schold tegen haar dat ze zich beter moest bedekken, maar tegen de andere mannen hoorde ze hem opscheppen over haar borsten; hij vergeleek ze met rijpe meloenen. Ze beschouwt het als een zegen dat haar lichaam er deze keer anders uitziet, waardoor haar echtgenoot en de anderen denken dat deze baby een jongen zal zijn.

Een plotselinge angst grijpt haar bij de keel, dezelfde verstikkende angst die ze haar hele zwangerschap al heeft gevoeld. Wat zal er gebeuren als ze het allemaal fout hebben? Haar tweede gebed, het wanhopigste van de twee, is dat ze niet weer een meisje zal krijgen. Dat kan ze niet nog een keer verdragen.

Ze was niet voorbereid op wat er de vorige keer gebeurde. Haar echtgenoot kwam binnenstormen vlak nadat de vroedvrouw de navelstreng had doorgeknipt. Kavita rook de weeë, zoete geur van de likeur van gegist *chickoo*-fruit. Toen Jasu het kleine lichaampje van het meisje in haar armen zag, vloog er een schaduw over zijn gezicht. Hij draaide zich om.

Kavita voelde haar ontluikende blijdschap veranderen in verwarring. Ze probeerde iets te zeggen, iets van de ronddwarrelende gedachten in haar hoofd onder woorden te brengen. Zo veel haar... Een goed voorteken. Maar het was Jasu's stem die ze hoorde, vreselijke dingen die ze hem nog nooit had horen zeggen, een vloed van obsceniteiten die haar schokte. Toen hij zich weer naar haar omdraaide, zag ze zijn rooddoorlopen ogen. Hij kwam op haar af met langzame, doelbewuste stappen, hoofdschuddend. Ze voelde een onbekende angst in zich opkomen, vermengd met shock en verwarring.

De pijn van de bevalling had haar uitgeput. Haar geest worstelde om het te begrijpen. Ze zag hem niet naar haar grijpen voor het te laat was. Maar ze was niet snel genoeg om te voorkomen dat hij de baby uit haar armen pakte. De vroedvrouw hield haar tegen toen ze zich naar voren stortte, met uitgestrekte armen, schreeuwend, zelfs luider dan toen ze voelde hoe het hoofdje van de baby haar vlees uitscheurde om erdoor te kunnen. Hij stormde de hut uit onder het gekrijs van hun dochter die haar eerste ademteugen nam in deze wereld. Kavita wist, op dat vreselijke moment, dat het ook haar laatste waren.

De vroedvrouw duwde haar zachtjes terug. 'Laat hem gaan, kind. Laat hem gaan. Het is klaar. Je moet nu rusten. Je hebt een zware beproeving doorstaan.'

Kavita lag de volgende twee dagen opgerold op de geweven stromat op de grond van de hut. Ze durfde niet te vragen wat er met haar baby was gebeurd. Of ze was verdronken, gestikt, of gewoon achtergelaten om te sterven; Kavita hoopte alleen maar dat de dood snel en genadig was gekomen. Uiteindelijk zou haar lichaampje zijn verbrand, zonder een spoor achter te laten dat ze ooit had geleefd. Zoals zo veel meisjesbaby's zou haar eerstgeborene ver voor haar tijd teruggegeven worden aan de aarde.

In die twee dagen kreeg Kavita geen bezoek, behalve de vroedvrouw, die twee keer per dag kwam om haar voedsel en schone verbanden te brengen om het bloed op te vangen dat uit haar lichaam vloeide. Ze huilde tot haar ogen dik en rood waren, totdat ze dacht dat ze geen tranen meer overhad. Maar dat bleek nog maar het begin van de rouw te zijn, waar ze weer toe bepaald werd toen haar borsten een paar dagen later melk begonnen te geven, en toen een maand later haar haar uitviel. En na die nacht stopte haar hart elke keer als ze een klein kind zag en ze er weer aan herinnerd werd.

Toen ze weer tevoorschijn kwam, erkende niemand haar verlies. Ze ontving geen woorden van steun of troost van de andere dorpelingen. In het huis dat ze deelden met Jasu's familie kreeg ze alleen minachtende blikken en ongevraagd advies over hoe ze de volgende keer een jongen kon krijgen.

Kavita was er allang aan gewend dat ze weinig te zeggen had

over haar eigen leven. Ze was aan Jasu uitgehuwelijkt toen ze achttien was, en schikte zich in de dagelijkse routine van water halen, kleren wassen en eten koken. De hele dag deed ze wat haar echtgenoot haar vroeg, en als ze 's nachts bij elkaar lagen, gaf ze ook toe aan zijn eisen.

Maar na de baby veranderde ze, al was het maar in kleine dingen. Ze deed een extra rode peper in het eten van haar echtgenoot als ze boos op hem was, en keek met stille voldoening toe als hij tijdens het eten zijn voorhoofd en neus steeds maar weer afveegde. Als hij 's nachts naar haar toe kwam, weigerde ze hem soms, met het smoesje dat het haar maandelijkse periode was. Met elke simpele rebellie voelde ze haar zelfvertrouwen groeien. Dus toen ze merkte dat ze weer zwanger was, besloot ze dat het deze keer anders zou gaan.

2

Schoon

San Francisco, California, 1984
Somer

Het medische tijdschrift valt uit Somers hand en ze grijpt naar haar buik. Ze staat op van de bank en strompelt door de lange gang van hun victoriaanse appartement naar de wc, waarbij ze steun zoekt tegen de muur. Ondanks de felle pijn waardoor ze zich vooroverbuigt, trekt ze haar jurk opzij voordat ze op de wc gaat zitten. Ze ziet het helderrode bloed langs de bleke huid van haar dij druppelen. 'Nee. O god, alsjeblieft niet.' Haar smeekbede is zacht maar dringend. Er luistert niemand. Ze drukt haar benen tegen elkaar en zit doodstil. *Zit helemaal stil, misschien stopt het bloeden dan.*

Maar dat gebeurt niet. Ze slaat haar handen voor haar gezicht en dan komen de tranen. Ze ziet de rode vlek zich verspreiden in de wc-pot. Haar schouders schokken en haar snikken worden luider en luider, tot haar hele lichaam ervan schokt. Het lukt haar om Krishnan te bellen nadat de krampen wat minder zijn geworden. Als hij thuiskomt, ligt ze als een bal opgerold op hun onopgemaakte hemelbed. Tussen haar benen heeft ze een handdoek opgerold, die eens zacht was en de kleur van Franse vanille had, een cadeau voor hun huwelijk vijf jaar geleden. Ze hadden die tint samen uitgezocht – niet klinisch wit, niet saai beige – een elegante tint crème, nu doordrenkt met bloed.

Kris gaat op de rand van het bed zitten en legt een hand op haar schouder. 'Weet je het zeker?' vraagt hij zacht.

15

Ze knikt. 'Net als de vorige keer. Krampen, bloeden...' Ze begint weer te huilen. 'Meer bloed deze keer. Ik denk omdat ik nu verder ben...'

Kris geeft haar een tissue. 'Oké, lieverd. Ik zal dokter Hayworth bellen en vragen of we hem in het ziekenhuis kunnen treffen. Kan ik nog iets voor je halen?' Hij legt een deken over haar heen en stopt hem om haar schouders in. Ze schudt haar hoofd en draait zich op haar andere zij, weg van Krishnan, die zich meer als een dokter gedraagt dan als de echtgenoot die ze zo hard nodig heeft. Ze sluit haar ogen en legt haar hand op haar buik, zoals ze honderden keren per dag doet, maar dat gebaar dat haar meestal troost, voelt nu aan als een straf.

Het eerste wat Somer ziet als ze haar ogen opendoet, is de infuusstandaard naast haar bed. Ze doet ze meteen weer dicht, hopend de droom weer terug te roepen waarin ze een baby op een speeltuinschommel duwt. Was het een jongen of een meisje?

'De ingreep is goed verlopen, Somer. Alles is nu weer schoon, en er is geen enkele reden om het niet weer te proberen over een paar maanden.' Dokter Hayworth, in zijn smetteloos witte jas, kijkt op haar neer vanaf het voeteneind van het bed. 'Probeer wat te slapen, ik kom nog even langs voor je naar huis mag.' Hij klopt door het laken heen lichtjes op haar been en draait zich om om weg te gaan.

'Dank u, dokter,' klinkt een stem van de andere kant van de kamer, en Somer is zich voor het eerst bewust van Krishnans aanwezigheid. Hij loopt naar het bed, buigt zich over haar heen en legt een hand op haar voorhoofd. 'Hoe voel je je?'

'Schoon,' zegt ze.

Hij fronst en houdt zijn hoofd scheef. 'Schoon?'

'Hij zei "schoon". Dokter Hayworth zei dat ik nu schoon was. Wat was ik daarvoor dan? Toen ik zwanger was?' Haar ogen richten zich op het fluorescerende licht dat boven haar bed zoemt. *Een jongen of een meisje? Welke kleur ogen?*

'O, lieverd. Hij bedoelt gewoon... Je weet wel wat hij bedoelt.'

'Ja, ik weet wat hij bedoelt. Hij bedoelt dat het nu allemaal weg is: de baby, de placenta, alles. Mijn baarmoeder is weer mooi leeg. Schoon.'

Er komt een verpleegkundige binnen, glimlachend. 'Het is tijd voor je pijnstiller.'

Somer schudt haar hoofd. 'Die wil ik niet.'

'Lieverd, die kun je beter wel nemen,' zegt Krishnan. 'Dan voel je je beter.'

'Ik wil me niet beter voelen.' Ze draait zich weg van de verpleegkundige. Ze begrijpen niet dat het niet alleen de baby is die ze verloren heeft. Het is alles. De namen die ze bedenkt als ze 's nachts in bed ligt. De verfstalen voor de babykamer die ze heeft verzameld in haar bureaula. De dromen over het in haar armen houden van haar kind, helpen met huiswerk, juichen aan de rand van het voetbalveld. Alles is weg, verdwenen in de dichte mist buiten. Ze begrijpen dat niet. Niet de verpleegkundige, niet dokter Hayworth, zelfs Krishnan niet. Zij zien haar alleen als een patiënt die verzorgd moet worden, een stukje menselijk gereedschap dat gerepareerd moet worden. Gewoon weer een lichaam om schoon te maken.

Somer wordt wakker en pakt de afstandsbediening van het ziekenhuisbed om rechtop te gaan zitten. Ze wordt zich vaag bewust van het ingeblikte gelach dat uit een tv in de hoek komt, een of ander spelletjesprogramma dat Krishnan aan heeft laten staan toen hij naar het restaurant ging. Ze had nooit gedacht dat ze zich zo naar zou kunnen voelen in een ziekenhuis, de plek waar ze vijf jaar van haar leven heeft doorgebracht. Vroeger voelde ze zich altijd opgewonden als ze door de steriele gangen liep en het gezoem van de luidspreker boven haar hoofd hoorde. Het ritueel van haar witte jas aandoen of de kaart van een patiënt pakken gaf haar een gevoel van zelfvertrouwen. Het was iets wat Krishnan en zij deelden, dat gevoel van doelmatig en zinvol bezig zijn als arts. Nu weet ze dat dit weer iets is wat hen verder uit elkaar zal drijven. Ze vindt het vreselijk een patiënt te zijn, dat ze dit niet zelf kan oplossen.

Ze had hier nog niet moeten zijn, in dit ziekenhuis dat ze speciaal gekozen heeft om de gespecialiseerde afdeling Verloskunde. Achtduizend bevallingen per jaar. Twintig baby's die hier vandaag worden geboren. Vandaag, terwijl haar dode baby uit haar werd geschraapt. Op de etage recht onder haar heeft iedere vrouw een baby in haar kamer. Het lijkt zo makkelijk voor iedereen: de moeders die ze elke dag in haar praktijk ziet, haar vrienden, zelfs die idioot op tv die naar haar kinderen in het publiek zwaait.

Misschien is dit de manier van de natuur om haar iets duidelijk te maken. *Misschien ben ik gewoon niet voorbestemd om moeder te worden.*

3

Nooit meer

Dahanu, India, 1984
Kavita

Er komt weer een wee, deze keer van zelfs nog dieper binnen in haar, zijn doffe randen veranderd in scherpe messen. Kavita kan niet langer op adem komen tussen de pijngolven door die een voor een over haar heen komen. Haar dijen trillen, haar rug klopt, en nu kan ze niet meer voorkomen dat ze het uitschreeuwt van de pijn. Als dat geluid haar eigen oren bereikt, lijkt het niet meer op een menselijke stem. Dit lichaam is haar lichaam niet meer, het wordt voortgedreven door oerimpulsen die behoren tot de aarde, de bomen, de lucht. Buiten verlicht een plotselinge bliksemflits de donkere lucht, en de donder laat de grond onder haar schudden. De tak in haar mond breekt door de kracht van haar kaken en ze proeft de bittere smaak van vers, groen hout. Het laatste wat ze voelt, is een vochtige warmte die haar lichaam omhult.

Als ze haar ogen weer opendoet, voelt Kavita dat de vroedvrouw haar benen verlegt en er zelf tussen gaat zitten. *'Beti*, je had eerder moeten roepen. Dan was ik gekomen. Hoe lang ben je hier helemaal alleen geweest? Het hoofdje van de baby is al te zien. Het duurt nu niet lang meer. Helemaal niet lang. De tweede keer is veel...' Haar stem sterft weg.

'Daiji, luister. Wat er ook gebeurt, laat mijn echtgenoot deze baby niet meenemen. Beloof het me... Beloof het!' gilt Kavita.

'Hahnji, ja, zoals je wilt,' zegt de vroedvrouw. 'Maar nu, kind, is het tijd om te gaan persen.'

Ze heeft gelijk. Kavita perst maar een paar keer voordat ze een bemoedigende kreet hoort. De vroedvrouw werkt snel om de baby schoon te maken en in een doek te wikkelen. Kavita probeert rechtop te gaan zitten, duwt de vochtige haarslierten uit haar gezicht, en neemt haar kind in haar armen. Ze streelt het samengeplakte, zwarte haar van de baby en verwondert zich over de piepkleine vingertjes die in de lucht grijpen. Ze trekt het kleine lijfje dicht tegen zich aan, snuift de geur op en legt het mondje tegen haar borst. Als de baby in een slaperig ritme begint te zuigen, wikkelt Kavita langzaam de doek om het lijfje los.

Niemand heeft mijn gebeden gehoord. Kavita sluit haar ogen en haar lichaam schudt van de stille tranen. Ze buigt zich voorover, pakt de hand van de vroedvrouw en fluistert: 'Daiji, zeg het tegen niemand. Ga gauw Rupa halen en breng haar hier. Niemand, hoor je!'

'Hahnji. Ja kind, ik ga al. Ik hoop dat het jou en je baby goed gaat. Rust nu uit, alsjeblieft. Ik zal wat te eten brengen.' De vroedvrouw stapt de nacht in. Ze wacht even, strekt haar rug, pakt dan haar ketel met spullen en loopt weg.

Als het eerste licht van de morgen de hut binnensijpelt, wordt Kavita wakker en voelt de kloppende pijn in haar bekken. Ze gaat iets verliggen en haar blik valt op de pasgeboren baby die vredig naast haar ligt te slapen. Haar maag rammelt. Ze is opeens uitgehongerd. Ze pakt de kom met rijst die naast haar staat en eet. Voldaan maar nog steeds uitgeput gaat ze weer liggen en luistert naar de geluiden van het dorp dat tot leven komt.

Het duurt niet lang voor de deur opengaat en helder zonlicht naar binnen valt. Jasu komt binnen met glanzende ogen. 'Waar is hij?' Hij gebaart speels met zijn handen. 'Waar is mijn kleine prins? Kom, kom... laat me hem eens bekijken!' Hij loopt met uitgestrekte armen op haar af.

Kavita verstijft. Ze klemt de baby tegen haar borst en probeert moeizaam rechtop te gaan zitten. 'Hier is ze. Hier is je kleine prinsesje.' Ze ziet zijn ogen donker worden. Haar armen trillen als ze ze stijf om de baby houdt, het kleine lijfje beschermend.

'*Arre!* Weer een meisje? Wat is er met jou aan de hand? Laat zien!' schreeuwt hij.

'Nee. Dat doe ik niet. Je neemt haar niet mee.' Ze hoort hoe schril haar stem klinkt, voelt de spanning in haar ledematen. 'Dit is mijn baby, onze baby, en ik laat je haar niet meenemen.' Ze ziet verbijstering in zijn ogen als hij haar onderzoekend aankijkt. Ze heeft nog nooit zo uitdagend tegen iemand gesproken, en zeker niet tegen haar echtgenoot.

Hij doet een paar stappen naar haar toe, dan wordt zijn gezicht zachter en valt hij naast haar op zijn knieën. 'Luister, Kavita, je weet dat we deze baby niet kunnen houden. We hebben een jongen nodig om ons op het land te helpen met de oogst. Zoals het nu is, kunnen we ons nauwelijks één kind veroorloven, laat staan twee. De dochter van mijn neef is drieëntwintig en nog steeds niet getrouwd, omdat hij de bruidsschat niet kan opbrengen. Wij zijn geen rijke familie, Kavita. Je weet dat we dit niet kunnen doen.'

Haar ogen vullen zich weer met tranen, en ze schudt haar hoofd tot ze over haar wangen rollen. Haar adem gaat met horten en stoten. Ze knijpt haar ogen dicht. Als ze ze weer opendoet, kijkt ze haar echtgenoot recht aan. 'Ik laat je haar deze keer niet meenemen. Dat doe ik niet.' Ze recht haar rug, ondanks de vreselijke pijn. 'Als je het probeert, als je het alleen maar probeert, dan zul je eerst mij moeten doden.' Ze trekt haar knieën voor zich op. Vanuit haar ooghoeken kijkt ze naar de deur en ze stelt zich de vijf snelle stappen voor die ze nodig heeft om die te bereiken. Ze dwingt zichzelf niet te bewegen, haar intense en vastbesloten blik niet van Jasu af te wenden.

'Kavita, kom, je denkt niet helder na. We kunnen dit niet doen.' Hij steekt zijn handen in de lucht. 'Ze zal een last voor ons worden, een druk op onze familie. Is dat wat je wilt?' Hij staat op, torent weer boven haar uit.

Haar mond is droog. Ze valt over de woorden die ze nog niet helemaal heeft gevormd, behalve in de verste uithoeken van haar geest. 'Geef me één nacht. Gewoon één nacht met mijn kind. Je kunt haar morgen komen halen.'

Jasu zegt niets, kijkt naar zijn voeten.

'Alsjeblieft.' Het gebons in haar hoofd wordt erger. Ze wil schreeuwen om gehoord te worden. 'Dit is onze baby. We hebben haar samen gemaakt. Ik heb haar in me gedragen. Geef me één nacht voor je haar komt halen.' Opeens wordt de baby wakker en slaakt een kreet. Jasu kijkt op, schrikt op uit zijn trance. Kavita legt de baby aan haar borst, waardoor het weer stil wordt.

'Jasu,' zegt ze, haar ernst benadrukkend door het ongebruikelijke uitspreken van zijn voornaam. 'Luister naar me. Als je me zelfs dit niet toestaat, dan zweer ik je dat ik ervoor zal zorgen dat ik nooit meer kinderen kan krijgen. Ik zal mijn eigen lichaam verminken zodat ik je nooit meer een kind kan geven. Nooit meer. Begrijp je dat? En hoe moet het dan met je? Wie wil er nog met je trouwen op jouw leeftijd? Wie zal je dan die kostbare zoon geven?' Ze staart hem aan totdat hij gedwongen is om weg te kijken.

4

Zonder veel moeite

San Francisco, California, 1984
Somer

'Hallo, ik ben dokter Whitman.' Somer stapt de kleine onder-
zoekskamer binnen, waar een vrouw bezig is een wild zwaaiend
kind te kalmeren. 'Wat is er aan de hand?'

'Hij is zo sinds gisteren: huilen, onrustig. Ik kan hem nergens
mee troosten, ik denk dat hij koorts heeft.' De vrouw draagt haar
haar in een losse paardenstaart, en ze heeft een bevlekt sweatshirt
over haar jeans.

'Laten we maar eens kijken.' Ze kijkt op de kaart. 'Michael? Wil
je mijn mooie knipperlichtje zien?' Somer knipt het onderzoeks-
lampje aan en uit totdat het jongetje reageert en ernaar grijpt. Ze
lacht en doet haar mond wijd open. Als het jongetje haar nadoet,
duwt ze met een spatel zijn tong naar beneden. 'Eet en drinkt hij
normaal?'

'Ja. Tenminste, dat denk ik wel. Ik weet niet helemaal zeker wat
normaal is, want we hebben hem pas een paar weken. We hebben
hem geadopteerd toen hij zes maanden was.' De plotselinge, trotse
glimlach van de moeder camoufleert bijna de schaduwen onder
haar ogen.

'Hmmm. En wat dacht je hiervan, mannetje? Wil je met dit stokje spelen?' Somer geeft de spatel aan het jongetje, pakt snel het on-
derzoekslampje en kijkt in zijn oren. 'En hoe gaat het tot nu toe?'

'Hij hechtte zich snel aan ons, en nu wil hij steeds gedragen worden. We zitten behoorlijk aan elkaar vast, hè, kereltje? Zelfs al was

je afgelopen nacht drie keer wakker,' zegt zijn moeder terwijl ze met een vinger in zijn ronde buikje prikt. 'Het is waar, wat er gezegd wordt.'

'Wat bedoelt u?' Somer voelt of de lymfeklieren gezwollen zijn. 'Je weet het niet voordat het je overkomt. Het is de sterkste liefde die je je maar voor kunt stellen.'

Somer voelt een bekende steek in haar borst. Ze kijkt op van de stethoscoop op de rug van het jongetje en glimlacht naar zijn moeder. 'Hij heeft geluk dat hij u heeft.' Ze haalt een receptenblocnote uit haar zak.

'Nou, hij heeft een behoorlijke ontsteking in zijn rechteroor, maar de andere kant is nu nog schoon, en zijn borst en longen ook. Deze antibiotica moeten snel helpen, hij zal zich vanavond al een stuk beter voelen.' Ze klopt op de arm van de moeder als ze haar het recept geeft.

Daarom houdt Somer zo van haar werk. Ze kan een kamer in lopen met een huilend kind en een bezorgde moeder, en weten dat als ze weer weggaat, ze zich allebei beter zullen voelen. Tijdens haar coschap kindergeneeskunde had ze voor het eerst een hysterisch kind gekalmeerd, een diabetisch meisje met moeilijk vindbare aderen bij wie bloed geprikt moest worden. Somer hield haar hand vast en vroeg haar de vlinders te beschrijven die ze zag als ze haar ogen dichtdeed. Ze had succes met de eerste poging bloed af te nemen en had er al een pleister op voordat het meisje klaar was met de vleugels. Haar studiegenoten, die alles deden om de 'gillers' te vermijden, waren onder de indruk. Somer was verkocht.

'Dank u, dokter,' zegt de moeder, zichtbaar opgelucht. 'Ik was zo bezorgd. Het is zo moeilijk als je niet weet wat er mis is. Hij is net een bundeltje mysterie, en ik leer hem elke dag slechts een beetje beter kennen.'

'Maakt u zich geen zorgen,' zegt Somer, met haar hand op de deurknop, 'alle ouders voelen zich zo, hoe hun kind ook bij hen komt. Tot ziens, Michael.'

Somer gaat terug naar haar kantoor en doet de deur dicht, ook al is ze al twintig minuten te laat. Ze legt eerst haar instrumenten op het bureau en dan haar hoofd. Als ze het opzij draait, ziet ze het plastic model van een menselijk hart dat Krishnan haar heeft gegeven toen ze afstudeerden als arts.

'Ik geef je mijn hart,' zei hij op een manier die niet zo afgezaagd klonk als het bij iemand anders zou hebben geklonken. 'Zorg er goed voor.'

Het was bijna tien jaar geleden dat ze elkaar voor het eerst hadden gezien bij hun studiegenoot Jacob in Boston. Daarna zagen ze elkaar weer, onder de saaie, gele lichten van de Lane-bibliotheek van de medische opleiding van Stanford. Ze waren daar avond na avond, en niet alleen door de week als hun studiegenoten studeerden, maar ook op vrijdagavond, in plaats van uit eten te gaan, en in de weekenden, als de anderen de bergen in trokken. Er waren er maar een stuk of tien, de vaste klanten in Lane: de ijverigsten, de harde werkers. Terugkijkend beseft Somer dat zij degenen waren die iets moesten bewijzen. Iedereen beschouwde Somer als een buitenbeentje. Met haar vreemde hippienaam en stroblonde haar was het makkelijk voor haar studiegenoten om haar als een lichtgewicht te beschouwen. Het stoorde haar vroeger, dat ze zoiets aannamen. Maar door de jaren heen had ze geleerd ermee om te gaan. Ze had de scheikundeleraar op de middelbare school genegeerd toen hij voorstelde om haar mannelijke labpartner de experimenten maar te laten doen. Ze had het geplaag geaccepteerd dat hoorde bij het feit dat ze het enige meisje was in de wiskunde B-klas. Ze was eraan gewend dat anderen haar onderschatten: ze veranderde de lage verwachtingen van anderen in brandstof.

'Summer, zoals het seizoen?' zei Krishnan toen ze zich voorstelde. 'Winter, voorjaar... op die manier?'

'Niet precies.' Ze lachte. 'Het is S-O-M-E-R.' Ze wachtte terwijl hij daarover nadacht. Ze vond het leuk een beetje anders te zijn. 'Het is een familienaam. En jij bent... Chris?'

'Ja. Nou, Kris met een K. Het is een afkorting van Krishnan, maar je mag me Kris noemen.'

Ze was meteen ingenomen met zijn Britse accent, dat werelds klonk in vergelijking met haar onbeduidende, Californische tongval. Ze vond het heerlijk hem te horen antwoorden tijdens de colleges, niet alleen om zijn charmante accent, maar ook omdat zijn antwoorden altijd helemaal correct waren. Sommige studiegenoten vonden hem arrogant, Somer had zijn intelligentie echter altijd opwindend gevonden. Pas later ontdekte ze zijn kuiltjes, tijdens Gabi's feestje in het voorjaar. Somer nipte langzaam aan haar tropische punch met rum. Ze wist hoe dat soort drankjes je opeens de das om kon doen. Maar Kris leek al verschillende drankjes op te hebben tegen de tijd dat hij naar haar toe kwam.

'Zo, ik hoorde dat Meyer jou ook heeft gevraagd in de zomer in zijn lab te komen werken?' Zijn spraak was een beetje onduidelijk toen hij zich naar haar toe boog, met gekruiste benen zittend in zijn witte plastic tuinstoel.

Hij ook? Somers hart maakte een sprongetje. Een uitnodiging van professor Meyer was een van de meest begeerde prijzen voor een eerstejaars. 'Ja, jij ook?' vroeg ze zo neutraal mogelijk. Ze voelde dat Krishnans ogen bleven rusten op de kleine belletjes die op de halslijn van haar folkloristische blouse zaten, en was blij dat ze de tijd had genomen zich om te kleden.

Hij schudde zijn hoofd en nam nog een grote slok van zijn roze drankje. 'Nee, ik ga terug naar India voor de zomer. M'n laatste kans voor de coschappen. Mijn moeder vermoordt me als ik niet kom.'

Toen hij glimlachte, verschenen zijn kuiltjes. Ze voelde een tinteling omhooggaan van onder uit haar maag naar haar hoofd en vroeg zich af of ze al te veel punch ophad. Ze bedwong de neiging om haar hand uit te steken en het warrige zwarte haar dat hem op een klein jongetje deed lijken uit zijn ogen te strijken. Later vertelde hij haar dat hij verliefd was geworden op de manier waarop haar groene ogen sprankelden in het licht van de fakkels, en omdat ze lachte om alles wat hij had gezegd die avond.

Ze begonnen elke avond samen te studeren, elkaar te overhoren voor examens, elkaar te stimuleren het beter te doen. Kris vond het leuk met haar te discussiëren, en vond het blijkbaar niet erg als ze hem soms de baas was. Het was een hele verbetering na haar vorige vriendje, dat haar, na twee jaar samen geploeterd te hebben voor de geneeskundecolleges en de voorbereiding voor de toelatingsexamens, had gedumpt nadat zij wel was aangenomen op Stanford en hij niet. Het had Somer jaren gekost om te beseffen dat zij zich daar niet schuldig over moest voelen.

Hoe ze er ook van hield de intensiteit van de studie met Kris te delen, ze hield het meest van zijn tedere kant: de manier waarop hij, als ze in bed lagen, erover praatte dat hij zijn broers miste die thuis waren, over langs de zee wandelen met zijn vader. 'Hoe is het daar?' vroeg ze hem vaak. India klonk intrigerend. Ze stelde zich hoge, zwaaiende kokospalmen voor, warme, tropische briesjes en exotisch fruit. Ze was nog nooit naar het buitenland geweest, behalve naar Canada om haar grootouders te bezoeken. Ze had altijd verlangd naar een grote familie zoals hij beschreef: de twee broers met wie hij alles deed, de grote hoeveelheid neven die een geïmproviseerd cricketteam vormden als ze een familiebijeenkomst hadden. Als enig kind had Somer een bijzondere relatie met haar ouders, maar ze kon er niets aan doen dat ze het gevoel had de kameraadschap van broers en zussen te missen.

Die eerste jaren op de universiteit waren zalig eenvoudig, toen ze hun dagen en nachten doorbrachten binnen een hechte kring vrienden. Ze hadden maar één doel, ze waren allemaal studenten die hetzelfde bescheiden leven leidden. Ze studeerden constant en hun hele wereld werd afgebakend door de buitengrenzen van de campus van Stanford. Vietnam was voorbij, Nixon was weg, en vrije liefde was in. Somer was uren bezig om Kris te leren rechts te rijden. Later vertelde hij haar hoe hij het waardeerde dat ze hem er geen onbehaaglijk gevoel over gaf dat hij anders was. Maar zij vond dat ze meer hetzelfde dan verschillend waren: zij was een vrouw in een mannenwereld, net zoals hij een vreemdeling in Amerika was. En daarbij kwam dat ze voor alles allebei ploeterende geneeskundestudenten waren.

Tegen de tijd van de eerste examens was Somer zwaar verliefd. Het was het eerste in haar leven wat was gebeurd zonder dat ze er zelf veel moeite voor had gedaan. Al snel waren hun levens zo met elkaar verweven dat ze zich geen toekomst zonder Krishnan kon voorstellen. Toen hun laatste jaar begon, bespraken ze hun keuzes voor hun verdere opleiding: kindergeneeskunde voor haar, neurochirurgie voor hem. De universiteit van California in San Francisco had goede programma's in beide richtingen, maar er was veel concurrentie.

'Wat zijn onze kansen?' vroeg Krishnan haar.

'Ik weet het niet. Zes plaatsen voor mijn programma, misschien vijftig aanmeldingen? Tien procent voor mij. In elk geval lager voor jou.'

'En als we ons nou eens samen aanmeldden?' zei hij. 'Als een stel. Een getrouwd stel.'

Ze keek hem aan 'Ik zou... zeggen... dat we dan meer kans hebben.' Ze schudde haar hoofd lichtjes. 'Wacht, dus... Is dat wat jij wilt?'

Hij glimlachte vaagjes en haalde zijn schouders op. 'Ja, jij niet?'

'Ja,' glimlachte ze ook. 'Ik weet dat we erover hebben gepraat, maar nu?'

'Nou ja, het is logisch, toch? Het is een kwestie van timing, als we het allebei zeker weten.' Hij pakte haar beide handen en keek in haar ogen. 'En ik ben er zeker van. Het spijt me dat ik niets heb om het officieel te maken. Ik weet dat het niet het meest romantische aanzoek is.' Hij glimlachte.

'Het is oké,' zei ze. 'Dat hoef ik toch niet.'

'Dat weet ik.' Hij kuste haar handen. 'Daarom hou ik zo van je.'

Ze brachten een snel bezoek aan het gemeentehuis, met plannen voor een echte trouwerij later. Nadat ze afgestudeerd waren, vonden ze een kleine flat dicht bij het UCSF-ziekenhuis en begonnen aan het volgende hoofdstuk van hun leven samen.

Een luide klop op de deur van haar kantoor. 'Dokter Whitman?'

'Ja.' Somer zet het model van het hart terug op haar bureau en staat op. 'Ik kom eraan.'

5

Een lange reis

Dahanu, India, 1984
Kavita

Het is nog nauwelijks licht als Kavita en Rupa het dorp verlaten. Kavita's wonden zijn nog vers en haar lichaam is nog aan het genezen, maar ondanks de bezorgdheid van haar zus is ze vastbesloten deze reis te maken. Gisteren heeft Rupa erin toegestemd haar naar het weeshuis in de stad te brengen. Rupa heeft in zes jaar al vier kinderen gekregen, dus toen vorig jaar het vijfde werd geboren, heeft ze een weeshuis in Bombay gevonden. Kavita wist het, ook al sprak niemand in het dorp erover. Ze smeekte Rupa om haar ernaartoe te brengen, ondanks de risico's. Zelfs als ze de reis en de stad overleven, zullen ze de woede van hun echtgenoten onder ogen moeten zien als ze terugkomen.

Het is al behoorlijk warm en de modderwegen hebben de meeste regen al opgenomen, met nog maar een paar plassen aan de kanten. Die zullen tegen het eind van de dag ook verdwenen zijn, opgeslorpt door de ontwakende stralen van de zon. Een reis naar de stad kan te voet een paar uur duren, maar ze hebben het geluk in het volgende dorp te worden opgepikt door een man in een ossenkar die zijn suikerriet naar de stad brengt. Ze zitten achterin, tussen een tiental jutezakken, en gebruiken de losse hoeken van hun sari's om hun ogen en mond te beschermen tegen de wolken stof die door de hoeven van de os worden opgeworpen. De onverharde weg is hobbelig en de felle zon brandt op hen neer als hij hoger in de lucht komt te staan.

'*Bena*, ga een poosje liggen. Rust wat uit,' zegt Rupa terwijl ze haar armen uitstrekt naar de baby. 'Ik hou haar wel vast. Kom, geef haar aan *masi*.' Ze glimlacht zwakjes.

Kavita schudt haar hoofd en staart naar de velden. Ze weet dat haar zus haar de pijn wil besparen van wat komen gaat. Rupa heeft haar verteld hoe moeilijk het vorig jaar was om haar eigen baby bij het weeshuis achter te laten, en ze had al vier kinderen. Ze heeft Kavita opgebiecht dat ze nog steeds aan de baby denkt als ze in bed ligt, haar eigen kind verloren ergens in de wereld. Maar Kavita wil de weinige tijd die ze heeft niet opgeven. Ze zal alles wat nodig is doorstaan als ze in Bombay is, maar niet eerder.

Zelfs al toen ze opgroeiden gedroeg Kavita zich meer volwassen dan andere kinderen. In plaats van rond te dartelen in de eerste stortbuien van de moessons rende Kavita naar de waslijn om de kleren binnen te halen. Als ze een stapel afgesneden suikerriet-stengels vonden langs een veld, pakte Rupa er zo veel van als ze maar kon dragen en kauwde de hele weg naar huis op de vezel-achtige stengels. Kavita pakte maar één stengel en gebruikte die voor de middagthee van haar ouders. Toen de tijd kwam om een echtgenoot voor haar te vinden, deed Kavita's familie haar best om haar gewone uiterlijk te compenseren. 'Denk eraan,' zei Rupa tegen haar zus terwijl ze voorzichtig haar ogen omlijnde met don-kere *kajal*, 'als je hem ontmoet, kijk dan op, niet om hem aan te kijken, maar om ervoor te zorgen dat hij je ogen ziet.' Haar zus hoopte dat de aanstaande bruidegom onder de indruk zou zijn van Kavita's beste punt, haar prachtige, hazelnootbruine ogen.

Maar Kavita vond het moeilijk te glimlachen, zelfs ingetogen zoals ze was geïnstrueerd, als er geïnteresseerde families op be-zoek kwamen. Naderhand vond de jongen altijd een reden om be-zwaar te maken tegen het huwelijk. Pas nadat ze een onevenredig grote bruidsschat bij elkaar hadden geschraapt, konden Kavita's ouders een echtgenoot voor haar vinden, iets wat ze beschouwden als hun belangrijkste plicht. Al kon Jasu een moeilijke man zijn, Kavita wist dat ze dankbaar moest zijn. Andere mannen in het dorp waren lui, sloegen hun vrouw of verbrasten hun inkomen aan likeur. En niemand wilde het lot delen van de arme, oude vrouwen die alleen woonden, zonder de bescherming van een man.

Met elke bons van de ossenwagen op de stoffige weg schiet er een pijnscheut door haar bekken. Kavita is al snel nadat ze die morgen waren vertrokken, gaan bloeden. Ze veegt het bloed dat langs haar been druppelt met de vouwen van haar sari op voordat Rupa het merkt. Ze weet dat het weeshuis in de stad bereiken de enige kans is die haar dochter heeft. *Usha*, dageraad. De naam schoot Kavita te binnen in de rustige uren van de vroege morgen, nadat de vroedvrouw hen alleen had gelaten. Hij klonk in haar hoofd toen ze op haar baby neerkeek en elk detail van haar gezichtje in zich op probeerde te nemen. Terwijl het eerste licht de hut binnenkroop, terwijl de hanen kraaiden, gaf Kavita haar dochter in stilte die naam.

Wat schuilt er een macht in het geven van een naam aan een ander levend wezen, beseft ze terwijl ze naar haar kind kijkt. Toen ze met Jasu trouwde, veranderde zijn familie haar naam in Kavita, die zij en de dorpsastroloog beter vonden dan Lalita, de enige naam die haar ouders voor haar hadden gekozen. Haar achternamen kwamen van haar vader; die veranderden vanzelfsprekend in die van haar echtgenoot. Maar ze nam het Jasu kwalijk dat hij ook haar voornaam had veranderd.

Usha was de keus van Kavita alleen, een geheime naam voor haar geheime dochter. De gedachte tovert een glimlach op haar gezicht. De ene dag die ze met haar dochter doorbrengt, is kostbaar. Ook al was ze uitgeput, ze wilde niet slapen. Ze wilde geen enkel moment missen. Kavita hield haar dicht tegen zich aan, keek naar het kleine lijfje dat heen en weer ging met haar ademhaling, volgde haar wenkbrauwen en de lijnen van haar zachte huid. Ze troostte haar als ze huilde, en op de weinige momenten dat Usha wakker was, herkende Kavita zichzelf onmiskenbaar in de kenmerkende, goudgevlekte ogen, mooier nog bij haar kind dan bij zichzelf. Ze kon nauwelijks geloven dat dit prachtige schepseltje van haar was. Ze stond zichzelf niet toe verder te denken dan die dag.

Dit meisje zal in elk geval de kans krijgen om te blijven leven, een kans om op te groeien, naar school te gaan, misschien zelfs te trouwen en kinderen te krijgen. Kavita weet dat als ze haar dochter opgeeft, ze geen enkele kans krijgt om haar te helpen op haar levenspad. Usha zal haar biologische ouders nooit kennen, maar ze krijgt een kans om te blijven leven, en dat moet genoeg zijn. Kavita haalt een van de dunne zilveren armbanden die ze altijd draagt van haar eigen smalle pols en doet hem om Usha's enkel. 'Het spijt me dat ik je niet meer kan geven, beti,' fluistert ze tegen haar donzige hoofdje.

6

Een redelijke veronderstelling

San Francisco, California, 1984
Somer

Somer fronst naar zichzelf in de spiegel. Ze probeert haar rok glad te trekken, maar hij zit nog strak om haar middel en heupen, die na een paar maanden nog steeds niet normaal zijn – weer een wrede herinnering aan haar verlies. Haar blonde haar hangt slap op haar schouders; ze kan zich niet herinneren wanneer ze het voor het laatst heeft gewassen. In een laatste poging verwisselt ze haar sandalen voor pumps met een open hiel, en doet wat lippenstift op. *Niet nodig om er net zo beroerd uit te zien als ik me voel.*

Ze arriveert bij het huis, waar twee trossen bleekblauwe ballonnen aan het hek hangen met de tekst HET IS EEN JONGEN! Ze ademt diep in en drukt op de bel. Bijna meteen zwaait de deur open en een brunette in een bloemetjesjurk lacht haar toe. 'Hoi, ik ben Rebecca, maar iedereen noemt me Becky. Kom binnen. Geef dat maar aan mij.' Ze reikt naar de pastelkleurige doos met alfabetletters onder Somers arm. 'Is het niet geweldig voor Gabriella?' Becky slaat haar handen in elkaar en balanceert op haar tenen. Somer kijkt om zich heen en ziet een woonkamer vol vrouwen als Becky, allemaal met een bordje met blauwe laarsjes erop in hun hand.

'Waar ken jij Gabi van?' vraagt Somer, terwijl ze bedenkt dat ze haar vriendin voor het laatst bij haar volle naam heeft horen noemen op de eerste dag van hun geneeskundeopleiding.

'O, we zijn buren. Dit is zo'n geweldige plek om te wonen als je kinderen hebt, weet je, veel makkelijker dan in de stad. We waren zo blij toen Gabriella en Brian hier kwamen wonen. Meer speel-kameraadjes voor Richard.' Ze lacht en haalt een hand door haar golvende, bruine haar. 'En jij?'

'Geneeskunde,' antwoordt Somer. 'We waren studiegenoten.' Ze zoekt naar een ontsnappingsroute en ziet het buffet, met een schaal punch met een verdacht uitziend blauw brouwsel. Ze is op-gelucht als Gabi eraan komt waggelen en probeert niet te opval-lend naar haar enorme buik te staren.

'Hallo, Somer,' zegt Gabi terwijl ze haar zijdelings omhelst. 'Fijn dat je de grote reis hebt gemaakt naar suburbia. Ik zie dat je Becky al hebt ontmoet.'

'Gabriella, ik vertelde je vriendin net hoe graag we in Marin wonen,' zegt Becky. 'Ben je getrouwd, Somer?'

'Ja, ze had medelijden met een van onze studiegenoten... de een of andere eenvoudige neurochirurg,' zegt Gabi met een knipoog. Somer zet zich schrap voor de onvermijdelijke volgende vraag, maar hij komt te snel.

'Heb je kinderen?'

Somer slikt. Het voelt alsof iemand de koelkastdeur voor haar gezicht heeft opengedaan op een warme dag. 'Nee, nog... niet,' zegt Somer met dichtgeknepen keel.

'O, wat jammer,' zegt Becky, en ze trekt een overdreven medelij-dend gezicht. 'Het is echt geweldig. Nou, als je zover bent, kom dan ook hier wonen.' Becky loopt weg om de deur open te doen, en Somer heeft een visioen dat ze een handvol van dat golvende, bruine haar uit haar hoofd trekt.

'Somer, sorry...' Gabi legt een hand op Somers elleboog.

'Het gaat wel,' zegt Somer terwijl ze haar armen over elkaar slaat. De brok in haar keel wordt groter en ze krijgt een kleur. 'Ik ben zo terug, even naar het toilet.' Ze vertrekt naar de gang, maar in plaats van de wc in te gaan, loopt ze door de voordeur naar bui-ten, raakt verstrikt in de blauwe ballonnen en rent de oprit af. Ze gaat op de stoeprand zitten. Ze kan het niet weer allemaal door-staan. Ze kan het niet aan om mee te doen met de babyvoedsel-proefwedstrijd of het 'raad eens hoe groot Gabi's buik is'-spelletje. Ze kan niet aanhoren hoe iedereen aaah en oooh roept bij elk

34

schattig babytruitje. Ze kan niet aanhoren hoe de vrouwen zwangerschapsstrepen en weeën bespreken als een soort overgangsrite. Iedereen gedraagt zich alsof vrouw-zijn en moederschap onlosmakelijk met elkaar zijn verbonden. Een redelijke veronderstelling, die ze zelf ook heeft gehad. Alleen weet ze nu dat het een enorme leugen is.

De eerste keer dat ze een miskraam had, was het een opluchting. Ze waren pas een paar jaar getrouwd, nog steeds in hun specialisatieperiode, toen een roze lijn op de zwangerschapstest hun discussies op gang bracht. Ze hadden gepland om te wachten totdat Somer haar specialisatie kindergeneeskunde zou hebben afgerond, zodat een van hen een vast inkomen zou hebben met redelijke uren. Dus toen de zwangerschap een paar weken later eindigde, zeiden ze tegen elkaar dat het zo het beste was. Maar op de een of andere manier veranderde die ongeplande zwangerschap, die net zo onverwacht eindigde als ze begon, de dingen. Somer merkte dat ze overal zwangere vrouwen zag, die hun vooruitstekende buiken trots lieten zien.

Na de miskraam voelde ze zich schuldig dat ze niet blij was geweest met de zwangerschap. Natuurlijk, als arts wist ze dat een miskraam niet veroorzaakt kan worden door tegenstrijdige gevoelens. Maar de verloskundeboeken vergaten het enorme gevoel van verdriet te beschrijven dat in de plaats was gekomen van het kleine klompje baby dat in haar had gegroeid. Ze konden niet uitleggen waarom ze zich zo verloren voelde zonder iets wat ze maar ongeveer een maand had gekend. Er was iets in haar binnenste ontwaakt met die eerste zwangerschap, een diep verlangen dat daar al veel langer moest hebben gezeten. Ze was opgevoed met het besef dat haar vrouw-zijn haar ambities niet in de weg hoefde te zitten. Ze dacht tijdens haar carrière altijd dat ze niet was zoals andere vrouwen. Nu, voor het eerst, voelde ze zich precies zoals andere vrouwen.

Somer bracht al haar vrije tijd door met lezen over vruchtbaarheid in medische tijdschriften; ze probeerde alle potentiële oorzaken van een miskraam uit te sluiten, hield haar ovulatiecyclus bij en veranderde haar dieet. Ze vertelde elk nieuw inzicht aan Kris, maar zag al snel de glazige, ongeïnteresseerde blik in zijn ogen. Hij was nog steeds bezig met zijn neurochirurgiespecialisatie en deelde haar wens om zwanger te worden niet. Gelukkig had Somer doorzettingsvermogen voor twee, dus leek het niet erg dat ze voor het eerst sinds ze elkaar kenden, niet hetzelfde pad volgden.

Nu, in haar eentje zittend op een stoeprand in een voorstad, weet Somer dat die dag, drie jaar geleden, de scheidslijn in haar leven was. Voor die miskraam was ze gelukkig: met haar werk, het huis met uitzicht op de Golden Gate-brug, de vrienden die ze in de weekenden zagen. Het leek genoeg. Maar sinds die dag heeft ze het gevoel dat ze iets mist, iets wat zo immens en machtig is dat het al het andere overschaduwt. Met elk voorbijgaand jaar en elke negatieve zwangerschapstest is die leegte in hun leven gegroeid, totdat die een onwelkom lid van de familie is geworden dat zich tussen haar en Krishnan heeft gedrongen.

Soms wenst ze dat ze terug kon gaan naar het naïeve geluk van hun vroegere leven. Maar meestal verlangt ze er hevig naar vooruit te gaan, naar een plek waar haar lichaam haar niet lijkt te willen brengen.

7

Shanti

Bombay, India, 1984
Kavita

Als de ossenwagen Kavita en Rupa in de stad afzet, staat de zon al hoog en hebben ze dorst en honger. Ze worden overspoeld met chaotische geluiden: toeterende vrachtwagens, schreeuwende verkopers. De straat is overvol met vrachtwagens, allerlei vee, dappere fietsers, riksja's en scooters. Ze stoppen om één enkele kokosnoot te delen, eerst drinken ze de melk en dan wachten ze tot het sappige vlees uit de bast wordt gesneden. Aan beide kanten van de weg staan geïmproviseerde hutten met golfplaten daken; vrouwen hurken er voor, koken op kleine vuurtjes en wassen kleren in emmers vuil water.

Rupa vraagt de *chaat-wallah* de weg naar het Shanti-weeshuis, maar hij schudt alleen zijn hoofd terwijl hij de twee vrouwen bekijkt met hun opvallende blote voeten en boerenkleding. Ze vraagt het aan een taxichauffeur die lui tegen zijn taxi leunt, betelnootsap op de weg spuugt en Kavita van top tot teen bekijkt. Ze proberen er allemaal achter te komen of de baby misvormd is of dat Kavita niet getrouwd is of gewoon te arm om het kind te houden. Uiteindelijk worden ze geholpen door een oude man met een baard die op een hoek pinda's staat te roosteren. Hij schept de warme pinda's in zakjes die hij van krantenpapier heeft gemaakt, en tussen zijn uitroepen *'Sing-dhana, garam sing-dhana'* door vertelt hij hun waar ze naartoe moeten. Rupa neemt Kavita's hand stevig in die van haar en leidt hen over volle voetpaden en door drukke straten.

Kavita worstelt om haar zus bij te houden, en stopt een keer om de baby te voeden. Rupa kijkt naar de donker wordende lucht en de mensen om hen heen. Ze buigt zich voorover en zegt: 'Challo, bena, neem haar zo.' Rupa helpt haar de drinkende baby zo vast te houden dat ze kan blijven lopen. 'We moeten opschieten. Het is hier niet veilig voor ons als het donker is.'

Kavita gehoorzaamt en loopt sneller. Over een paar uur, weet ze, als Jasu zijn avondmaal opheeft en nadat hij bij het vuur heeft zitten drinken en *beedi's* roken met de andere mannen, zal hij haar gaan zoeken. Ze zal hem alleen vertellen dat hij zich geen zorgen hoeft te maken over de baby, er is voor gezorgd. Hij kan boos worden, misschien slaat hij haar zelfs, maar wat voor straf is dat vergeleken met wat ze al heeft doorgemaakt? Bijna twee uur lang lopen Kavita en Rupa zonder te praten. Ten slotte komen ze bij een gebouw van twee verdiepingen met afbladderende, blauwe verf. Bij de poort voelen Kavita's benen als lood en haar voeten slepen bij elke stap. Ze draait zich naar haar zus en schudt haar hoofd. *'Nai, nai, nai...'* herhaalt ze.

'Bena, kom, je moet,' zegt Rupa zachtjes. 'Je kunt niets anders doen. Wat zou je kunnen doen?' Rupa trekt haar aan de hand naar de deur en drukt op de bel. Kavita staart naar het bordje op de deur en de slecht leesbare rode tekens erop, die SHANTI – vrede – betekenen, worden in haar geheugen gegrift. Een oudere, gebochelde vrouw in een verschoten, oranje sari opent de deur; ze heeft een bezem met een korte steel in haar hand.

Kavita ziet Rupa iets tegen de oude vrouw zeggen, maar het enige wat ze hoort, is het gefluit in haar oren. *Wie zal er voor mijn baby zorgen? Deze vrouw? Zal ze van Usha houden?* Kavita's mond voelt droog en stoffig. De oude vrouw gebaart hun binnen te komen en leidt hen naar het einde van de gang. Een lange vrouw in een blauwzijden sari staat in de deuropening van het kantoor.

'Shukriya. Dank je, Sarla-*ji.* Tot de volgende keer,' klinkt een mannenstem vanuit het kleine kantoor. De lange vrouw draait zich om om weg te gaan. Met haar elegante sari en diamanten oorringen lijkt ze net zo slecht op haar plaats in het weeshuis als een Bengaalse tijger. Als ze de zussen ziet, glimlacht en knikt ze, dan loopt ze langs hen.

In het kantoor tuurt een man van middelbare leeftijd met een bos zwart haar door een hoornen bril naar een typemachine. 'Sahib,' zegt Rupa, 'we hebben een baby voor uw weeshuis.' De man kijkt op naar de deur. Hij kijkt eerst naar Rupa, dan naar Kavita, die achter haar staat, en vervolgens naar de baby in haar armen. 'Ja, ja, natuurlijk. Ga zitten, alsjeblieft. Ik ben Arun Deshpande. Jullie hebben vast een lange reis achter de rug,' zegt hij als hij hun slordige verschijning ziet. 'Willen jullie thee of water?' vraagt hij, terwijl hij de oude vrouw gebaart het te brengen.

Bij dit vriendelijke gebaar begint Kavita zachtjes te huilen, de tranen trekken twee strepen over haar stoffige wangen. Ze heeft dorst, ja, natuurlijk heeft ze dorst. Haar hoofd bonst van de warmte en de honger. Haar voeten doen pijn van de sneden en blaren van het lopen door de stad. Ze is uitgeput van de reis, en van de bevalling, en van de uren met weeën daarvoor. Ze heeft weinig geslapen in de afgelopen dagen. Ze is moe van alles, en meer nog van de blikken die ze op zoveel gezichten heeft gezien vandaag, blikken van schaamte.

'Even een paar vragen,' zegt hij terwijl hij een blocnote en een pen pakt. 'Naam van het kind?'

'Usha,' zegt Kavita rustig. Rupa kijkt naar haar, met een verbaasde bedroefdheid in haar ogen.

Arun schrijft het op. 'Geboortedatum?'

Dit zijn de laatste woorden die duidelijk tot Kavita doordringen. Ze houdt Usha stijf vast, het hoofdje van de baby onder haar kin, en begint zachtjes heen en weer te wiegen. In de verte hoort ze Rupa antwoord geven. Kavita doet haar ogen dicht en haar gehuil wordt luider, totdat Aruns vragen en Rupa's antwoorden een achtergrondgemurmel worden en ze bijna vergeet dat ze er zijn. Ze vergeet haast waar ze is. Kavita gaat zo door, huilend en wiegend, zich niet bewust van de voortdurende pijn in haar bekken en haar bebloede, kapotte voetzolen, tot Rupa aan haar schouder schudt.

'Bena, het is tijd,' zegt Rupa, en rustig pakt ze de baby uit Kavita's armen. En nu hoort Kavita alleen maar gegil. Als ze voelt dat Usha uit haar armen wordt gepakt, hoort ze het gegil in haar hoofd, en dan het gegil dat uit haar eigen mond komt. Ze hoort

Usha jammeren. Ze ziet Rupa tegen haar schreeuwen, ziet haar mond bewegen en steeds maar weer dezelfde stille woorden zeggen. Ze voelt dat Rupa haar stevig bij haar schouders pakt en haar door de gang naar de voordeur duwt. Kavita's armen zijn nog steeds uitgestrekt, maar ze houden niets meer vast. Nadat het metalen hek met een klik achter hen dicht is gegaan, kan Kavita nog steeds Usha's doordringende gehuil horen.

8

Geen alternatieven meer

San Francisco, California, 1984
Somer

'Lieverd, hoor je me?' Kris houdt allebei haar handen op zijn schoot vast. Ze zitten tegenover elkaar op de bank in hun woonkamer. Somer probeert zich te herinneren wat hij net heeft gezegd. 'Ik zei dat we nog andere alternatieven hebben,' zegt hij.

Ze kijkt de kamer rond en ontdekt dat hij wat kaarsen heeft aangestoken en de gordijnen heeft dichtgetrokken. Er staan een fles rode wijn en twee glazen op de salontafel, naast een dikke, bruine envelop. Ze hoort het geluid van het spitsverkeer, en de N-Judahtram krijst buiten. *Wanneer is dit allemaal gebeurd? Zaten we niet pas een uur geleden in het kantoor van de dokter?*

Somer had uiteindelijk besloten dat ze naar een vruchtbaarheidsspecialist moesten gaan. Ze was moe van het wachten op de natuur, het zat om elke maand weer een fles wijn open te moeten maken als troost voor weer een negatieve zwangerschapstest. Als ze wisten wat het probleem was, redeneerde ze, konden ze er iets aan doen. Ze verwachtte dat het aan haar lag. Kris kwam uit een grote familie, en zijn beide broers hadden al een paar kinderen. Somer was enig kind, al hadden haar ouders daar nooit over gepraat.

Deze middag in het kantoor van de dokter hebben ze de diagnose gekregen waar ze zo bang voor was. Het ligt inderdaad aan haar. Prematuur ovariaal falen. Vroege menopauze. Het is nu allemaal te begrijpen. Het laatste jaar heeft ze steeds onregelmatige cycli gehad: overgeslagen cycli gevolgd door hevige. Ze dacht dat haar hormonen van slag waren door de zwangerschappen, maar al die tijd was het haar reproductieve systeem dat tot stilstand kwam. Over een jaar, heeft de dokter gezegd, zal haar overgang klaar zijn. Tegen de tijd dat ze tweeëndertig is, zal ze niet meer in staat zijn kinderen te krijgen, het enige wat haar definieert als een vrouw. *Wat zal ik dan zijn?* Ze wedijvert al haar hele leven met de jongens, haar vrouwelijkheid compenserend, het lot tartend, lijkt het wel.

'Heb je nagedacht over wat we hebben besproken?' vraagt Kris. 'Adoptie? Mijn moeder zegt dat het weeshuis snel kan reageren, misschien zelfs in minder dan negen maanden,' zegt hij met een scheve glimlach. Hij heeft zijn zinnen gezet op dat weeshuis in Bombay waar zijn moeder beschermvrouwe van is. Het schijnt dat het snel kan gaan als ten minste een van de toekomstige ouders Indiaas is en bewijzen kan tonen dat ze genoeg verdienen.

'Dat is niet grappig.' Ze legt haar hoofd tegen de kussens. 'Je geeft het op voor ons.'

'Nee, lieverd, dat doe ik niet...'

'Waarom begin je er dan steeds weer over? We kunnen het blijven proberen. De dokter zei...'

'... dat de kans erg klein is.'

'Klein, niet non-existent.' Somer trekt haar handen terug naar haar eigen schoot.

'Lieverd, we hebben alles al geprobeerd. Dokter Hayworth zei dat je geen goede kandidaat bent voor die nieuwe in-vitrotechniek, en zelfs als je dat wel was, dan wil ik niet dat ze met je gaan experimenteren. Lieverd, kijk eens naar wat dit allemaal met jou doet. Dit is niet goed voor ons. Luister, je wilt toch graag een gezin?'

Ze knikt, drukt haar vingernagels in haar handpalmen om de tranen tegen te houden.

'Dus óf je kunt doorgaan jezelf om zeep te helpen om zwanger te worden met een heel kleine kans op succes, óf we kunnen beginnen met de adoptieprocedure, en dan kun je volgend jaar om deze tijd al een baby in je armen houden.'

Ze knikt weer en bijt op haar onderlip. 'Maar zal het voelen als mijn baby?'

'Hoor eens, er zijn allerlei soorten gezinnen,' zegt hij. 'Bloed maakt je geen gezin. Wil je echt dat ons kind mijn grote neus heeft of linkshandig is?' Hij glimlacht, zoals hij meestal doet om zijn zin te krijgen, maar ze heeft deze keer geen zin om mee te doen. 'Je zult een geweldige moeder zijn, Somer. Je moet het gewoon laten gebeuren.' Kris komt dichter naar haar toe, probeert in haar ogen te kijken, alsof hij daar een antwoord zal kunnen vinden. 'Wat denk je ervan?'

Wat ik ervan denk? Ze weet het niet meer. 'Ik zal erover nadenken, oké? Het is veel om in één keer te verwerken,' zegt ze, en ze gebaart naar de bruine envelop. 'Nu wil ik gaan hardlopen, mijn hoofd een beetje helder krijgen. Oké?' Ze staat op zonder een antwoord af te wachten.

Somer jogt de straat uit in de richting van het groen van Golden Gate Park. Ze heeft eigenlijk geen zin om te lopen, maar ze moest weg bij Kris. Hij praat nu al maanden over adoptie, en ze heeft hem steeds afgescheept. Ze weet dat ze erover moet nadenken, maar het is moeilijk om het idee van een eigen kind krijgen los te laten: zwanger zijn, bevallen, borstvoeding, jezelf terugzien in je eigen kind. *Hoe kan ik dat alles opgeven?* Voor Kris is het makkelijker. Hij is niet degene die gefaald heeft.

Ze komt bij het drinkfonteintje, zwaar hijgend, en beseft dat ze al bijna vijf kilometer heeft gelopen. Normaal loopt ze een drie kilometer lange lus langs JFK Drive, maar vandaag heeft ze zin om helemaal naar de zee te lopen. Ze stopt om bij het fonteintje te drinken, dat langzaam tot leven gorgelt en haar dan in het gezicht sproeit. Het parkverkeer van vroeg in de avond gaat langs haar heen: een rolschaatser met dreadlocks, een groep wielrenners, moeders met buggy's, kinderen op fietsjes. Het is al drie jaar geleden dat ze met deze route is begonnen. Drie jaar dat ze heeft geprobeerd een baby te krijgen. Als ze haar eerste zwangerschap had uitgedragen, had ze nu een peuter gehad. Ze zou bezig zijn zoals deze moeders, zou haar kind helpen op een driewieler te rijden.

Prematuur ovariaal falen. Haar ogen lopen vol, maar ze veegt er snel langs met de achterkant van haar mouw en begint weer te rennen. Ze is pas eenendertig, hoe kan het nu te laat zijn? Vier jaar geneeskunde, nog drie voor haar specialistenopleiding. Ze heeft alles gedaan wat ze dacht dat ze hoorde te doen. Arts worden was het enige wat ze altijd al gewild had, tot nu. Hoe kon ze weten dat haar lichaam haar zou verraden? De waarheid komt net zo hard op haar af als het water uit het fonteintje. Kris heeft gelijk. De dokter heeft gelijk. Ze heeft haar antwoord, en ze kan er niets aan doen.

Als ze thuiskomt, is Kris verdwenen. Een briefje op de salontafel laat haar weten dat hij naar het ziekenhuis is geroepen. Ze gaat op de koude, hardhouten vloer zitten, haar benen iets opgetrokken voor zich. Ze buigt zich rekkend naar voren, en net als de punt van haar neus haar knie raakt, ontsnapt er een snik uit haar keel. Het parketpatroon van de vloer wordt wazig als haar ogen zich vullen met tranen. Ze laat het diepe, vreselijke gejammer naar buiten komen dat vlak onder de oppervlakte ligt te wachten. Die tranen vermeerderen zich steeds, worden groter binnen in haar. Ze slikt ze steeds weer weg, honderden keren per dag – elke keer als ze een kinderstem hoort, of het kleine lijfje van een patiënt onderzoekt – totdat het moment komt. Het gebeurt altijd als ze het het minst verwacht, op een moment dat ze niets bijzonders doet – haar koffiemok afdroogt, haar schoenveters losmaakt, haar haren kamt. En op dat moment, als ze het niet verwacht, komen de tranen opeens onstuitbaar, vanuit een plek heel, heel diep die ze nauwelijks kent.

Nadat ze een douche heeft genomen, gaat Somer op de bank zitten en ziet dat de fles wijn nu open is. Ze schenkt zich een glas in, pakt de bruine envelop die de moeder van Kris heeft gestuurd en gooit de inhoud eruit. Ze leest en ontdekt dat veel van de kinderen in Indiase weeshuizen geen echte wezen zijn, maar door hun ouders zijn opgegeven omdat ze niet voor hen kunnen of willen zorgen. De kinderen mogen in het weeshuis blijven tot ze zestien zijn, waarna ze moeten vertrekken om plaats te maken voor nieuwe kinderen. Zestien?

Ze hoort de echo van de woorden van Kris. *Je zult een geweldige moeder zijn, Somer. Je moet het gewoon laten gebeuren.* Somer vult haar glas bij en leest verder.

9

Troost

Dahanu, India, 1985
Kavita

Kavita staat voor de dageraad op, net zoals ze de laatste maanden elke ochtend heeft gedaan, om te baden en haar *puja* uit te voeren terwijl iedereen nog slaapt. Deze vroege uren van de dag zijn haar enige troost geweest sinds ze uit Bombay is teruggekomen.

Nadat zij en Rupa waren thuisgekomen van het weeshuis, was Kavita somber en ontoegankelijk. Ze sprak nauwelijks tegen Jasu en trok zich terug als hij haar aanraakte. Vroeger, als pasgetrouwd stel, was het normaal dat ze verlegen waren tegenover elkaar. Maar nu kwam het wederzijdse vermijden doordat ze te veel in elkaar zagen. Nadat ze twee baby's had verloren, voelde Kavita alleen maar wrok en wantrouwen tegenover haar echtgenoot. Ze wilde dat hij de schaamte en spijt zou voelen die ze in de plaats van Usha had meegebracht uit Bombay. En ze wist dat ze door hem te ontwijken, zelfs al was het maar tijdelijk, Jasu haar kracht liet voelen. In de maanden erna had hij haar, ook al gedroeg hij zich ongemakkelijk, de ruimte en tijd gegeven die ze nodig had. Het was het eerste blijk van respect dat hij haar had getoond in hun vier jaar huwelijk. Jasu's ouders waren niet zo tegemoetkomend, hun teleurstelling veranderde in onophoudelijke kritiek op haar omdat ze geen zoon had gebaard.

Kavita loopt naar buiten en spreidt haar mat uit op de ruwe, stenen treden, waar ze gaat zitten met haar gezicht naar de opkomende zon in het oosten. Ze steekt de kleine, in *ghee* gedrenkte *diya* aan en een dun stokje wierook, en sluit dan haar ogen in gebed. De slierten geurige rook cirkelen langzaam de lucht in en om haar heen. Ze ademt diep in en denkt, als altijd, aan de meisjesbaby's die ze heeft verloren. Ze rinkelt met de kleine zilveren bel en zingt zachtjes. Ze ziet hun gezichtjes en hun kleine lijfjes, ze hoort hun kreetjes en voelt hun kleine vingertjes zich om die van haar sluiten. En altijd hoort ze de echo van het wanhopige gehuil van Usha achter de gesloten deuren van het weeshuis. Ze staat zichzelf toe zich te verliezen in de diepte van haar verdriet. Nadat ze een tijdje heeft gezongen en gehuild, probeert ze zich de baby's in vrede voor te stellen, waar ze ook mogen zijn. Ze stelt zich Usha voor als een klein meisje, haar haren in twee vlechtjes, bijeengehouden met witte linten. Het beeld van het meisje in haar geest is volkomen helder: lachend, rennend, spelend met kinderen, etend en slapend met de anderen in het weeshuis.

Elke morgen zit Kavita op dezelfde plek voor haar huis met haar ogen dicht totdat de stormachtige gevoelens een hoogtepunt bereiken en vervolgens langzaam afnemen. Ze wacht tot ze weer rustig kan ademen. Tegen de tijd dat ze haar ogen opendoet, is haar gezicht nat en de wierook opgebrand tot een klein hoopje zachte as. De zon is een gloeiende oranje bal aan de horizon, en de dorpelingen worden om haar heen wakker. Ze eindigt haar puja altijd door met haar lippen de overgebleven zilveren armband aan haar pols aan te raken, zich verzoenend met het enige wat ze nog van haar dochters heeft. Deze dagelijkse rituelen hebben haar troost gebracht, en na verloop van tijd wat genezing. Ze kan de rest van de dag doorkomen met die vredige beelden van Usha in haar gedachten. Elke dag wordt draaglijker. Als dagen overgaan in weken, en weken in maanden, voelt Kavita haar bitterheid tegenover Jasu verminderen. Na een paar maanden staat ze hem weer toe haar aan te raken, en daarna om weer 's nachts bij haar te komen.

Als ze weer zwanger wordt, staat Kavita zichzelf niet toe op dezelfde manier als eerst aan deze baby te denken. Ze houdt zich niet bezig met haar opzwellende borsten en raakt haar groeiende buik niet aan. Ze vertelt het nieuws zelfs niet meteen aan Jasu. Als de gedachte aan het leven dat in haar groeit in haar opkomt, duwt ze die gewoon weg, net als het stof dat ze elke dag van de vloer veegt. Het is iets wat ze heeft geleerd in de maanden na Bombay.

'Zou het niet een goed idee zijn om deze keer naar de kliniek te gaan?' zegt Jasu als ze het hem eindelijk vertelt. Ze hoort een verhulde aandrang in zijn stem.

Een nieuwe medische kliniek in het buurdorp biedt echo's aan aanstaande moeders aan, zogenaamd om de gezondheid van de baby te onderzoeken. Maar het is algemeen bekend dat degenen die daar naartoe gaan, dat doen om het geslacht van hun ongeboren kind te weten te komen. Het kost tweehonderd roepie, een maandopbrengst van hun land, en een volle dag om er te komen. Ze moeten al het geld gebruiken dat ze hebben gespaard voor nieuwe landbouwwerktuigen, maar ondanks dat is Kavita het ermee eens.

Ze weet dat als de echo laat zien dat er weer een meisje in haar baarmoeder groeit, alle mogelijkheden pijnlijk zijn. Jasu kan eisen dat ze een abortus ondergaat, meteen daar in de kliniek als ze er het geld voor zouden hebben. Of hij zou haar gewoon kunnen verstoten, haar kunnen dwingen de schaamte te verduren die het voor haar zou betekenen als ze het kind alleen moest opvoeden. Ze zou worden gemeden, net als de andere *beechari's* in het dorp. Maar zelfs dat, verstoten worden door haar familie en de gemeenschap, zou niet zo erg zijn als het alternatief. Ze kan de pijn van een kind krijgen, het in haar armen houden en haar dan weg moeten geven, niet weer aan.

Kavita weet diep vanbinnen dat ze dat gewoon niet zal overleven.

10

Een indrukwekkend iets

San Francisco, California, 1985
Somer

Somer zit op de rand van het bad, haar blote voeten op de koude, blauwe tegels, haar vingers om het bekende plastic staafje in haar hand geklemd. Ondanks haar tranen kan ze de twee parallelle lijnen net zo duidelijk zien als acht maanden geleden, toen ze zag dat ze zwanger was. Vandaag was haar uitgerekende datum. Het zou een feestdag voor haar en Kris moeten zijn, maar in plaats daarvan rouwt ze alleen. Het medeleven van andere mensen werd een paar weken na haar miskraam al minder. Het enige bewijs van de baby die ze heeft verloren, is de zwangerschapstest die ze nu in haar hand houdt, en de blijvende leegte die ze nog niet heeft kunnen vullen.

Het geluid van de misthoorn in de verte brengt haar weer terug naar het heden. Vanuit de andere kamer hoort ze de wekker van Kris, de kenmerkende tune van het ochtendnieuws. Ze staat op en stopt het plastic staafje in de zak van haar versleten badstof ochtendjas. Ze weet dat Kris' geduld begint op te raken, hij begint zich te ergeren aan wat hij haar obsessie noemt. Hij wil verdergaan. Ze pakt haar tandenborstel als Kris de badkamerdeur openduwt.

'Goedemorgen,' zegt hij. 'Wat doe jij zo vroeg op?'

Ze draait de douche open en trekt haar ochtendjas uit. 'Mijn vlucht gaat om negen uur.'

'Ja. Doe je ouders de groeten.'

Ze stapt de douche in en draait de warme kraan verder open, tot hij zo heet is dat ze het net kan verdragen.

Somer ziet de grijze Volvo sedan zodra hij aan komt rijden bij de aankomsthal van San Diego Airport. Haar moeder stapt uit en komt naar de stoep om haar te begroeten.

'Hoi, lieverd. Wat heerlijk om je weer te zien.'

Somer stapt over haar plunjezak in haar moeders open armen. Meteen voelt Somer zich in haar omarming versmelten. Ze begraaft haar gezicht in haar moeders zachte vest en de vage geur van Oil of Olay. Ze voelt zich weer negen jaar en begint te huilen.

'Och, schat,' zegt haar moeder, en ze streelt haar haar.

'Ik zal theewater opzetten,' zegt haar moeder als ze thuis zijn. 'En ik heb bananenbrood gebakken.'

'Klinkt heerlijk.' Somer gaat in een windsorstoel aan de keukentafel zitten.

'Dus Kris heeft dienst dit weekend? Jammer, we zullen hem missen.'

Haar ouders mogen Kris graag. Ze wist niet zeker hoe ze zouden reageren toen ze met haar Indiase vriend thuiskwam, maar gelukkig hebben ze hem met open armen ontvangen. Allebei haar ouders zijn in Toronto opgegroeid tijdens de naoorlogse immigratiegolf van de jaren veertig, en hadden buren die Russisch, Italiaans en Pools spraken. Ze waren altijd al ruimdenkend, al voordat het in de mode kwam. Als arts voelde haar vader zich onmiddellijk verwant met Kris en hij respecteerde hem om zijn keuze om chirurg te worden.

'Je vader heeft geprobeerd om minder avonden te werken; hij ging terug naar één avond per week, daarna een paar avonden, en nu is hij weer waar hij is begonnen.' Haar moeder schudt haar hoofd terwijl ze de ketel vult.

Al zolang Somer zich kan herinneren gebruikt haar vader een verbouwde kamer op de eerste verdieping van hun huis om zijn patiënten te ontvangen. Sommigen waren patiënten die hij overdag in zijn kliniek behandelde, spoedgevallen. Maar meestal waren het mensen die anders helemaal geen dokter zouden zien: nieuwe immigranten zonder ziektekostenverzekering, tienermoeders die door hun ouders het huis uit waren gezet, ouderen die 's avonds niet naar een ziekenhuis durfden. Al snel werd bekend dat dokter Whitmans thuispraktijk altijd open was en dat hij geen rekening stuurde aan degenen die hem niet konden betalen. Somers jeugdherinneringen zijn gevuld met het geluid van de deurbel tijdens het avondeten of een spelletje scrabble.

'Zoek dat woord op, Somer,' zei haar vader dan als hij de deur ging opendoen, nadat hij een woord met zeven letters had neergelegd. 'Gebruik het in een zin als ik terugkom.'

Vaak vonden ze een versgebakken taart of een mand fruit die door een dankbare patiënt was achtergelaten bij de voordeur naast de ochtendkrant. Voor haar vader was arts zijn meer dan een beroep: het was een roeping. Het stond niet los van de rest van zijn leven, en het werd Somer met de paplepel ingegoten. Toen ze acht was, leerde hij haar door een stethoscoop naar haar eigen hartslag te luisteren. Toen ze tien was, kon ze een bloeddrukmeter aansluiten. Ze dacht er nooit over na iets anders te worden dan dokter. Haar vader was haar held. Ze verlangde altijd naar de weekenden, wanneer ze op zijn schoot kroop terwijl hij in zijn bruinleren fauteuil zat te lezen.

'En hoe is het met jou, mam? Hoe gaat het in de bibliotheek?' Somer ziet de kraaienpootjes rond haar moeders ogen.

'O, druk als altijd. We zijn de naslagafdeling aan het veranderen om ruimte te maken voor meubels die we gekregen hebben. Ik organiseer voor komende herfst een serie workshops over biografieën van beroemde vrouwen: Eleanor Roosevelt, Katharine Graham.'

'Leuk.' Somer glimlacht, hoewel ze nooit heeft begrepen hoe haar moeder zich kan interesseren voor zo'n alledaagse baan.

Haar moeder brengt twee dampende mokken naar de tafel, met twee dikke stukken bananenbrood. 'En, wat is er aan de hand, lieverd? Je bent zo afwezig.'

Somer slaat haar handen om de mok en neemt een slokje thee. 'Nou, we... ik... kan geen kinderen krijgen, mam.'

'O, schat.' Haar moeder legt een hand op Somers arm. 'Het lukt heus wel, je moet het wat tijd geven. Het is heel gewoon om een miskraam te krijgen. Heel veel...'

'Nee.' Somer schudt haar hoofd. 'Het kan niet. We zijn naar een specialist geweest voor onderzoek. Ik zit in een vroege overgang. Mijn eierstokken produceren geen eitjes meer.' Somer kijkt in haar moeders ogen voor de uitleg die ze nergens anders heeft kunnen krijgen en ziet ze vollopen met tranen.

Haar moeder schraapt haar keel. 'Dus dat is het. En er is niets aan te doen?'

Somer schudt haar hoofd en staart in haar thee.

'Wat vreselijk, lieverd.' Haar moeder slaat haar handen in elkaar. 'Hoe gaat het met je? En met Kris?'

'Kris is er erg... klinisch over, altijd de arts. Hij vindt dat ik er te emotioneel over ben.' Ze stopt voordat ze kan vertellen dat ze er met hem niet meer over kan praten, dat ze zich zorgen maakt dat als ze geen manier vindt om door te gaan, ze Krishnan ook nog zal verliezen.

'Het kan moeilijk zijn voor een man om het te begrijpen,' zegt haar moeder terwijl ze in haar mok staart. 'Het was voor je vader ook moeilijk.'

Somer kijkt op. 'Hebben jullie daarom niet meer kinderen?'

Haar moeder neemt een slokje voor ze antwoordt. 'Ik had een miskraam voor jou, en na jou ben ik nooit meer zwanger geworden. Er waren toen geen onderzoeken op dat gebied, dus we hebben het gewoon maar geaccepteerd. We waren zo gelukkig dat we jou hadden, maar ik vond het erg naar dat we je geen broertje of zusje konden geven.' Haar moeder veegt een traan weg.

Somer voelt een golf van schaamte door zich heen gaan voor elke keer dat ze een broertje of zusje gewenst heeft.

'Het is niet jouw schuld, mam,' zegt ze. *Niet jouw schuld. Niet mijn schuld.* Ze zitten een poosje rustig zwijgend bij elkaar voordat Somer naar haar moeder opkijkt. 'Mam, wat vind jij van adoptie?'

Haar moeder glimlacht. 'Ik vind het een geweldig idee. Denken jullie erover?'

'Misschien... Er zijn zoveel kinderen in India die ouders nodig hebben, een thuis.' Ze kijkt neer op haar handen, draait haar trouwring rond. 'Het is alleen zo moeilijk te accepteren dat ik nooit zelf een kind zal krijgen, nooit een leven zal scheppen.' Ze slikt de opkomende tranen weg.

'Lieverd,' zegt haar moeder, 'je doet dan iets wat net zo belangrijk is: je redt een leven.'

Somers gezicht verkreukelt als een tissue en ze begint te huilen. 'Ik wil zo graag moeder zijn.'

'Je zult een geweldige moeder zijn,' zegt haar moeder, en ze bedekt Somers handen met die van haar. 'En als je dat bent, dat beloof ik je, dan is dat het belangrijkste wat je ooit hebt gedaan.'

Tijdens de vlucht naar huis leest Somer het materiaal van het Indiase adoptiebureau, en bekijkt de ernstige gezichtjes van de kinderen. Het zal een indrukwekkend iets zijn om de loop van een van die levens te veranderen: om een kans te creëren waar er geen was, om iemands leven te verbeteren. Het doet haar denken aan waarom ze dokter wilde worden. Er staat een uitspraak van Gandhi aan de binnenkant van de brochure: 'Jij moet de verandering zijn die je in de wereld wilt zien.'

Misschien was er een reden voor al onze pijn. Misschien zijn we voorbestemd om dit te doen.

11

Uitgeven en besparen

Thane, India, 1985
Kavita

De ochtend van het onderzoek is Kavita zenuwachtig, haar maag speelt op. Ze legt een beschermende hand op haar opzwellende buik als ze de kliniek naderen. Buiten hangt een poster – GEEF NU 200 ROEPIE UIT EN BESPAAR ER LATER 20.000 – een duidelijke verwijzing naar het besparen van de bruidsschat die samenhangt met een dochter. Verder kan de onopvallende deur net zo goed van een kleermaker of schoenenwinkel zijn. Binnen staan stelletjes bij elkaar. Kavita ziet dat zij het verst in haar zwangerschap is, vijf maanden nu.

Jasu loopt naar de receptionist en zegt iets, dan haalt hij een bundel bankbiljetten uit zijn zak en geeft ze aan hem. De receptionist telt ze, stopt ze in een metalen kistje en stuurt Jasu met een zijwaarts gebaar van zijn hoofd terug naar de wachtruimte. Kavita schuift een stukje op om plaats voor hem te maken tegen de muur. Terwijl ze wachten houdt ze haar ogen gericht op de ruwe, betonnen vloer. Het geluid van gedempt snikken dwingt haar om op te kijken en ze ziet een vrouw van achter uit de kliniek naar de voordeur rennen. De sari van de vrouw is over haar hoofd geslagen, en een ernstig kijkende man volgt haar. Kavita kijkt weer naar beneden en ziet vanuit een ooghoek Jasu's tenen bewegen.

De receptionist roept hun naam en gebaart met zijn hoofd naar achter in de kliniek. Als ze de enige deur door gaan, staan ze in een kamer die net groot genoeg is voor een provisorische onderzoeks-

54

tafel en een kar met een machine erop. De technicus geeft verschillende papieren aan Jasu, die ze allebei niet kunnen lezen, en beduidt Kavita om op de tafel te gaan liggen. De gel die hij op haar buik smeert, is koud en onaangenaam. Ze voelt een verrassende steek van dankbaarheid als Jasu naast haar komt staan. Als de technicus het apparaatje over haar stevige buik beweegt, proberen ze allebei wijs te worden uit de korrelige zwart-witbeelden. Jasu tuurt naar het scherm, houdt zijn hoofd schuin en kijkt verschillende keren bezorgd naar de technicus voor een aanwijzing over wat er in Kavita's baarmoeder zit. Na een paar minuten zegt de technicus: 'Gefeliciteerd, een gezonde jongen.'

'Wauw!' schreeuwt Jasu lachend. Hij slaat de technicus op zijn schouder en kust Kavita op haar voorhoofd, een zeldzaam publiek gebaar van genegenheid.

In de weken na het onderzoek, als ze langzaam begint te beseffen dat ze dit kind mag houden, staat Kavita zich eindelijk toe om zich verbonden te voelen met het kind. Dat gevoel gaat over in een voorzichtige verwachting, die gevoed wordt door het tomeloze enthousiasme van haar echtgenoot. Jasu's gedrag verandert na die dag in de kliniek. Hij geeft zijn extra *rotli's* bij het avondeten aan Kavita, zodat ze meer krijgt, en hij zorgt ervoor dat ze uitrust als hij merkt dat haar rug pijn doet. 's Nachts als ze in bed liggen, wrijft hij haar opgezette voeten in met kokosolie en zingt zachtjes tegen haar groeiende buik. Ze weet dat het meeste van de verandering in zijn gedrag komt doordat ze een jongen krijgt, maar ze wil geloven dat het niet de enige reden is. Doordat Jasu haar in de resterende maanden van haar zwangerschap zo goed verzorgt, voelt Kavita haar koelheid tegenover hem wegsmelten. Ze ziet dat hij in staat is een liefhebbende echtgenoot te zijn, een goede vader. Hij is ook veranderd na die eerste nacht in de geboortehut, bijna twee jaar geleden. Kavita weet dat ze hem niet helemaal de schuld kan geven van wat er gebeurd is. Hij is niet anders of slechter dan de andere mannen in het dorp, waar zonen favoriet zijn en dat altijd al zijn geweest.

Het is duidelijk dat hun zoon geen uitzondering zal zijn. Zijn komst wordt tegemoetgezien door de hele familie. Alles is anders deze keer. Kavita wordt gevoed en vertroeteld tot aan haar eerste weeën, en de vroedvrouw wordt meteen geroepen om haar te steunen. Jasu blijft buiten staan en rent naar haar toe zodra hij de eerste kreten van de baby hoort. Zoals de traditie wil, raakt Jasu de lippen van het jongetje aan met een gouden lepel die in honing is gedoopt, al voordat de navelstreng is doorgesneden. Hij buigt zich voorover om Kavita op haar voorhoofd te kussen. Met glanzende ogen wiegt Jasu zijn zoon in zijn armen.

Kavita veegt haar eigen ogen af. De rituelen die ze deelt met Jasu en haar zoon zijn mooi en ontroerend, maar de blijdschap kan haar verdriet niet verdringen. Jaren heeft ze naar dit moment verlangd. Nu het is gekomen, is het doorspekt met verdriet uit het verleden.

12

Een draai vinden

San Francisco, Californië, 1985
Somer

Het is allemaal nogal theoretisch tot de dag dat de envelop arriveert. Als Somer hem ziet in de stapel post, springt haar hart op. Ze legt een fles champagne in de koelkast en rent de trap af naar het ziekenhuis. Ze hebben afgesproken om hem samen open te maken, maar nu, terwijl ze rent met de envelop in haar hand, jeuken haar vingers om hem open te scheuren na zoveel maanden van wachten.

Eerst waren er ontelbare avonden aan de keukentafel, met stapels papieren, het invullen van formulieren, bij elkaar rapen van diploma's, belastingpapieren, financiële afschriften en medische rapporten. Toen kwam het onderzoek van het adoptiebureau: gesprekken, huisbezoeken en psychologische evaluaties. Somer moest zich bedwingen om zich niet gepikeerd te voelen toen de maatschappelijk werkster elke hoek van hun flat inspecteerde, niet alleen de kamer die voor de baby zal zijn, maar ook hun medicijnkastje, en ze zelfs discreet in de koelkast snuffelde.

Ze slikten hun trots in en vroegen vroegere professoren, studiegenoten en collega's die hen als stel kenden om hen positief te beoordelen als adoptieouders. Zelfs de plaatselijke politieafdeling moest haar goedkeuring geven. Het was niet eerlijk, beledigend om zoveel onderzoeken te moeten ondergaan, hun hele ziel bloot te leggen terwijl de meeste stellen ouders konden worden zonder enige beoordeling. Maar ze deden alles wat hun werd gezegd, dienden hun aanvraag in en wachtten. Er werd alleen gezegd dat het waarschijnlijk een oudere baby zou worden, misschien niet honderd procent gezond, en bijna zeker een meisje.

Somer arriveert bij het ziekenhuis, zwaar hijgend, en gaat meteen naar de afdeling waar Kris meestal is. 'Weet je waar hij is?' vraagt ze aan de verpleegkundige bij de balie. Ze wacht echter niet op een antwoord en kijkt in de artsenkamer, die leeg blijkt, kijkt dan om het hoekje van de oproepkamer, maakt iemand wakker die nachtdienst heeft gehad, en gaat ten slotte weer terug naar de balie.

'Ik zal hem voor je oproepen,' zegt de verpleegkundige.

'Dank je.' Somer gaat in een van de plastic stoelen in de buurt zitten. Ze tikt met haar voet op de gespikkelde vloer en wendt haar ogen af van de envelop. Ze hoort de stem van Kris en ziet hem dan naar haar toe komen lopen. Ze kan aan zijn gezicht zien – de koude blik in zijn ogen, het kloppen van zijn kaakspieren – dat hij de terneergeslagen, jonge arts-assistent die naast hem loopt een uitbrander geeft. Zelfs als hij haar ziet, blijft zijn gezicht ernstig, totdat ze gaat staan en de grote envelop omhooghoudt. Er verschijnt een vage glimlach op zijn gezicht. Hij stuurt de arts-assistent weg en loopt naar haar toe. 'Is dat 'm?'

Ze knikt. Hij leidt haar bij haar elleboog naar het dichtstbijzijnde trappenhuis. Ze gaan naast elkaar op de bovenste tree zitten, openen de envelop en halen er een stapel papieren uit waarop een polaroidfoto zit geklemd. De baby op de foto heeft zwart krullend haar, en haar amandelvormige ogen hebben een verrassende, hazelnootbruine kleur. Ze draagt een eenvoudig jurkje, een dunne, zilveren enkelband, en heeft een nieuwsgierige uitdrukking op haar gezicht.

'O, mijn hemel,' fluistert Somer, en één hand gaat naar haar mond. 'Wat is ze mooi.'

Krishnan rommelt met de papieren en leest; 'Asha. Zo heet ze. Tien maanden oud.'

'Wat betekent dat?' vraagt ze.

'*Asha?* Hoop.' Hij kijkt haar glimlachend aan. 'Het betekent "hoop".'

'Echt?' Ze lacht en huilt tegelijk. 'Nou, dan moet ze wel voor ons zijn.' Ze grijpt zijn hand, vlecht hun vingers in elkaar en kust hem. 'Dat is perfect, helemaal perfect.' Ze legt haar hoofd op zijn schouder als ze samen naar de foto staren.

Voor het eerst in een heel lange tijd voelt Somer een lichtheid in haar borst. *Hoe kan het dat ik nu al verliefd ben op dit kind, een halve aardbol van ons verwijderd?* De volgende morgen sturen ze een telegram naar het weeshuis waarin ze aankondigen dat ze hun dochter komen halen.

Hun euforie helpt hen door de eindeloze zevenentwintigurige vlucht naar India heen. Somer is over zo veel dingen opgewonden: haar eerste bezoek aan India, de ontmoeting met de hele familie van Kris, zien waar hij opgroeide en de plekken zien waar hij al zoveel jaren over vertelt. Maar vooral, als ze haar ogen sluit, stelt ze zich voor hoe ze voor het eerst haar baby in haar armen zal houden. Ze heeft Asha's foto in haar zak en kijkt er vaak naar. Die ene foto heeft al haar twijfels laten verdwijnen en maakt alles tastbaar. Ze lag 's nachts wakker en stelde zich het lieve gezichtje van haar dochter voor. Ze bekeek de groeicurven op haar werk en maakte zich zorgen over Asha's gewicht. Nu is hun huis er klaar voor, en zijn ze via de adoptieorganisatie voorbereid door andere ouders, maar ze weten nog steeds niet goed wat ze kunnen verwachten als ze in India aankomen. Ze zijn gewaarschuwd voor eenkennigheid, cultuurschok, vertraagde ontwikkeling, ondervoeding... Er zijn bij deze adoptie te veel uitdagingen om op te noemen. Maar toch, terwijl andere passagiers een gezicht trekken bij de kinderen die tijdens de vlucht zitten te krijsen, knijpen Somer en Kris in elkaars hand en wisselen opgewonden blikken.

Als ze in Bombay uit het vliegtuig stappen, wordt Somer overspoeld door de doordringende geur van zee, kruiden en menselijk zweet. Ze vecht tegen haar slaperigheid terwijl ze in de rommelige immigratierij wordt voortgeduwd door de mensenmassa. Voordat ze de bagageband bereiken, worden ze al omringd door mannen die aan hun kleren trekken en snel praten. Somer begint in paniek te raken, maar volgt dan Krishnan door de menselijke doolhof, terwijl ze ziet hoe hij rustig zijn weg zoekt tussen de mensen en de rijen door, en onderweg een paar keer een steekpenning uitdeelt.

Als ze buitenkomen, nestelt het benauwde weer zich als een onwelkome sjaal om Somers blote schouders. De wegen om het vliegveld gonzen van de auto's en toeterende claxons. Somer en Krishnan gaan op de gebarsten vinyl achterbank van een gammele taxi zitten. Somer ziet haar man het raampje met de hand omlaag draaien, en doet hetzelfde. Krishnan slaakt een diepe zucht en kijkt haar glimlachend aan. 'Bombay,' zegt hij stralend. 'In al zijn glorie. Wat vind je ervan?'

Somer knikt alleen maar. Krishnan wijst onderweg bezienswaardigheden aan: een elegante moskee in de verte, een beroemde renbaan. Maar het enige wat ze ziet, zijn de vervallen gebouwen en vuile straten die als een non-stopfilm langs haar raam schuiven. De eerste keer dat ze stoppen, wordt de auto omringd door een zwerm bedelaars in haveloze kleren. Ze steken hun handen door het open raam, tot Krishnan zich over haar heen buigt en het dichtdraait.

'Gewoon negeren. Niet kijken, dan gaan ze vanzelf weg,' zegt hij, en hij staart recht voor zich uit.

Somer kijkt naar de vrouw die naast de auto staat. Ze heeft een uitgemergelde baby op haar heup en gebaart met haar vingers naar haar mond. De vrouw is niet meer dan veertig centimeter van haar vandaan. Somer kan de honger en wanhoop van de vrouw voelen, zelfs door het glas heen. Ze dwingt zichzelf weg te kijken.

'Je went eraan.' Hij pakt haar hand. 'Maak je geen zorgen, we zijn er bijna.'

Somer is benieuwd naar het huis waar Kris is opgegroeid. Hij heeft nooit veel details over zijn familie verteld, behalve de basisdingen: zijn vader is een gerespecteerd arts, zijn moeder geeft privéles en doet liefdadigheidswerk. Ze heeft hen pas één keer ontmoet, zes jaar geleden, toen ze voor de bruiloft naar San Francisco kwamen.

Ook al bleven zijn ouders een hele week bij hen, het was een hectische tijd, tussen huwelijksvoorbereidingen en werk. Als Somer een kans had om met hen te praten, ging het gesprek over het weer (waarom het zo koud was in de zomer), hun huwelijks-plannen (een informele ceremonie voor veertig gasten in Golden Gate Park), en welke restaurants in de buurt vegetarisch eten op het menu hadden (de pizzeria en de bakkerij). Elke ochtend zette de moeder van Kris thee op het fornuis en bekeek de karige inhoud van hun keukenkastjes. Zijn vader bestudeerde de krant alsof hij van plan was elk woord dat erin stond te lezen. Somer voelde elke dag een schuldige opluchting als ze naar haar werk ging. Op een gegeven moment had ze Kris gevraagd of er iets mis was. Het voelde aan alsof zijn ouders iets verzwegen.

'Ze zijn niet gewend aan de dingen hier,' zei hij. 'Ze proberen gewoon hun draai te vinden.'

Nu, terwijl ze uit het raam kijkt naar de skyline van Bombay, vraagt Somer zich af of ze hetzelfde zal kunnen doen.

13

Ambities

Bombay, India, 1985
Sarla

Sarla Thakkar kijkt in de spiegel, terwijl ze het haar dat tot haar middel reikt in de gebruikelijke knot draait en die stevig vastpint. Ze raakt vluchtig de grijze strepen bij haar slapen aan. *Nou ja, waarom ook niet? Ik ben tenslotte oma.* Ze pakt de pas geperste sari van het bed en wikkelt hem vakkundig om haar lichaam totdat de geborduurde roze zoom precies op haar linkerschouder zit. Ze buigt zich dichter naar de spiegel toe om een kleine geelgouden *bindi* precies midden op haar voorhoofd te zetten. Nadat ze lipstick heeft aangebracht, stapt ze achteruit voor een inspectie, en denkt er dan aan dat ze Devesh moet zeggen de spiegel schoon te maken; die zit vol vuile strepen. Ze heeft de bedienden de hele dag al beziggehouden. Ze weten dat alles perfect in orde moet zijn voor de komst van haar oudste zoon uit Amerika. Al klaagt ze tegen anderen dat Krishnan zich zo ver van huis heeft gevestigd, ze is vooral trots. Hij had altijd al grote ambities, als kind al.

Als kind liep Krishnan met zijn vader mee op zijn ziekenhuisronden en trok zachtjes aan de zoom van zijn vaders witte jas als hij een vraag had. Alle drie haar zonen waren slim, maar vooral Krishnan was prestatiegericht. Hij rende van school naar huis om te vertellen dat hij het hoogste cijfer had gehaald voor natuurkunde, of de wiskundewedstrijd had gewonnen. Terwijl hij hoge cijfers bleef halen op school, breidden Krishnans ambities zich uit en hij droomde van studeren in het buitenland. Toen hij werd toegelaten op een medische opleiding in Amerika moesten ze de middelen om hem te laten gaan bij elkaar schrapen: hun rijkdom in India betekende niet zoveel in Amerikaanse dollars. Buitenlandse studenten kwamen niet in aanmerking voor een lening, en ze wilden niet dat Krishnan van zijn studie werd afgeleid door een baan. Sarla kan nauwelijks geloven dat er alweer tien jaar voorbij zijn sinds die dag dat ze hem op het vliegveld uitzwaaiden.

Zestien familieleden reden in een karavaan met vier auto's naar het vliegveld. De laatste auto was alleen maar gevuld met Krishnans bagage, inclusief een grote koffer vol zakken met theeblaadjes, kruiden en ander gedroogd voedsel. Natuurlijk maakte Sarla zich er de meeste zorgen over of haar zoon wel goed zou eten de komende jaren. Op het vliegveld bleven ze allemaal wachten tot Krishnan moest inchecken. De kinderen renden rond, speelden *kabbadi* en genoten van de echo van hun stemmen in de hoge gangen. Sarla had een aantal roestvrijstalen thermoskannen meegenomen, zodat de volwassenen konden genieten van hete *chai* en lekkere hapjes. Geen enkele gelegenheid, en zeker niet zo'n belangrijke als deze, was compleet zonder een maaltijd. Sarla hield zich bezig met het verzorgen van het voedsel, organiseerde groepsfoto's, hield de tijd in de gaten... alles om maar niet sentimenteel te worden. Als ze toen had geweten dat haar zoon India voorgoed verliet, had ze zichzelf wel meer emotie toegestaan. Het was haar man die het meest emotioneel afscheid nam van Krishnan. Normaal was hij erg stoïcijns, maar nu hield hij Krishnan lange tijd in een omhelzing vast. Toen hij hem losliet, waren zijn ogen vochtig. De rest van de familie keek eerbiedig de andere kant op, en zelfs de kinderen werden rustig.

'Maak je geen zorgen, papa. Ik zal zorgen dat je trots op me kunt zijn,' zei Krishnan met brekende stem.

'Ik ben nu al trots op je, zoon,' zei zijn vader. 'Vandaag ben ik erg trots op je.'

Krishnan draaide zich om om naar de groep familieleden te zwaaien die hem het beste was komen wensen. Het waren niet alleen zijn dromen die hem tot zijn reis naar Amerika brachten.

Het was altijd aangenomen dat hij terug zou komen naar India als hij zijn opleiding had voltooid, om bij zijn vader in de praktijk te komen en te trouwen. Met zijn Amerikaanse bul en salaris zou Krishnan kunnen kiezen uit alle huwbare vrouwen. Maar toen Sarla naar geschikte kandidaten begon te zoeken, wimpelde hij haar af, zei dat hij het veel te druk had met zijn opleiding om aan trouwen te denken. Toen opeens, vlak voor zijn afstuderen, belde hij om te zeggen dat hij zelf een vrouw had gevonden, een Amerikaanse vrouw, met wie hij wilde trouwen. En hij bleef daar, voor haar, begrepen ze.

Sarla en haar echtgenoot waren goed opgeleide, progressieve mensen: ze waren niet tegen een huwelijk uit liefde, maar dit leek onbezonnen. Ze wilden niet dat Krishnan een fout beging – dit meisje kwam uit een heel andere cultuur, en ze kenden elkaars familie niet eens. Toen ze naar Amerika gingen voor het huwelijk, werd hun angst over Krishnan en zijn bruid bewaarheid. De bruiloft was rustig en klein, het huis dat ze deelden was zielloos, hun voedsel niet gekruid. Sarla en haar man voelden zich meer gasten dan familie in dat huis. Ze vroegen zich af wat er met hun zoon was gebeurd.

Maar nu is hij getrouwd, en het is hun plicht om hun zoon en zijn vrouw te steunen. Toen Krishnan vorig jaar naar adoptie informeerde, zag Sarla een gelegenheid om de banden weer te verstevigen. Misschien zou ze haar zoon niet helemaal aan Amerika verliezen. Elke keer als ze het weeshuis bezocht, kreeg ze onofficiële informatie van de staf over de nieuwe baby's die waren aangekomen. Toen ze de baby met de bijzondere ogen voor het eerst zag, maakte ze de directeur op haar attent. Die ogen deden haar denken aan Krishnans vrouw, ze had het gevoel dat dit kind een goede match voor hen zou zijn.

Sarla had altijd naar een dochter verlangd, wat vrouwelijk gezelschap in een huis vol mannen. Natuurlijk wilde ze een van haar zoons niet inruilen, maar toen ze nog jong waren, wenste ze vaak een dochter om haar juwelen, maar ook haar levenslessen, mee te delen. Een vrouw zijn in India is een heel andere ervaring. Je kunt niet altijd zien hoeveel macht ze hebben, maar die is er, in de ferme greep van de matriarchen die nog steeds veel families regeren. Het is niet gemakkelijk geweest voor Sarla om het vrouwelijke pad te bewandelen: ze is een meesterreiziger geworden, maar zonder leerling. Ze dacht dat ze die relatie wel met een van haar schoondochters zou ontwikkelen, maar die, net als Somer, pasten niet in die rol. En toen ze baby's kregen, steunden ze op hun eigen moeders en lieten haar weer achter in het gezelschap van mannen.

Maar nu, peinst Sarla als ze naar de klok kijkt en op Krishnans komst wacht, zal ze eindelijk haar kleindochter krijgen.

14

Moessontijd

Bombay, India, 1985
Somer

Op haar eerste ochtend in Bombay wordt Somer misselijk wakker. Ze gaat anders liggen, maar dat helpt niet. Verdorie. Ze heeft geprobeerd voorzichtig te zijn met het eten gisteravond met Krishnans familie, maar ze kan duidelijk niet tegen het hete, gekruide eten. Dat was niet het enige waardoor ze zich niet op haar plek voelde. Iedereen at met zijn vingers, terwijl zij schaapachtig om een vork vroeg. Ze kon het gesprek maar gedeeltelijk volgen, omdat Krishnans familieleden steeds weer overgingen op het Gujarati. Het was als skiën op sneeuw, en dan opeens op een stuk gras stuiten. Ze was gestrand en Krishnan deed geen moeite om het voor haar te vertalen.

Nou ja, geen van die dingen is belangrijk, zegt ze tegen zichzelf. Ze zijn hier maar om één reden: om Asha op te halen en mee naar huis te nemen. *Blijf je daarop richten. Maak je geen zorgen over de rest.* Ze hebben deze middag hun gesprek met het overheidsadoptiekantoor, de laatste stap in het goedkeuringsproces. Somer krijgt opeens een raar gevoel in haar maag en haalt de badkamer maar net.

Ze komen tien minuten te vroeg aan bij het adoptiekantoor, en wachten dan veertig minuten in de receptieruimte. Somer kijkt op haar horloge en op de klok boven de deur.

'Rustig maar, ze weten dat we er zijn,' zegt Krishnan. 'Zo gaat het hier nu eenmaal.'

66

Eindelijk worden ze een kantoor binnengelaten waar het ruikt naar verschaalde tabak en zweet.

'*Achha*, meneer en mevrouw Thakkar, *namaste.*' De man in het gele overhemd met korte mouwen en de korte stropdas buigt lichtjes naar hen. 'Alstublieft, gaat u zitten.' Hij gebaart naar twee stoelen voor het bureau.

'Meneer Thakkar, u komt hiervandaan, niet?'

'Ja,' zegt Kris. 'Ik ben opgegroeid in Churchgate, en deed mijn bachelor op Xavier's.'

'Ah, Churchgate. Mijn tante woont daar.' De man stelt hem een vraag in een andere taal. *Hindi?* Krishnan antwoordt hem in dezelfde taal, en ze praten een paar keer heen en weer zonder dat Somer er iets van begrijpt. De ambtenaar kijkt in zijn dossier, werpt een lange blik op Somer en richt zich dan weer tot Krishnan. 'En uw vrouw?' zegt hij met een aanstellerig lachje. 'Hebt u haar daar ontmoet, in Amerika? Uit Californië, hè.'

Ze hoort Krishnan antwoorden, maar het enige Engelse woord dat ze kan opvangen, is 'dokter'.

De ambtenaar kijkt weer in het dossier en zegt bot, alsof hij leest: 'Geen kinderen?' En dan, terwijl hij Somer rechtstreeks aankijkt: 'Geen baby's?'

Haar wangen kleuren van de bekende schaamte, in dit land waar vruchtbaarheid zo belangrijk wordt gevonden, waar iedere vrouw een kind op haar heup heeft. Ze schudt haar hoofd. Na nog een paar uitwisselingen met Krishnan vertelt de ambtenaar hun dat ze de volgende ochtend terug moeten komen voor een update. Krishnan pakt haar arm en leidt haar het gebouw uit.

'Waar ging dat nu allemaal over?' zegt ze als ze buiten zijn.

'Niks,' zegt hij. 'Indiase bureaucratie. Alles gaat hier zo.' Hij zwaait naar een taxi.

'Wat bedoel je met "Alles gaat hier zo"? Wat gebeurde daar allemaal? Ze lieten ons een uur wachten, die kerel had overduidelijk ons dossier niet gelezen, en dan praat hij nauwelijks tegen me!'

'Dat komt omdat je een...'

'Ik ben wat?' snauwt ze tegen hem.

'Hoor eens, de dingen gaan nu eenmaal anders hier. Ik weet hoe ik dit moet aanpakken, vertrouw me nou maar. Je kunt niet hier komen met je Amerikaanse ideeën...'

'Ik ben hier nergens mee gekomen.' Ze slaat de taxideur dicht en voelt de hele auto schudden.

Als ze de volgende morgen naar het overheidskantoor teruggaan, krijgen ze te horen dat het goedkeuringsproces een vertraging heeft opgelopen. Somer voelt al haar twijfels weer terugkomen. Ze probeert ze van zich af te zetten, maar ze cirkelen om haar heen als de volhardende muggen die om de rijpe mango's zwermen bij het fruitstalletje op de hoek. Ze gaan elke dag terug naar het kantoor, soms twee keer per dag, om beweging in de zaak te krijgen. Na elk bezoek voelt Somer zich gefrustreerder. Ze ziet de blikken van de ambtenaren daar, hun scepsis als ze haar keurend bekijken of ze wel een goede moeder zal zijn, de manier waarop hun toon verandert als ze tegen Krishnan praten in plaats van tegen haar.

Het is moessontijd. De regen stroomt naar beneden in een gestaag gordijn, totdat de stegen veranderen in kolkende stromen water en puin. Ze heeft nog nooit eerder regen als deze gezien, de zoveelste eerste keer van iets sinds ze in Bombay zijn aangekomen. Het is een aanslag op haar zintuigen: geuren die haar opeens overweldigen, en hitte die ze kan proeven, dik als stof op haar tong. Niet alleen voelt ze zich machteloos tegenover de Indiase bureaucratie, maar als extra straf houden de stortregens hen gevangen in de flat van Krishnans ouders.

Een eindeloze hoeveelheid mensen stroomt door die flat: Krishnans grootouders, zijn ouders en zijn twee broers met hun vrouwen en kinderen – veertien mensen in totaal. Aan de overkant van de hal woont Krishnans oom, met net zo'n uitgebreid gezin. De voordeuren van de twee flats zijn nooit op slot en staan vaak wijd open, dus het voelt als een labyrintachtige woonomgeving, met mensen die constant rondlopen. Krishnans familieleden zijn beleefd en bieden haar steeds thee en kleine snuisterijen aan, maar ze merkt dat het gesprek stokt als ze de kamer binnenkomt. Hoeveel moeite ze ook doet, Somer voelt zich nog steeds niet op haar gemak bij hen.

Naast de familie zijn er nog de bedienden: er is er een die zich diep bukt en zich van kamer naar kamer beweegt, de vloeren vegend met een bundel riet; een andere die elke dag komt en de kleren met de hand wast en ze op het balkon hangt; de kok; de postjongen; de papierjongen; en de melkjongen, onder anderen. Ze begint eraan gewend te raken dat de deurbel een paar keer per uur gaat en leert uiteindelijk het geluid buiten te sluiten als het onbelangrijke geluid van een normale dag. De werkelijkheid van dit India botst met het beeld dat ze in haar hoofd had, haar hoop en verwachtingen. Als de dagen voorbijgaan, begint ze te verlangen naar de simpele dingen van thuis: een schaaltje muesli, een ijskoude cola, een avond alleen met haar man.

Als Somer de man observeert die ze dacht te kennen, wordt het haar duidelijk dat hij een kant heeft die haar volslagen vreemd is. Deze Krishnan draagt witte, losjes vallende katoenen tunieken van de ochtend tot de avond, drinkt thee met melk in plaats van zwarte koffie, en eet maaltijden behendig met zijn handen. Hij voelt zich totaal niet ongemakkelijk met het complete gebrek aan privacy. Ze vindt het bijzonder, deze persoon die de herrie van het overbevolkte huishouden plezierig schijnt te vinden, zo verschillend van de man die ze in Stanford heeft ontmoet, wonend in een spartaans ingerichte slaapkamer met alleen een matras op de grond en een tweedehands bureau. Somer begint zich af te vragen of ze hem eigenlijk wel kent.

15

Overwinning

Dahana, India, 1985
Kavita

De baby kraait als Kavita kokosnootolie op zijn mollige kikker-beentjes smeert. Hij kronkelt en zwaait energiek met zijn armen in de lucht, alsof hij zijn moeder een applaus wil geven voor dit da-gelijkse ritueel. Ze masseert zijn fijne lijfje zachtjes en strekt eerst het ene beentje helemaal uit en dan het andere. Ze wrijft in kringen over zijn buikje, dat nauwelijks groter is dan haar hele handpalm. Dit is elke dag het moment dat ze verrukt naar elk verbazend deel van zijn lijfje kijkt. Ze wordt het nooit moe naar hem te kijken, ter-wijl ze elk perfect detail inspecteert: de zachte krul van zijn wim-pers, de kuiltjes in zijn ellebogen en knieën. Ze baadt hem in een houten emmer, gooit kleine kopjes warm water over zijn lijfje en let erop dat het niet in zijn ogen komt. Als ze bijna klaar is met hem aan te kleden, komt haar moeder haar zeggen dat het avondeten klaar is. Kavita is al in het huis van haar ouders sinds de geboorte van haar zoon, ze geniet van de luxe dat ze zich helemaal op haar baby mag richten en vrij is van alle huishoudelijke verplichtingen.

Als ze de voorkamer in loopt, ziet ze Jasu daar zitten, zijn haar net geolied en gekamd. Hij staat met een brede grijns op om hen te begroeten. Op de tafel tussen hen in ziet ze een verse jasmijn-krans liggen, die hij voor haar heeft meegebracht voor in haar haar. Gisteren was het een doos snoepjes. Hij komt hier al bijna twee weken elke dag en brengt altijd iets voor haar mee. Nu, ter-wijl hij naar haar toe loopt, wordt ze getroffen door zijn glimlach, net zo breed als zijn armen die zich naar zijn zoon uitstrekken. 'Zeg je papa eens gedag,' zegt ze, en ze geeft hem aan Jasu. Hij weet niet goed hoe hij een pasgeboren baby moet vasthouden, en neemt hem teder, bijna aarzelend aan.

Jasu schrokt zijn eten naar binnen, stopt zo snel grote happen in zijn mond dat hij het niet kan proeven. Ze vermoedt dat hij bij zijn andere maaltijden niet veel krijgt, maar hij oefent geen druk op haar uit om thuis te komen. Hij heeft haar gezegd dat hij verwacht dat ze de gebruikelijke eerste veertig dagen bij haar moeder door- brengt. Niet alle echtgenoten zijn zo geduldig in deze tijd. Als ze haar zoon in zijn vaders armen ziet, bedenkt ze hoeveel geluk dit jongetje heeft, wat een leven vol liefde hij zal leiden. Morgen ko- men de familieleden voor de *namkaran* van de baby, de naamgeef- ceremonie. Iedereen is overgelukkig met de geboorte van hun eer- ste zoon en ze brengen feestelijke snoepjes, nieuwe kleren voor de baby en venkelthee om haar melk te stimuleren. Ze hebben haar alle traditionele cadeaus gegeven, alsof dit haar eerste baby is, hun eerste kind. *En hoe zit het met de andere keren dat ik een baby in mijn baarmoeder heb gedragen, bevallen ben, mijn kind in mijn armen heb gehouden?*

Maar niemand erkent dat, zelfs Jasu niet. Alleen Kavita heeft een pijnlijk gat in haar hart om wat ze heeft verloren. Ze ziet de trots in Jasu's ogen als hij zijn zoon vasthoudt en dwingt zichzelf tot een glimlach terwijl ze een stil gebed zegt voor dit kind. Ze hoopt dat ze hem het leven kan geven dat hij verdient. Ze bidt dat ze een goede moeder zal zijn voor haar zoon, bidt dat ze genoeg moederlijke liefde in haar hart overheeft, bidt dat dat niet is dood- gegaan met haar dochters.

De volgende morgen gonst het huis van de activiteiten. Kavita's moeder was al vroeg op om *jalebi's* te bakken, de plakkerige, zoete delicatesse die bij hun feesten hoort. Familieleden komen in een gestage stroom aan en zoeken Kavita en Jasu op om hun geluk te wensen en cadeaus te overhandigen. Als Jasu's ouders arriveren, nemen ze Kavita apart en geven haar een pakje in bruin papier met een lint eromheen.

'Het is een *kurta-pajama*,' zegt Jasu's moeder, 'voor de baby, om te dragen bij de namkaran.' Ze lacht zo breed dat de gaten in haar gebit te zien zijn. Kavita pakt het cadeautje voorzichtig uit en haalt er een kastanjebruin zijden pakje uit, geborduurd met gouddraad. Een crèmekleurig vestje bedekt met ronde spiegeltjes en een paar onmogelijk kleine, ivoorkleurige puntschoentjes completeren het geheel. Kavita streelt de soepele stof. Het is echte zijde, en het borduurwerk is handwerk. Het pakje is prachtig, onpraktisch en een luxe, en iets wat Jasu's ouders zich niet makkelijk kunnen veroorloven. Ze kijkt op om haar schoonmoeder te bedanken en ziet trots in de ogen van de oudere vrouw. 'We zijn zo gelukkig, beti,' zegt Jasu's moeder, en ze trekt Kavita in een spontane omhelzing tegen haar grote boezem. 'Moge je zoon lang leven en je veel geluk brengen. Net als Jasu bij ons heeft gedaan.'

'Hahnji, *sassu*. Dank u. Ik zal hem nu gaan aankleden.' Kavita heeft nog nooit zoveel gulheid en emotie op het gezicht van haar schoonmoeder gezien. Ze merkt dat ze een kleur krijgt, voelt een opkomende spanning in haar borst en draait zich om. Ze baant zich een weg door de gasten, die allemaal chai drinken en de baby bewonderen. Ze heeft niets anders dan liefde gevoeld voor haar zoon, de afgelopen weken dat ze alleen met hem was. Maar nu doet de ophemeling van anderen haar ineenkrimpen, dit schaamteloze feest ter ere van hem geeft haar een bittere bijsmaak, de bitterheid van vers, groen hout.

Als de pandit aankomt voor de ceremonie, verzamelen de vijfentwintig familieleden zich om hem heen in de volle woonkamer. Jasu en Kavita nemen hun plaatsen in op de vloer naast de pandit, Jasu met de baby op schoot. De pandit steekt het ceremoniële vuur aan en begint te bidden tot Agni, de god van het vuur, om de handelingen te reinigen. Hij begint te zingen, roept de geesten van de voorvaderen op en vraagt hun dit kind te zegenen en te beschermen. De melodieuze stem van de priester is kalmerend. Kavita kijkt diep in de vlammen en wordt teruggevoerd naar de stenen trappen van haar ochtendpuja's. De geur van wierook vermengd met ghee stijgt op, en ze sluit haar ogen. Beelden flitsen door haar heen: het gezicht van de daiji tussen haar knieën, het bordje met

72

rode letters op de deur, het klikken van het ijzeren hek van het weeshuis.

'Precieze tijd en datum van de geboorte van de baby?' hoort ze de priester vanuit de verte vragen. Jasu antwoordt en de pandit kijkt op zijn astrologiekaart om de horoscoop van de jongen vast te stellen. Kavita voelt haar lichaam nog gespannener worden. Deze lezing zal alles in het leven van hun zoon bepalen: zijn gezondheid, voorspoed, huwelijk, en vandaag zijn naam. Na zorgvuldige afweging kijkt de pandit op naar Jasu's zus, die naast hem zit. 'Kies een naam met een V.' Alle ogen worden op haar gericht. Ze denkt even na, dan komt er een glimlach op haar gezicht en ze buigt zich naar het oor van de baby om de gekozen naam te fluisteren.

'Vijay,' zegt ze stralend. Ze draait zich naar de mensen en houdt de baby omhoog zodat iedereen hem kan zien. De pandit knikt goedkeurend, iedereen juicht en ze herhalen de naam. Ergens in het lawaai hoort Kavita een eenzame stem, de doordringende kreet van een kind. Ze kijkt naar haar zoon, die slaapt. Haar ogen kijken zoekend rond om de herkomst van de kreet te vinden, maar ze ziet geen andere baby's. Jasu legt de baby in een wieg die versierd is met slingers van helderoranje goudsbloemen en witte en rode margrieten, en schommelt de wieg heen en weer. De andere vrouwen in de kamer komen langzaam naar voren en omringen hen. Kavita wordt omspoeld door hun zingende stemmen, maar zelfs die kunnen de hoge kreet die ze nog steeds hoort, niet verdringen. Even wordt ze getroffen door de verontrustende gedachte dat alles in het leven van haar zoon bitterzoet voor haar zal zijn.

Ze kijkt naar Vijays gezichtje om te zien of zijn nieuwe naam bij hem past. Het betekent 'overwinning'.

16

Niet kwaad bedoeld

Bombay, India, 1985
Somer

Een zacht geklop op de deur wekt Somer. Ze hoort Krishnan iets mompelen, dan hoort ze de deur opengaan en voeten die over de grond schuifelen. Door halfgeopende ogen ziet ze een van de bedienden met een blad naar hun bed lopen. *Wat doet hij hier voordat we wakker zijn?* Opeens wordt ze zich bewust van haar dunne nachthemd. Ze bedekt zich met het laken en wacht tot Krishnan de man wegjaagt. In plaats daarvan gaat hij rechtop zitten, propt een kussen achter zijn rug en pakt een kop thee van het blad.

'Wil je ook?' vraagt hij haar.

'Wat? Nee.' Somer draait zich om en doet haar ogen dicht. Ze hoort het gerinkel van een lepel tegen een porseleinen kopje en het wisselen van een paar woorden, dan weer het geschuifel van voeten en daarna, eindelijk, gaat de deur dicht.

'Ah, thee op bed,' zegt Krishnan. 'Een van de genoeglijkheden van het Indiase leven. Je moet het eens proberen.'

Somer begraaft haar gezicht in haar kussen. *Is er hier dan niets wat verboden terrein is? Geen enkel hoekje van ons leven waarin je familie of de bedienden niet kunnen doordringen?* Maar ze slikt de woorden in en zegt: 'Wat doen we vandaag?' Zondag is de enige dag in de week dat het kantoor dicht is.

'Een paar vrienden hebben me gebeld voor een wedstrijdje cricket, als je het niet erg vindt. Ik speel vreselijk slecht, maar het zou leuk zijn ze weer eens te zien. Vrienden van de middelbare school, sommige heb ik al meer dan tien jaar niet gezien. Mijn moeder kan met je gaan winkelen of zo, als je dat leuk vindt.'

Somer staat op het balkon en kijkt uit over de rustige zee; de grijze golven rollen tegen de promenade. Het is heet en benauwd, maar het regent tenminste niet. Op de eerste droge dag in weken is Krishnan er alleen opuit gegaan. Somer krijgt een verstikkend gevoel bij de gedachte dat ze de hele dag binnen moet blijven, en het wordt nog erger bij het vooruitzicht de dag met Krishnans moeder te moeten doorbrengen. Ze besluit om zelf een wandeling te gaan maken, om weg te zijn van de afstompende druk van deze flat.

Het gebouw uit stappen, langs de hoge hekken lopen, uit het zicht van de waakzame ogen van de portier, geeft Somer een gevoel van vrijheid. Churchgate Station is rechtdoor aan het eind van het blok, en op de tegenoverliggende hoek is een sandwichtentje; buiten staat een bord met HAMBURGERS. De gedachte aan een hamburger is aanlokkelijk na twee weken Indiaas eten. Ze loopt ernaartoe en zegt: 'Twee hamburgers, alstublieft, met kaas.' Ze zal er nu een opeten en de andere voor later bewaren, om de eentonigheid van curry en rijst te doorbreken.

'Nee, mevrouw. Alleen schapenburger.'

'Schaap?' *Lam zeker?*

'Ja, erg lekker, mevrouw. U vindt lekker, zeker.'

'Oké.' Ze zucht. 'Twee schapenvleesburgers, alstublieft.'

De hamburger lijkt niet op wat ze gewend is, maar Somer moet toegeven dat hij erg lekker smaakt. Met een plezierig volle maag loopt ze naar de promenade, die druk is geworden met straatverkopers en voetgangers. Mannen lopen in groepen bij elkaar, lachend, *paan* kauwend en spugend op de stoep. Ze ziet een man met een snor naar haar kijken, onbeschaamd starend naar haar borsten, zijn vrienden aanstotend. Niet op haar gemak slaat Somer haar armen voor haar borst en de mannen barsten in lachen uit. *Weerzinwekkende varkens.*

Ze loopt door, probeert diep adem te halen en kijkt naar het water. Maar haar ogen worden steeds weer gedwongen naar de mensen te kijken die ze moet ontwijken. Ze verwacht dat de mannen opzij stappen om haar te laten passeren, maar dat doen ze niet. Elke keer moet ze zich een weg banen, haar eigen lichaam tussen andere door wringen. Als ze zich door een erg opdringerige groep heen probeert te dringen, voelt Somer een lichaam tegen haar billen duwen en een hand in haar borst knijpen. Ze draait zich met een ruk om en ziet een stel jonge mannen grinniken. Een van hen, met gevlekte tanden, maakt kussende gebaren naar haar.

Somer voelt paniek opkomen terwijl ze zich door de menigte dringt en zoekt naar een opening om te ontsnappen. Marine Drive gonst met zes rijstroken verkeer dat nooit lijkt stil te staan, en dus wurmt Somer zich erdoorheen, één rijstrook per keer, met toeterende claxons en auto's die haar net niet raken. Ze loopt snel via een van de zijstraten naar huis. Wanneer haar angst is weggezakt, komen daar verontwaardiging en woede voor in de plaats. *Die mannen zijn zielig. Hoe kan Kris hiervandaan komen?*

Ze wil wanhopig graag met hem praten, maar als ze thuiskomt, is hij er nog steeds niet. Gelukkig lijken alle anderen een dutje te doen, dus stopt ze haar overgebleven hamburger in de koelkast en trekt zich terug in hun kamer. Ze vult twee emmers water in de badkamer en wast elke centimeter van haar lichaam voordat ze een schone nachtpon aantrekt en op bed gaat liggen tot Kris thuiskomt.

Somer wordt wakker door harde geluiden buiten de slaapkamerdeur. Ze kijkt op haar horloge en ziet dat het uren later is. Ze hoort Kris bij de luide stemmen, stapt de gang in, en dan komt zijn moeder langsrennen zonder haar te zien. Somer gaat de woonkamer in, waar Kris met een van de bedienden staat te ruziën. Het balkon buiten is bezaaid met allerlei keukenspullen – potten, pannen, kookgerei, schalen, kopjes – en een andere bediende is ze allemaal verwoed aan het schrobben. Ze loopt naar de keuken en ziet dat een derde bediende potten bloem, rijst en bonen weggooit. Somer kijkt ongelovig toe hoe de bediende het complete blad met kruiden leegmaakt, minstens twintig kleine, stalen schaaltjes.

'Kris?' vraagt Somer. 'Wat is er aan de hand?'

Kris draait zich om, zijn gezicht verwrongen van boosheid. Zonder een woord pakt hij haar arm, leidt haar naar hun slaapkamer en sluit de deur. 'Wat heb je nou gedaan?'

'Wat bedoel je?' Ze voelt haar hartslag sneller worden.

'Hoe kom je erbij om vlees mee te brengen naar dit huis? Je weet toch dat mijn ouders strikte vegetariërs zijn? Je hebt de hele keuken vervuild.'

'Het... het spijt me. Ik heb er niet bij nagedacht...'

'Mijn moeder kreeg bijna een hartaanval. Ze wilde alle potten en schalen weggooien, maar ik heb haar ervan overtuigd dat ze gedesinfecteerd kunnen worden.'

'Kris, ik wist 't niet.' Ze staat op van het bed. 'Ik zal helpen schoonmaken...'

'Nee.' Hij pakt haar arm. 'Niet doen. Je hebt al genoeg gedaan. Laat het nu maar.'

'Het spijt me. Ik wist het niet.' Ze gaat weer zitten en begint te huilen.

'Wat bedoel je, je wist het niet. Ben je zo bezig met je eigen gedachten dat je niet ziet waar je bent? Ik heb je verteld dat ze vegetariër zijn. Hebben we vleesgerechten gemaakt toen ze bij ons waren? Heb je ooit gezien dat er vlees werd geserveerd in dit huis?' Hij schudt zijn hoofd.

'Ik moet mijn excuses maken aan je moeder,' zegt Somer, en ze staat op.

'Ja,' zegt Kris, 'dat moet je doen.'

Somer vindt Kris' moeder in een van de slaapkamers. Ze zit met de vrouw van Kris' broer op een bed dat bedekt is met veelkleurige zijden stoffen.

Ze klopt beleefd op de open deur. 'Hallo?' zegt ze. 'Mag ik binnenkomen?'

'Ja, Somer,' zegt Kris' moeder onbewogen.

Somer gaat op de rand van het bed zitten. 'Wat zijn deze mooi,' zegt ze, en ze streelt met haar hand over een berg rode zijde.

'We kiezen sari's voor een bruiloft dit weekend, een van dokter Thakkars collega's.'

'O. Nou, ik wilde mijn excuses aanbieden voor de... voor uw

keuken. Ik heb niet beseft... Het was niet kwaad bedoeld en het spijt me heel erg.'

Kris' moeder schudt haar hoofd. 'Wat gebeurd is, is gebeurd. Laten we het maar vergeten.'

'Ik denk dat ik een beetje van slag was.' Somer haalt diep adem. 'Ik ging een wandeling maken en had een verontrustende ervaring. Die man... of twee mannen, dat weet ik niet zeker... ze raakten me aan, op de promenade.' Haar schoonmoeder staart naar haar met gefronste wenkbrauwen. 'Ze raakten me aan,' gaat Somer verder, en ze gebaart naar haar borst, 'u weet wel, op een onfatsoenlijke manier.' Ze ademt uit en wacht tot ze het begrijpen.

Haar schoonzus zegt voor het eerst iets. 'Liet Krishnan je alleen naar buiten gaan?'

'Ja, eh, nee. Niet precies. Hij was naar die cricketwedstrijd en ik ging wandelen.'

'Nee, natuurlijk zou hij dat niet doen. Krishnan weet wel beter,' zegt zijn moeder. Ze kijkt Somer aan. 'Het is niet gepast als vrouwen zoals jij alleen op straat lopen. Je had niet zonder een van ons moeten gaan, voor je eigen veiligheid.'

'Vrouwen zoals ik?' vraagt Somer.

'Buitenlandse vrouwen. Je blote armen en benen, je blonde haar. Het is vragen om moeilijkheden.' Ze schudt haar hoofd met een afkeurende blik.

Somer denkt terug aan de halflange rok en het T-shirt dat ze vanochtend droeg. *Niet gepast?* 'Ik... zal er de volgende keer om denken.' Ze slaat haar armen over elkaar en staat op. 'Sorry dat ik gestoord heb.' Ze loopt snel door de gang naar hun slaapkamer en trekt de deur achter zich dicht. Ze probeert haar groeiende wrevel over dit land terug te dringen, het gevoel dat alles is bezoedeld: dat het bevooroordeelde adoptieproces, de onduidelijke culturele regels en het drukkende weer allemaal horen bij India als geheel. Ze had verwacht zich thuis te voelen bij Krishnans familie, niet zo helemaal niet op haar plaats. *Zal ik me zo voelen in mijn eigen gezin, als een buitenstaander?* Asha en Krishnan zullen op elkaar lijken, ze zullen hun voorouders gemeen hebben. Haar dochter zal altijd uit dit land komen, dat zo vreemd voelt voor haar. Ze rommelt in haar koffer voor de trainingsbroek die ze niet meer heeft gedragen sinds het vliegtuig, en ondanks de verstikkende hitte trekt ze hem over haar nachtpon aan.

17

Al gehecht

Bombay, India, 1985
Krishnan

Krishnan laat een nat spoor achter als hij de trap op rent naar de flat van zijn familie, in plaats van op de lift te wachten. Somer protesteerde nauwelijks toen hij vanochtend voorstelde alleen naar het kantoor te gaan, ze begreep wel dat ze op die manier misschien een grotere kans hadden om de adoptie af te ronden. Binnen vindt hij haar alleen in hun kamer, zittend op het bed, haar armen om haar knieën geslagen, door het raam kijkend naar de stortbui. Ze merkt hem niet op voordat hij voor haar neus staat, van hoofd tot voeten drijfnat. Als ze opkijkt, zijn haar wangen nat. 'Goed nieuws,' zegt hij. Samen delen ze tranen van opluchting, uitputting en blijdschap en ze besluiten om in het Taj Mahal Hotel te gaan eten om het te vieren.

Voor hun fles wijn halfleeg is, is Somer al aangeschoten en uit ze voor de eerste keer sinds ze in India zijn haar klachten. Ze zegt hoe gefrustreerd ze is geweest door het adoptieproces, hoe opvallend ze zich voelt als buitenlandse, hoe weinig verbonden ze zich voelt met hem en zijn familie. Krishnan luistert en knikt, schenkt zichzelf nog wat wijn in en bestelt een whisky, gevolgd door een tweede. Hij had zich zorgen gemaakt over hoe Somer het zou doen in India, en het is zelfs erger dan hij zich had voorgesteld. Hij dwingt zichzelf te luisteren, en ook al neemt ze het hem niet kwalijk, hij voelt zich toch schuldig. Hij wist allang dat deze afrekening zou komen.

Toen hij nog studeerde, zelfs toen zijn relatie met Somer al serieus werd, heeft hij zijn familie heel lang niets over haar verteld. Het zou niet in hen opkomen om hem naar een vriendin te vragen: er werd niet van hem verwacht dat hij buiten zijn studie nog andere interesses zou hebben, laat staan romantische. Door te wachten, redeneerde hij, kon hij Somer voorbereiden op een ontmoeting met zijn familie: haar wat woordjes Gujarati leren, haar aan het voedsel laten wennen. Maar in werkelijkheid deelde hij niet veel met haar over zijn leven in India. Ze was tenslotte door en door een Amerikaanse, en hij was er niet zeker van hoe ze zou reageren als hij haar vertelde over het leven binnen zo'n uitgebreide familie, of over de duiven die de woonkamer binnenvliegen door ramen die de hele zomer openstaan. Deze liefde was nieuw en bedwelmend voor hem en hij wilde geen risico nemen. Het zou veel moeite gekost hebben en meer moed dan hij op vijfentwintigjarige leeftijd bezat om die twee kanten van zijn leven bij elkaar te brengen. Het bleek dat het erg weinig moeite kostte om ze gescheiden te houden.

Hij hoopte dat zijn ouders hem zouden steunen, maar als hij had moeten kiezen tussen hun goedkeuring en een huwelijk met Somer, zou hij Somer kiezen. Hij hield van haar op een manier die hij nooit zou voelen voor een vrouw die door zijn ouders gekozen zou zijn; ze was zijn intellectuele partner en ze hadden veel samen meegemaakt. In India was zo'n soort relatie ongewoon, zo niet onmogelijk. Dus koos hij voor een leven in Amerika, en hij was van plan dat van harte te omarmen. Het was makkelijker voor hem, en Somer, dacht hij, om haar manier van leven aan te nemen. Maar nu was het Krishnan duidelijk dat hij haar daar geen dienst mee had bewezen. Tegen de tijd dat ze zijn ouders ontmoette, was het duidelijk dat oppervlakkige gebaren niet konden verbloemen dat ze in werkelijkheid werelden van elkaar verwijderd waren.

Deze vrouw voor hem lijkt nauwelijks meer op de zelfverzekerde, jonge medicijnstudente die hij vroeger had gekend. De miskramen, de onvruchtbaarheid, het adoptieproces, en nu India... ze hebben allemaal haar zelfvertrouwen ondermijnd. Hij weet echter dat die vrouw daar nog ergens is, en het is nu zijn taak om haar weer zelfvertrouwen te geven.

'Dit proces is een emotionele achtbaan geweest,' zegt hij. 'En India kan moeilijk zijn voor westerlingen. Maar binnenkort is dit alles voorbij, en dan gaan we naar huis om aan ons leven als gezin te beginnen.' Hij glimlacht. 'Is dat het niet waard?'

Somer zucht en knikt. 'Ik doe niets liever. Ik ben er zo moe van dat ik nooit weet wat ik in dit land kan verwachten. Ik voel me mezelf niet meer. Ik wil gewoon naar huis, naar ons leven. Ik wil dit allemaal achter ons laten.'

Hij vindt het vreselijk haar zo gewond te zien. En dus, ook al is hij teleurgesteld dat zijn land en zijn familie haar zo'n oncomfortabel gevoel hebben gegeven, en voelt hij zich schuldig dat hij haar daar niet goed op heeft voorbereid of haar heeft verdedigd, zegt hij wat hij gelooft dat haar en zijn huwelijk goed zal doen. Ze hoeven niet op korte termijn terug naar India. Ze zullen hun energie steken in het opbouwen van hun gezin en hun leven in Amerika. Op den duur, neemt hij aan, zal het wel beter gaan.

Als de taxi stopt voor het simpele betonnen gebouw met de afbladderende verf en het roestige metalen hek, grijpt Somer zijn arm. 'Het zag er niet zo slecht uit op de foto's,' fluistert ze.

'Kom op.' Hij slaat zijn arm om haar heen. Ze lopen naar het hek en horen het geluid van spelende kinderen op de binnenplaats.

Buiten worden ze opgewacht door Reena, de vertegenwoordigster van het Indiase adoptiebureau. 'Welkom, *namaskar,*' zegt ze, en ze begroet hen met haar handpalmen tegen elkaar en een glimlach. 'Ik weet dat jullie lang op deze dag hebben gewacht, dus laten we maar gauw naar binnen gaan.' Reena gaat hun voor naar binnen. Krishnan kijkt naar Somer, die een brede lach op haar gezicht tovert, alsof er aan de andere kant van de deur camera's staan te wachten. Binnen worden ze begroet door een menigte kinderen in allerlei maten en op blote voeten, die zich om Somer verdringen. Ze hebben duidelijk nog nooit een blanke gezien.

'Hullo, mevrouw!'

'Kom uit Amerika, mevrouw?'

'... spreek Engels, mevrouw?'

Ze steken hun handen uit om haar blanke armen aan te raken, de jersey stof van haar rok te voelen. Ze dragen versleten kleren en een lach op hun gezicht. Reena loodst Somer en Krishnan door de kinderen naar een klein kantoor, waar een gezette vrouw van middelbare leeftijd met haar handen ineengeslagen voor haar sari op hen staat te wachten.

'Namaskar,' zegt ze lichtjes buigend. 'Ik ben de assistente van de directeur. Meneer Deshpande kon niet hier zijn op deze blijde dag, maar hij doet u de groeten. We moeten de laatste papieren in orde maken en dan zal ik uw baby halen.'

Somer gaat in een van de twee stoelen zitten en pakt het clipboard aan. Iets boven aan de bladzijde trekt haar aandacht. 'Usha?' vraagt ze. 'Hier staat Usha. Maar ze heet toch Asha?'

'Nee, mevrouw,' antwoordt de assistente, 'ze heeft de naam Usha gekregen. Zo noemen wij haar, maar natuurlijk kunt u haar noemen zoals u wilt.'

'Ik dacht... Wij dachten dat ze Asha heette. Zo hebben we haar steeds genoemd.' Ze geeft Krishnan een pleitende blik.

Reena rommelt door de papieren in haar map. 'Ja, wij hebben ook overal Asha op staan. Er moet ergens een fout ontstaan zijn, misschien door iemands handschrift? Maar maakt u zich geen zorgen, het geeft niets. U kunt haar Asha noemen en dan zal ze daar snel genoeg aan wennen.'

'Het geeft niet, lieverd.' Krishnan staat achter Somer en legt zijn handen op haar schouders. 'Ze zal het verschil niet merken. Maak je geen zorgen.'

Somer schudt haar hoofd. 'Ik zou willen dat er hier nou eens één ding was dat is zoals het zou moeten zijn.' Ze geeft het clipboard terug en haalt diep adem. 'Nou ja. We zijn klaar.' De assistente knikt en verlaat het kantoor.

Als de assistente terugkomt met de baby, gaat iedereen in het kantoor opeens staan. Krishnan is het dichtstbij en steekt zijn armen uit. De baby nestelt zich in zijn armen en begint meteen met zijn bril te spelen. 'Hallo, lieve meid. Hallo, Asha.' Hij praat langzaam en zachtjes terwijl hij haar hoofdje steunt en dan begint ze aan zijn oorlelletjes te trekken. Somer loopt naar hen toe en ze omhelzen elkaar met z'n drieën. Somer strekt haar armen uit om Asha vast te houden, maar de baby draait zich om en klemt zich als een koala stevig om Kris' nek.

'Ziet u wel, geen zorgen,' zegt de assistente. 'Ze heeft zich nu al aan u gehecht.'

18

Zilveren belletjes

Bombay, India, 1985
Sarla

'Wat een prachtige baby. Hallo Asha, beti.' Sarla buigt zich voorover om de wang van de baby aan te raken. 'Heel alert, heel nieuwsgierig... Kijk eens hoe ze om zich heen kijkt. Hahn, baby?' Ze glimlacht en knikt overdreven naar het kind. 'En, hoe was het?'

'Lange dag.' Krishnan neemt een slok thee. 'Veel papierwerk: weeshuis, rechtbank, overheidskantoor. We gaan maar vroeg naar bed vanavond.'

'Natuurlijk, het klinkt vermoeiend.' Sarla wiebelt haar hoofd heen en weer in een vermoeid compromis tussen ja knikken en nee schudden. 'Gelukkig zijn we hier om jullie te helpen. Het eten is zo klaar.' Ze wendt zich naar Somer, die Asha vasthoudt. 'Wat heb je voor Asha nodig, beti? Een wieg, handdoeken? Kom.' Ze staan op, en ze plaatst haar hand lichtjes op de rug van de jongere vrouw om haar door de gang te leiden. Ze kan zien dat de vrouw van haar zoon onzeker is over zichzelf. Ze gebruikt allebei haar armen om het kind vast te houden, laat zelfs niet even los om een slok thee te nemen. Dat is natuurlijk niet zo ongewoon, de meeste nieuwe moeders weten niet wat ze moeten doen; maar meestal hebben ze meer tijd om het te leren. Asha is al één jaar oud en gaat binnenkort lopen. Somer zal haar moederlijke zelfvertrouwen snel moeten krijgen.

Toen Sarla Krishnan uit het ziekenhuis meebracht, was ze pas tweeëntwintig, nog een jonge bruid. Ze zei altijd dat hij was opgevoed door een hele serie moeders. Vanaf de eerste dag was er altijd wel iemand om haar te laten zien hoe ze iets moest doen, van het schoonmaken van zijn neusje, tot hem toedekken voor het slapengaan. Tussen haar moeder, haar tante, haar zus, de *ayah*, en niet te vergeten een heleboel goed bedoelende buren, was ze de eerste zes maanden niet één keer alleen met Krishnan. Soms vond ze het verstikkend dat er zoveel handen voor haar kind zorgden. Maar ze wist dat ze geluk had, en zelfs de frustratie van bemoeienis was een luxe die veel nieuwe moeders, Somer bijvoorbeeld, nooit zouden hebben. In Amerika, had ze gehoord, werden nieuwe moeders al na een paar dagen vanuit het ziekenhuis naar huis gestuurd, zonder hulp.

'Achha, Somer, ik zal wat warm water pakken voor Asha's bad... Hier, voel eens. Is de temperatuur goed?' roept ze vanuit de badkamer. 'Oké, het bad is vol. Hier heb je een handdoek en wat talkpoeder.' Ze staat op het punt de badkamer uit te gaan, als ze de ongerustheid op Somers gezicht ziet. 'Vind je het erg als ik blijf als je haar in bad doet?' vraagt ze. 'Het is zo lang geleden dat een oude vrouw als ik een baby om zich heen heeft gehad. Ik zou het leuk vinden.'

Somers gezicht ontspant zich. 'Natuurlijk. Blijf alsjeblieft. Ik kan best nog een paar handen gebruiken.' Samen hebben ze Asha dertig minuten later gebaad, afgedroogd, ingesmeerd en aangekleed.

'Er is niets waar ik meer van hou dan de geur van een pasgewassen baby,' zegt Sarla, en ze lacht. 'Behalve misschien de geur van een net geopende kokosnoot. Dat is mijn andere favoriet.'

Somer lacht mee terwijl ze Asha's vochtige krullen kamt. Er klinkt een beleefde klop op de deur en ze horen Devesh' timide stem op de gang.

'Mevrouw, de dokter is thuis. Zullen we het eten opdienen?'

Ze zitten allemaal aan de lange, bewerkte mahoniehouten tafel, terwijl de kok en de bedienden om hen heen draaien en hen bedienen van zilveren schalen. Somer houdt Asha op haar schoot, terwijl ze haar een fles melk geeft. Krishnan geniet van geroosterde

bloemkool, gevulde aubergines, *saag paneer*, *pulao*, en licht knappe-
rige *puri's*.

'Ma, je had niet zoveel moeite hoeven doen,' lukt het hem tussen twee happen door te zeggen.

'Onzin. Dit is een bijzondere dag.'

Nadat Krishnan is uitgegeten, biedt hij aan Asha vast te houden,
zodat Somer kan eten. Op haar bord liggen kleine hoeveelheden,
niet meer dan twee lepels van elk gerecht. Ze gebruikt haar vork
om kleine hapjes te nemen. 'Mmmm, dit is heerlijk. Het doet me
denken aan India Palace in San Francisco. Ik zou willen dat ik zo
lekker spinazie kon klaarmaken. Ik wil graag jullie saagrecept
overnemen.'

Sarla glimlacht om haar beleefdheid en ziet haar verkeerde uitspraak door de vingers. Somer is een aardige meid, en in theorie is
ze deel van hun familie, ook al is de kloof tussen haar en de rest
onmiskenbaar. Ieder twaalfjarig meisje in India kan een goede
saag paneer maken zonder recept. Ze zucht. Nu Somer de moeder
is van haar enige kleindochter zal Sarla extra moeite moeten doen
om de afstand te verkleinen.

Asha, op Krishnans schoot, grijnst ondeugend naar hem en
steekt haar hand uit naar de zilveren *thali* en de kleine schaaltjes
op de tafel voor hen. 'Alsjeblieft, schatje. Wil je wat rijst?' Hij
schept wat losse rijstkorrels op met zijn vingers en stopt ze in haar
mond.

Sarla bekijkt het tafereel discreet. Ze ziet hoe goed hij op zijn
gemak is met Asha. Dat is een van de onverwachte vreugden van
het ouder worden, haar zonen zelf vader zien worden. Als de oudste zoon van de uitgebreide familie heeft Krishnan altijd al jongere
neefjes en nichtjes om zich heen gehad, dus is het niet verbazend
dat hij het vaderschap zo makkelijk oppakt. Somer zal er ook goed
in worden, hoopt Sarla, als ze eenmaal is gewend aan de gedachte
dat ze moeder is.

'Jullie zien er moe uit,' merkt Sarla op als de bedienden de tafel
afruimen en ze naar de woonkamer gaan. 'Voordat jullie gaan slapen, hebben je vader en ik nog iets voor jullie.' Ze loopt naar een
sierlijke houten kast met ingelegde ivoren figuren die tegen een

muur van de woonkamer staat. De scharnieren van de deur piepen als ze hem opent. Ze haalt er twee pakjes uit. Ze geeft het eerste, een bordeauxrood fluwelen doosje met een elastisch gouden lint, aan Krishnan. 'Dit is voor Asha.'

'Ma... dat had je niet moeten doen,' zegt Krishnan. Hij frunnikt aan de kleine knoop voordat hij het deksel openmaakt. 'Ahhh... mooi.' Hij laat het aan Somer zien. In het doosje liggen twee fijne, sierlijke enkelbanden. Somer pakt er een op met een enkele wijsvinger en hij maakt een zacht tinkelend geluid. Ze bekijkt de rij zilveren belletjes die aan haar vinger hangt nauwkeurig.

'Ze heten *jhanjhaar*, beti. Het is hier traditie dat kleine meisjes ze dragen – zodat je altijd kunt horen waar ze zijn, wordt er gezegd.' Sarla lacht. 'Zodra we hoorden dat jullie zouden komen om Asha op te halen, hebben we ze bij onze juwelier laten maken.'

'Ze zijn prachtig.' Somer zet Asha op Krishnans schoot, zodat ze een van de snoertjes los kan maken en om Asha's enkel kan leggen. 'Zo... o, kijk eens.' Ze strekt Asha's kleine beentjes uit, met een voetje in elke hand: de glanzende, ingewikkelde enkelband om haar linkerenkel tegenover de eenvoudige zilveren band om haar rechter. 'Misschien moet ik deze afdoen?' zegt ze, en ze raakt de eenvoudige aan. 'Het zou vervelend zijn als ze in de knoop raken.'

'Wat je wilt, lieverd. De keus is aan jou.' Sarla buigt zich voorover met het tweede pakje, en biedt het met beide handen aan Somer aan. 'En deze is voor jou.'

Op Somers gezicht verschijnt een verbaasde uitdrukking, gevolgd door een langzaam doorkomende glimlach. 'O, dank je.'

'Ik hoop dat je hem mooi vindt. Ik heb hem zelf uitgekozen,' zegt Sarla. 'Ik ken je smaak niet...' Ze wacht even terwijl Somer een glanzende, zijden sjaal in helderpauwgroen uit de doos haalt. De rand is rijk geborduurd in goud en azuurblauw. 'Als een schoondochter moeder wordt, is de traditie dat ze van ons een speciale sari krijgt. Ik weet dat je niet veel gelegenheid zult hebben om een sari te dragen, dus heb ik maar een sjaal gekozen. Deze deed me denken aan je prachtige ogen.' Ze ziet even een uitdrukking op haar zoons gezicht verschijnen. Teleurstelling? *Hij heeft me toch verteld dat ik niet moet verwachten dat ze Indiase kleren zal dragen.*

88

'Dank je. Hij is prachtig.' Somer klemt de zijde tegen haar borst. Sarla leunt achterover, tevreden met zichzelf en de manier waarop de avond is verlopen. Soms, zoals ze geleerd heeft in het leven, moeten je acties voorafgaan aan de emoties die je hoopt te voelen.

19

Moederinstinct

San Francisco, California, 1985
Somer

Op de vlucht terug uit India blijven Somer en Kris om de beurt wakker om op Asha te letten, die in de stoel tussen hen in ligt te slapen, elkaars hand vasthoudend boven haar kleine lijfje. Somer voelt een golf emotie elke keer als ze beseft dat Asha echt hun baby is.

Terug in San Francisco, zoekt Somer naar het instinct dat haar schoonmoeder heeft gezegd dat ze moet volgen om te weten wat Asha nodig heeft. Maar ze lijkt het nooit goed te hebben: Asha wil wakker blijven en spelen als Somer haar 's avonds in bed legt, of ze spuugt het eten uit dat Somer haar geeft. Somer weet dat het bij haar ontwikkeling hoort, maar ze voelt het toch als een persoonlijke afwijzing als Asha haar complete lunch op de grond gooit. Ze is er verbaasd over hoe moeilijk het is het advies op te volgen dat ze aan de moeders van haar patiëntjes geeft, om zich niet op te winden over dat soort dingen.

Hun derde nacht thuis heeft Kris nachtdienst in het ziekenhuis, en Somer merkt dat ze ongerust is over haar eerste nacht alleen met Asha. Even na middernacht wordt Asha gillend wakker. Somer maakt een fles melk warm, maar Asha huilt weer als ze hem opheeft. *Oké, ik ben kinderarts, ik kan dit wel aan. Huilend kind: controleer de temperatuur, controleer de luier, controleer op haartourni-quet rond vingers en tenen.* Paniek. *Misschien heeft ze een urineweg-infectie? Of meningitis?* Ze onderzoekt Asha van top tot teen. Er is echter geen medische reden voor haar gehuil. In deze situatie is ze een moeder en geen dokter, en ze voelt zich hulpeloos. Somer zingt voor Asha, wiegt haar en loopt heen en weer. Twee uur lang gilt Asha, en Somer kan niets doen om haar tot bedaren te brengen. Uiteindelijk en onverklaarbaar, ergens rond drie uur 's nachts, valt Asha in de schommelstoel in slaap op Somers bezwete en door tranen doorweekte schouder. Van ellende durft Somer zich niet te bewegen tot de ochtend, als Krishnan hen zo vindt.

'Ik kan het niet,' fluistert ze als hij haar zachtjes wekt. 'Ik weet niet hoe ik dit moet doen. Ze heeft de hele nacht gegild.' Somer heeft altijd geloofd dat niet iedereen geschikt is voor het moederschap; ze heeft gezien dat het sommigen van haar patiënten beter afgaat dan andere. De natuur heeft al geoordeeld dat ze geen moeder kon worden, en nu vraagt ze zich af of ze een fout hebben gemaakt. De rationele verklaringen die ze in haar hoofd hoort, kunnen de twijfel die in haar hart opwelt niet onderdrukken.

'Wat bedoel je? Je doet het toch,' zegt Kris. 'Moet je haar nu zien.'

Ze kijkt neer op Asha, die in haar armen ligt te slapen met haar mond een beetje open. Kris streelt Asha's haar en glimlacht naar Somer. Ze probeert te glimlachen, maar denkt al vooruit aan de volgende nacht dat hij dienst heeft. Het leek allemaal wel te doen in India, toen de familie van Kris er was om te helpen Asha's eten klaar te maken, haar in bad te doen, haar te troosten als ze huilde. Maar nadat het zoveel tijd gekost heeft om moeder te worden, weet ze nu niet hoe ze dat moet zijn. Somer maakt zich zorgen dat ze dat instinct nooit zal voelen.

Ze verwacht dat het beter zal gaan als ze weer aan het werk gaat, maar dat levert slechts nieuwe problemen op. Als ze weer terugkeert naar haar pediatriepraktijk ziet Somer Asha maar een uurtje aan het eind van de dag. Ze is opgelucht dat ze zich eindelijk weer zeker voelt over iets, hoewel ze het erg vervelend vindt dat Asha zich zo hecht aan de jonge Ierse oppas die ze hebben aangenomen. Ze klemt zich elke avond aan haar vast als Somer thuiskomt. Op haar werk herinnert ieder patiëntje van Asha's leeftijd Somer aan haar brede lach of wankele stappen. De moeders en kinderen die ze in haar praktijk ziet, lijken zo op hun gemak met elkaar. Somer vraagt zich af of het de biologische band is die dat vertrouwen ondersteunt, of zou het de tijd zijn die ze samen doorbrengen, de tijd die Somer op haar werk doorbrengt? Zou ze beter met Asha kunnen omgaan als ze hetzelfde bloed deelden? Zou Asha beter op Somer reageren als ze er niet zo anders uit had gezien dan de mensen die ze gekend heeft in haar korte leventje?

Krishnan begrijpt haar zorgen hierover niet, en onderhand verwacht Somer dat ook niet meer van hem. Ze kan de mogelijkheid niet accepteren dat ze faalt na alles wat ze heeft doorgemaakt. Ze houdt nog steeds van haar werk, maar ze is bang om te veel te investeren in haar carrière, om te veel nadruk te leggen op iets waarvan ze geleerd heeft dat het nooit klaar en goed genoeg is.

Deel 2

20

Shakti

Dahanu, India, 1990
Jasu en Kavita

Jasu ziet haar met gekruiste benen voor het vuur zitten en stopt om van een afstandje toe te kijken. Kavita keert de rotli op de gietijzeren pan die in het vuur staat. Ze kijkt ernstig, verdiept in de dagelijkse taak om eten te koken voor de hele familie. Jasu vindt het leuker als ze glimlacht en vat het op als een persoonlijke uitdaging om haar af te leiden van haar werk. Hij loopt op haar af en begint te fluiten, doet de vogels na die vroeg in de morgen zingen. 'Hallo, mijn kleine *chakli*,' zegt hij met een speelse glimlach. Klein vogeltje. Meestal kan hij op een glimlach rekenen als hij dit koosnaampje gebruikt.

'Het eten is zo klaar. Honger?' vraagt ze.

'Hahn, uitgehongerd,' zegt hij terwijl hij op zijn buik klopt. 'Wat eten we?' Hij tilt het platte roestvrijstalen deksel van een pan.

'*Khobi-bhaji*, rotli, *dal*,' antwoordt ze op een staccato manier, zich vooroverbuigend om in de kool te roeren.

'Al weer khobi?' zegt hij. 'Gelukkig is mijn vrouw zo'n goede kok dat ze kool dag na dag goed kan laten smaken. *Bhagwan*, ik mis *rigna, bhinda, tindora...*'

'Hahn. Ik ook. Misschien na de oogst.'

'Chakli,' zegt hij, en hij dempt zijn stem zodat zijn ouders in de kamer ernaast hem niet kunnen horen. 'De oogst zal niet goed zijn dit jaar. We zullen geluk hebben als we dit jaar rond kunnen komen.' Jasu probeert de bezorgdheid die hij voelt niet te laten zien. De oogstopbrengsten en marktprijzen zijn elk jaar slechter geworden sinds ze zijn getrouwd. Hij kon het zich niet veroorloven zijn arbeiders te houden, dus hebben Kavita en Vijay hem de afgelopen twee jaar geholpen op het land.

'Vijay!' Kavita roept door de open galerij naar buiten, waar hun vijfjarige zoon met zijn neefjes en nichtjes speelt. 'Eten. Kom binnen en was je handen.'

'Kavi.' Jasu krijgt een loodzwaar gevoel. 'Ik kan niets anders bedenken. We moeten gaan.' Hij wrijft over zijn voorhoofd, alsof hij de rimpels daar kan laten verdwijnen. 'We zullen meer geluk hebben in de stad. Ik zal daar een goede baan krijgen. Jij zult niet zo hard hoeven werken, dag en nacht.'

'Ik vind het niet erg om te werken, Jasu. Als het jou helpt, ons... Ik vind het niet erg.'

'Maar ik wel,' zegt hij. 'In Bombay hoeven we niet elke dag onze rug te breken. Stel je eens voor, Kavi, je kunt koken of naaien... niet meer werken op het veld, niet meer... dit!' Hij grijpt haar dunne vingers, en gaat met zijn duimen over het eelt en over de geschaafde knokkels; haar verweerde handen benadrukken zijn falen.

'We moeten toch iets kunnen doen. We kunnen katoen planten, net als je neef.'

Hij kijkt naar de grond en schudt zijn hoofd. *Hoe kan ik het haar laten begrijpen?* Elke vezel in zijn lichaam zegt hem dat ze deze plek nu moeten verlaten, het enige thuis dat ze ooit gekend hebben. Ze moeten weggaan, weg van het akkerland dat een teken is van zijn falen als man, van de familie, van het huis dat ze delen met zijn ouders, het huis van zijn jeugd dat hem niet langer kan vasthouden. Bombay wenkt naar hem als een glinsterend juweel, belooft een beter leven voor hen, en vooral voor zijn zoon.

'Kavita, het is er niet zoals hier, waar iedereen maar net kan rondkomen. Ik hoor dat er elke dag vrachtwagens vol mensen aankomen, mensen zoals wij. Honderden, en er is werk, en voedsel en een huis voor hen allemaal!'

'Maar iedereen die we kennen is hier. Bombay is ons thuis niet. Wat hebben we er nou aan om al dat geld te hebben en geen familie?' Kavita begint te huilen.

Hij gaat dichter naar haar toe. 'We zullen ons eigen gezinnetje hebben. Jij en ik en Vijay. Hij kan naar een goede school, een echte school. Hij zal niet voor ons hoeven werken of op deze manier hoeven leven...' Jasu gebaart met zijn handen naar het eenvoudige huis dat ze delen met zijn familie. 'Hij kan zijn school afmaken en misschien zelfs kantoorwerk gaan doen. Kun je je dat voorstellen? Onze kleine Vijay die op een dag op een kantoor werkt?' Hij doet nu erg zijn best om haar te laten glimlachen. *Alsjeblieft, Kavi.* Hij houdt haar gezicht in zijn handpalmen en veegt de tranen met zijn ruwe duimen weg. 'Goedemorgen, wilt u chai, sahib sir?' zegt Jasu vrolijk, en zachtjes duwt hij met zijn vinger en duim haar mondhoeken in een aarzelende glimlach.

'Hoe zal hij het klaarspelen, tussen al die vreemdelingen in de stad?' zegt ze. 'Hier zorgt iedereen voor hem. Het hele dorp is zijn familie. Wij hadden dat. Ik wil dat hij dat ook heeft.'

'Ik wil dat hij meer dan dat heeft, Kavi. Onze familie zal hier altijd zijn, ze zullen altijd van hem houden.'

'En hoe zit het met ons? Niemand daar kan ons helpen als er iets gebeurt.' Haar stem trilt van emotie. 'Hier hebben we tenminste hulp als de oogst slecht is, of als Vijay ziek is.'

'We zullen niet de eersten zijn die gaan.' Jasu vouwt haar kleine handen in die van hem. 'De buurman van mijn neef, en de suikerrietboer uit Thane... We zullen hen vinden. Kavi, ik wil gewoon een beter leven voor ons...' Zijn stem sterft weg en hij duwt zijn voorhoofd tegen hun ineengeklemde handen. Dan weet hij het opeens. In één enkel moment weet hij wat hij tegen haar moet zeggen, tegen deze vrouw die voor alles moeder is. Hij kijkt op. 'Kijk eens naar alles wat je ouders voor jou hebben gedaan, hoeveel ze hebben opgeofferd. Is dat niet wat we ook voor onze zoon moeten doen? Verdient Vijay niet het beste? Het is onze plicht als ouders. Nu is het onze beurt, chakli.'

Zijn woorden brengen een blos van schaamte op haar wangen, en ze begint weer te huilen.

'Stel het je eens voor... Kun je dat, chakli? Kun je je een nieuw leven voor ons voorstellen? Vertrouw me nou maar, Kavi.'

Zijn ogen staan hoopvol en helder. Die van haar glinsteren van de tranen.

Als Kavita haar ouders voor het eerst vertelt dat zij en Jasu naar Bombay gaan verhuizen, krijgt ze de woorden er haast niet uit zonder te huilen. 'Ba, bapu.' Kavita begraaft haar gezicht in de schoot van haar moeder. 'Hoe kan ik jullie nou achterlaten? Wat zal er daar van me worden?' Ze herinnert zich Bombay nog: het hete asfalt onder haar voeten, de manier waarop de mensen met schaamte naar haar keken.

Haar moeder veegt haar eigen ogen af, schraapt haar keel en sluit Kavita in haar armen. 'Beti, het zal best goed gaan. Jasu is een goede echtgenoot. Hij zal zijn redenen wel hebben.'

'Een goede echtgenoot? Hij haalt me weg bij jou, bij Rupa, al mijn familieleden en vrienden, mijn thuis, mijn dorp.'

'Beti, we zullen hier altijd zijn voor jou. Maar je leven is bij hem. Je moet vertrouwen in hem hebben. Je man en zoon hebben je nodig. Als de moeder valt, valt het hele gezin,' citeert haar moeder uit een traditioneel gedicht. 'Je moet dapper zijn voor hen.'

Kavita herinnert zich het eerste afscheid van haar moeder: ze stond buiten de tempel nadat ze was getrouwd, haar lichaam gekleed in lagen zijde, bloemslingers en juwelen, haar gezicht zwaar van de bruidsmake-up, die haar meer op een vrouw deed lijken dan op het meisje dat ze toen nog was. Ze huilde die dag terwijl ze naar het huis van haar nieuwe echtgenoot ging met een gevoel alsof ze voor het laatst gedag zei. Toch ging ze elke keer dat ze in verwachting was weer naar huis, en ook weer na Vijays geboorte, vertrouwend op haar moeders zorg zodat ze kon leren om zelf moeder te zijn.

Nu tilt haar moeder Kavita's hoofd uit haar schoot en houdt haar gezicht, heet van de tranen, in haar koele handen. 'Ik ben blij dat jij het bent die weggaat,' fluistert haar moeder.

Kavita kijkt geschokt op.

'Ik maak me geen zorgen over jou, Kavita. Jij bent sterk. Vastberaden. *Shakti*. Bombay zal je ontberingen brengen. Maar jij, beti, hebt de kracht om die te doorstaan.'

En door haar moeders woorden en haar handen voelt Kavita het: shakti, de heilige, vrouwelijke kracht die van de Goddelijke Moeder stroomt naar allen die haar zoeken.

98

Het is een koele septemberavond als Kavita en Jasu samenkomen om afscheid te nemen van hun familie en vrienden. De eerste, sprankelende sterren laten zich net zien in een donkerblauwe lucht, als de glimp van een diamanten oorbel onder een lok donker haar. Kavita draagt een van haar beste sari's voor de gelegenheid, van helderblauwe zijde met heel kleine lovertjes die met zilverdraad op de randen zijn genaaid. Als de lucht donkerder wordt, dragen Kavita's nichten, met wie ze is opgegroeid als zussen, grote vaten voedsel naar buiten. Ze scheppen het op verschillende grote bananenbladeren die in een cirkel op de grond zijn gelegd. Iedereen – ieder familielid, iedere jeugdvriend, iedere buur – neemt plaats voor een blad. Zoals altijd verzamelen de mannen zich aan één kant bij Jasu, en de vrouwen bij Kavita aan de andere kant.

Jasu's bulderende lach stijgt op aan de mannenkant. Kavita draait zich op tijd om om te zien dat Jasu zijn hoofd achterovergooit en een van zijn broers hem op de rug slaat. Een verlegen glimlach verspreidt zich over haar gezicht. Hij is vol leven geweest deze afgelopen weken, terwijl ze zich voorbereidden op hun verhuizing, en dat heeft haar ook blij gemaakt. De zegen van haar ouders en hun verzekering dat haar plaats naast haar man is, hebben haar geholpen de dingen anders te zien. Ze is begonnen zich een nieuw leven voor te stellen, met meer welstand, minder werk en een huis weg van haar verstikkende schoonouders.

'Wat voor soort werk gaat Jasu *bhai* doen, Kavita?' vraagt een van de vrouwen.

'Eerst gaat hij werken als koerier of als rondbrenger van lunchblikken, als *dhaba-wallah*,' zegt Kavita. 'Er is genoeg van dat werk en ze betalen elke dag contant. Als we eenmaal goed gesetteld zijn, gaat hij minder inspannend werk doen in een winkel of op kantoor.'

Rupa knikt instemmend. 'En ze kennen al zoveel mensen in Bombay. Dat vertelde Jasu bhai ons gisteravond nog. Het is spannend, bena,' zegt Rupa terwijl ze in Kavita's arm knijpt.

Kavita dringt de pijn in haar hart weg die opkomt bij de gedachte zo ver van haar zus vandaan te zijn. 'Hahn. Jasu zegt dat we een grote flat voor onszelf zullen hebben, met een badkamer binnen en een grote keuken. En Vijay zal zijn eigen kamer hebben om in te studeren en te slapen.' Ze kijkt naar Vijay en zijn neefjes, die elkaar achternazitten, proberen elkaar bij hun shirt te grijpen. Als er een per ongeluk valt, veroorzaakt hij een wolk van stof en barsten de anderen in geschater uit. 'Ik maak me over hem het meeste zorgen. Hij zal zijn neefjes missen,' zegt Kavita. 'Als God het wil, maken we gauw fortuin in Bombay en komen hier snel terug, *futta-fut*.'

Tegen de tijd dat de volwassenen klaar zijn met eten, zijn Vijay en de andere jongens teruggekomen, met hun kleren vol stof. Jasu komt naar Kavita toe, de mannen-vrouwenscheiding die al de hele avond bestaat overbruggend. 'Challo, het wordt al laat, ik denk dat we beter afscheid kunnen nemen.' En met die woorden verbreekt Jasu de betovering die al de hele avond bestaat: de illusie dat dit gewoon weer een bijeenkomst is waarbij hun geliefden met een bepaalde reden bij elkaar komen, of helemaal zonder reden. Langzaam komen steeds meer mensen bij hen om afscheid te nemen. Een voor een omhelzen ze elkaar, fluisteren wensen voor een goede reis en beloften om elkaar gauw te bezoeken. Geleidelijk gaat iedereen weg, tot alleen Kavita's ouders nog over zijn.

Kavita valt op haar knieën en raakt met haar voorhoofd haar moeders voeten aan. Haar moeder trekt haar bij haar schouders overeind en omhelst haar stevig. Ze zegt maar één woord tegen haar, al herhaalt ze het verschillende keren. Shakti.

21

Een ongemakkelijke vrede

Palo Alto, Californië, 1990
Somer

Somer loopt naar de receptie in de hal van het Lucile Packard Kinderziekenhuis om te informeren naar het kamernummer van haar patiënt.

'Somer Whitman?' Een lange arts komt op haar af, met een koffer op wieltjes achter zich aan. 'Somer, hoe gaat het?' Hij steekt zijn hand uit om haar te begroeten.

'Peter,' zegt ze als ze hem herkent. Hij was coassistent in het UCSF toen zij senior arts-assistent was. 'Tjee, ik heb je al... wat? ... tien jaar niet meer gezien.'

'Ja, zoiets,' zegt hij, en hij haalt een hand door zijn dikke bruine haar.

'Ik hoorde dat je infectieziekten was gaan doen. Wat doe je nu?' Somer herinnert zich dat hij intelligent en actief was. Hij deed haar aan zichzelf denken in dat opzicht.

'Nou, ik heb infectieziekten in Boston gedaan en tropische ziekten op Harvard, een paar leuke jaren lang. En nu ben ik net aangenomen als afdelingshoofd hier; het is goed om weer terug te zijn.'

'Wauw, Peter, dat is geweldig,' zegt Somer.

'Dank je. Ik ben op weg naar Istanbul, voor een paar dagen, om een lezing te geven. Ik zal wel een jetlag hebben de komende week, maar ja, het werk is interessant, en het is beter dan verkoudheden behandelen, toch? En hoe zit het met jou, je was toch geïnteresseerd in cardiologie?' Hij kijkt haar oprecht geïnteresseerd aan. Ze herinnert zich hoe goed ze met elkaar konden opschieten, hoe ze hem had aangemoedigd om een extra specialisatie te doen.

'Nou,' zegt ze, zich schrap zettend voor zijn reactie, 'ik werk in de medische kliniek in Palo Alto, dus veel verkoudheden.' Er is gewoon geen manier om dat sexy te laten klinken. De gevallen zijn routine, er is weinig continuïteit in de patiëntenzorg en de kliniek heeft nooit genoeg geld. 'Maar ja, ik kan wel mijn dochter van zes elke dag uit school halen.' Ze glimlacht en haalt haar schouders op. Ziet ze een spoortje teleurstelling in zijn ogen?

'Dat is mooi. Wij hebben twee jongens, zes en tien. Houdt je bezig, hè?'

'Ja, dat is zeker.'

'Zeg, ik moet naar het vliegveld, Somer, maar het was leuk je weer te zien. Trouwens, ik ben nooit die geweldige diagnose van neonatale lupus vergeten die je stelde toen ik beginnend artsassistent was; ik heb dat verhaal in de loop der jaren al tientallen keren verteld, maar ik geef de eer altijd aan dokter Whitman.'

Somer glimlacht. 'Dokter Thakkar is het nu. Maar ik ben blij dat te horen. Leuk je weer eens gezien te hebben, Peter.'

Als ze in de lift staat, staart Somer naar de etagenummers die voorbijflitsen. Waar zijn de jaren gebleven, en wat is er gebeurd met die ambitieuze geneeskundestudente die ze vroeger was? Ze herinnert zich die passie om te werken aan interessante, klinische gevallen, onderzoek te doen, op te klimmen in de academische wereld. Nu houdt ze nauwelijks nog de medische tijdschriften bij. Door haar carrièrekeuzes heeft ze haar studiegenoten niet kunnen bijhouden, en zelfs in haar bescheiden baan in de kliniek voelt ze zich soms een bedriegster.

Dan racet ze naar school om Asha op te halen, waar ze bij de andere moeders, die veel tijd met elkaar lijken door te brengen, alleen bekend is als Asha's moeder. Somer heeft geen tijd voor ouderparticipatie en het organiseren van rommelmarkten. Ze heeft zelfs geen tijd voor zichzelf. Haar beroep karakteriseert haar niet meer, maar het moederschap ook niet. Beide zijn onderdelen van haar, en toch schijnen ze samen geen geheel te vormen. Somer wist niet dat alles hebben wat ze altijd heeft gewild, zou betekenen dat ze het gevoel heeft dat ze overal tekortschiet. Ze probeert zich gerust te stellen dat het leven bestaat uit compromissen en dat ze vrede moet hebben met dit compromis, maar vaak is het een ongemakkelijke vrede.

Somer zit op de bank aan haar warme, zoete koffie te nippen en kijkt toe hoe Asha in de speeltuin aan het klimrek hangt. Het laatste jaar is Asha ondernemend geworden: klimmen, schommelen en overal aan hangen. Al haar kleinemeisjesvoorzichtigheid is weg, en ze heeft voortdurend geschaafde knieën om het te bewijzen.

Ze vindt het heerlijk om met Asha naar dit park te gaan. Ze zijn een paar jaar geleden naar deze wijk verhuisd, toen ze twee was. Het was moeilijk om San Francisco te verlaten, de plek waar ze geleerd hebben om een gezin te zijn. Na jaren van pijn en verwijdering genoten zij en Krishnan van de nieuwigheid van het gezinsleven; in het weekend gingen ze naar Baker Beach, waar Asha op haar tenen naar de rand van het water liep en dan gillend terugrende als de volgende golf kwam. Somer en Krishnan vonden een manier om weer goed met elkaar op te kunnen schieten. Hun gesprekken gingen niet meer alleen over geneeskunde; ze bouwden hun gehavende relatie weer op en deden dat rond Asha.

Ze hadden niet gepland om met hun vrienden mee te doen met de exodus de stad uit, maar Asha werd actiever en ze vonden hun kleine achtertuin en de kwaliteit van de scholen in de buurt niet goed genoeg meer. Toen Kris een goed aanbod kreeg van een praktijk in Menlo Park, een wijk met goede scholen dertig minuten ten zuiden van San Francisco, begonnen ze daar naar huizen te kijken. Somer vond een baan in de medische kliniek van de wijk.

'Asha, nog vijf minuten,' roept Somer als ze naar de zon kijkt.

'Wat is ze schattig,' zegt een vrouw op de bank naast haar. 'Ik denk dat ik je al eerder heb gezien. We komen hier bijna elke dag.' De vrouw gebaart naar een blond jongetje dat in de zandbak zit te spelen. 'Hij vindt het heerlijk, en ik ben altijd blij om het huis uit te zijn.'

'Ja, Asha vindt het hier ook heerlijk. Het is een kunst om haar zo weer mee te krijgen,' lacht Somer.

'Je moet hier eens op vrijdag om twaalf uur komen,' zegt de vrouw. 'Dan komen we met een paar oppassen uit de buurt bij elkaar voor een picknick. De kinderen hebben samen plezier en wij hebben wat volwassen gezelschap.'

Oppassen? Na even beleefd gewacht te hebben, staat Somer op en zoekt haar spullen bij elkaar. 'Ik ben haar oppas niet,' zegt ze. 'Ik ben haar moeder.'

'O, sorry. Ik nam aan... Ik bedoel, ik dacht, omdat...'

'Het is oké,' zegt Somer op een toon die anders doet vermoeden. 'Ze lijkt meer op haar vader, maar ze heeft mijn karakter.' Ze loopt naar Asha toe. 'Prettige dag nog.'

Onderweg naar huis rijdt Asha op haar fiets, terwijl Somer achterblijft en erover nadenkt waarom het incident in het park haar zo dwarszit. Het is logisch dat mensen aannemen dat zij en Asha niet verwant zijn. Daar zou ze langzamerhand aan gewend moeten zijn. Als ze met z'n drieën uit zijn, kijken mensen vaak twee keer naar Somer. Zelfs zij kan zien hoe natuurlijk Kris en Asha er samen uitzien, als ze op zijn schouders zit of als ze in een restaurant naast elkaar zitten. Op die momenten moet Somer het gevoel onderdrukken dat zij degene is die geadopteerd is in hun gezin.

Op een adoptiecongres waar ze een paar jaar geleden zijn geweest, werd gezegd dat adoptie alleen de kinderloosheid oplost, niet de onvruchtbaarheid – een onderscheid dat Somer is gaan begrijpen. Asha's komst in hun leven heeft veel dingen gebracht – liefde, vreugde, vervulling – maar de pijn van de miskramen werd er niet mee uitgewist, en ook deed het haar verlangen naar een eigen, biologisch kind niet helemaal verdwijnen.

Als ze samen zijn, met z'n tweetjes, voelt Somer zich Asha's moeder en houdt ze van haar alsof ze haar eigen kind is. Ze vertelt mensen niet dat Asha is geadopteerd. Het voelt niet relevant en ze wil niet dat Asha zich er bewust van is. Ze ziet zelf het afwijkende niet dat voor iedereen overduidelijk is in Asha's donkere haar en bruine huid. Nu ze Asha bij de hoek ziet wachten, ziet ze haar door de ogen van de oppas uit het park. Een van Asha's dunne, bruine benen staat boven op een pedaal, terwijl het andere de grond nauwelijks raakt. Haar dikke, zwarte paardenstaart piept achter uit de bleekblauwe lieveheersbeesthelm. Somer kijkt naar haar dochter, die helemaal haar dochter niet lijkt.

22

Fanta

Bombay, India, 1990
Kavita

Kavita haalt diep adem als ze eindelijk uit de openluchtbus stapt. De afgelopen vier uur hebben zij, Jasu en Vijay opgepropt doorgebracht met tientallen bezwete mensen, de meeste totaal niet geïnteresseerd in het landschap waar ze doorheen reden. Veel van hen maken deze reis elke week om hun waren in de stad te verkopen. Ondanks dat ze drie kaartjes hebben gekocht, kon alleen Kavita een stoel vinden. Ze heeft Vijay de hele weg op schoot gehad, waardoor haar dijen langzamerhand gevoelloos werden. Jasu moest de hele weg staan, naast een man met een kooi met kippen, die regelmatig tegen Jasu's knie botste. Ze klaagden niet, want er waren ook passagiers die in de deuropening hingen of op het dak van de bus zaten.

Met drie tassen met al hun bezittingen staan ze nu buiten het busstation. Vijay leunt tegen haar been, met een slaperig gezicht. Hun plan is om naar een opvangadres in het centrum van de stad te gaan, waarvan ze gehoord hebben dat ze er voor weinig geld een nacht of twee kunnen blijven. Nu hebben ze eerst een goede nacht slapen nodig. Morgen zullen ze zich bezighouden met het zoeken naar een echt huis en een baan. Jasu gaat hun te voet voor, hij draagt een tas in elke hand en vraagt af en toe de weg.

Kavita volgt hem, met een tas aan de ene en Vijay aan de andere hand. Als ze door het donker wordende Bombay lopen, ziet ze onthutst hoezeer het is veranderd sinds ze er zes jaar geleden was.

Het lijkt haast onmogelijk, maar toch zijn er meer mensen in dezelfde ruimte, meer voertuigen op de weg, meer geluid en gassen in de lucht.

Twee gedachten komen steeds in haar hoofd op: hoeveel ze het dorp nu al mist en de bittere herinnering aan het achterlaten van Usha in het weeshuis. Die twee gedachten strijden om het hardst in haar hoofd, en Kavita voelt een steeds grotere wrok tegenover Jasu. *Hij dwong me mijn baby op te geven. En nu heeft hij me gedwongen naar deze stad te gaan en alles waar ik van hou achter te laten.* Even raakt ze Jasu kwijt, die voor haar in de menigte loopt, en ze haast zich om hem in te halen. Ze hebben alleen elkaar in deze vreemde, nieuwe omgeving. Ze hoort haar moeders troostende stem. *Je moet vertrouwen in hem hebben. Je moet dapper zijn voor hen.*

Tegen de tijd dat ze aankomen bij Dharavi, de opvang waar ze over gehoord hebben, is het avond geworden. Ze zijn geschokt als ze geen gebouw aantreffen zoals ze hadden verwacht maar een enorme sloppenwijk, die de ruimte inneemt tussen een snelweg aan de ene en spoorlijnen aan de andere kant. Er staat een lange rij hutten, rommelig geconstrueerd van golfplaten, karton en modder; kleine eenkamerhuisjes gemaakt van afval. Ze lopen langzaam, om de open riolering te ontwijken die langs de hutten stroomt. Kavita houdt Vijays hand stijf vast terwijl ze hem opzij trekt voor de kleine kinderen die naakt rondlopen. Een bedelaar met stompjes in plaats van benen steekt een magere arm naar haar uit. Een andere man, duidelijk dronken, loert naar haar en likt zijn lippen af. Kavita houdt haar ogen op de grond gericht, waar de grootste gevaren verspreide rotzooi en rondrennende knaagdieren zijn.

'Heb je plek nodig? Heb je huis nodig?' Een man gekleed als vrouw in een opzichtige gele sari komt naast Jasu lopen. Hij heeft een knap gezicht en als hij lacht worden er twee gouden tanden zichtbaar. Jasu wisselt een paar woorden met hem die Kavita niet kan horen, maar al snel volgen ze de man door de straat. Hij stopt voor een kleine modderhut met plastic bekleding en een roestig dak. Als hij de kromgetrokken deur wil openduwen, wordt hij aan de binnenkant door iets geblokkeerd. In het vage licht zien ze dat het een witte hond is, die zo uitgemergeld is dat zijn ribben makkelijk te tellen zijn. De in sari geklede man laat even zijn vrouwelijke persoonlijkheid in de steek door de hond opzij te schoppen, dan houdt hij de deur voor hen open.

'Ander gezin is net vanmorgen vertrokken,' zegt de man. 'Je kunt hier blijven, als je wilt. Alleen klein bedrag is nodig.' Hij houdt zijn hand op met de palm naar boven, en lacht schuchter naar Jasu, die Kavita aankijkt.

'Het is maar voor één nacht,' zegt ze, om de onontkoombare keuze makkelijker voor hem te maken. Het is al donker buiten. Ze hebben lang gelopen, en Vijay ziet eruit alsof hij staande in slaap zal vallen. Jasu zet de tassen neer, haalt een paar munten uit zijn zak en laat ze in de wachtende hand vallen zonder hem aan te raken. Dan jaagt hij de man weg. Jasu stapt als eerste de hut binnen, bukkend om de deuropening in te kunnen. Kavita en Vijay volgen. De kleine kamer zonder raam is bijna leeg, met niets op de aarden vloer dan wat rottende voedselresten. Kavita stikt bijna door de stank van menselijke uitwerpselen, en onderdrukt haar neiging om te kokhalzen.

Kavita steekt haar arm onder die van Jasu. 'Kom, waarom neem je Vijay niet mee om wat te eten op te zoeken? Dan zal ik het hier wat opruimen.' Jasu neemt Vijay mee naar de kraampjes vlakbij. Kavita stapt naar buiten om een diepe teug van de betrekkelijk schone lucht te nemen, en bedekt dan haar mond en neus met het uiteinde van haar sari. Ze zet de deur open om wat licht te hebben. Binnen gaat ze aan het werk om de voedselresten en de uitwerpselen in een plastic zak te doen die ze in een hoek vindt. Als ze het afval naar buiten brengt en even stopt voor een hap frisse lucht, ziet ze een bezem tegen de hut naast die van hen staan. Ze kijkt rond, stapt gauw naar de overkant om de bezem in haar sari te stoppen en gaat dan terug naar de hut.

Ze werkt zo vlug ze kan, zakt op haar hurken en veegt krachtig de vloer. Haar inspanningen veroorzaken een stofwolk, waardoor ze gaat hoesten en haar ogen gaan tranen, maar ze gaat toch door. Als ze de bovenste laag vuil maar kan weghalen, die herinnert aan het voedsel, het afval en de urine van andere mensen, als ze die gewoon naar buiten kan vegen, dan zal er schone aarde onder zitten, het soort waar ze aan gewend is. Als haar keel zo brandt dat ze niet verder kan, veegt ze de berg vuil naar buiten en zet de bezem terug op zijn plek. Buiten wacht ze tot haar longen weer schoon zijn en het stof binnen is neergedaald. Ze stapt de hut weer in en snuift. Ja, de lucht is schoner, of zou ze gewoon gewend zijn geraakt aan de geur van deze plek? Ten slotte haalt ze de bedrol die ze hebben meegebracht tevoorschijn en legt hem op de grond naast de drie tassen.

Jasu en Vijay brengen hete *pau-bhaji* en flessen koude Fanta mee. Vijay is onder de indruk van zijn eerste teugjes Fanta. Hij laat ze over zijn opgekrulde tong lopen, laat de belletjes daar prikkelen, waarna hij de vloeistof door zijn keel laat glijden. Hij is zo in beslag genomen door die nieuwe ervaring dat hij totaal niet van streek is door hun ellendige omgeving. Als ze zitten te eten, horen ze ergens buiten het krakende geluid van een radio, dat al snel verandert in een schallend geluid. Er klinkt een liefdesliedje uit een oude hindifilm en Jasu begint mee te zingen; de woorden die hij niet weet, bedenkt hij zelf. Hij pakt Kavita's hand en trekt haar op om in de kleine, bedompte ruimte te dansen. Kavita doet mee, eerst met tegenzin, totdat ze ziet dat Vijay ook zingt en klapt. Dan komt er een echte glimlach op haar gezicht, en al snel lachen en dansen ze met z'n allen. Ze brengen hun eerste nacht in de hel in elkaars armen door tot ze in slaap vallen.

Ze worden de volgende morgen al vroeg wakker door het luide getoeter van vrachtwagens voor hun deur. Kavita hoort ze het eerst en kan niet meer in slaap komen. Jasu wordt vlak na haar wakker. Na een paar minuten ineengestrengeld te zijn blijven liggen, staan ze zachtjes op. Kavita gaat naar buiten om de latrine te zoeken. Ze ziet een lange rij mensen staan, maar als ze vragen stelt, komt ze erachter dat ze wachten op water van de openbare standpijp. Er is geen aangewezen latrinegebied. Zo bescheiden mogelijk doet ze haar behoefte bij de spoorlijnen en gaat dan snel terug naar de hut.

'Er staat al een lange rij voor water, daar,' zegt ze wijzend tegen

Jasu. 'Maar we hebben niets, geen vat of emmer, om het in te doen.' 'We hebben vandaag water nodig. Het zal heet worden. Hier, wat denk je van deze?' zegt Jasu, en hij pakt de twee lege Fanta-flessen van de vorige avond. 'Ik zal gaan. Blijf jij maar hier,' zegt hij, en hij gebaart naar de slapende Vijay. Als Jasu bijna een uur later terugkomt, ziet hij er geschokt uit.

'Wat is er, *jani*? Waarom duurde het zo lang?' Ze gebruikt dat lieve woordje niet vaak buiten hun nachtelijke intimiteiten, maar de kwetsbare blik in zijn ogen dwingt haar ertoe.

'Dit is een idiote plek, Kavi. Een vrouw dacht dat een andere voordrong in de rij en begon tegen haar te schreeuwen dat ze achter aan moest sluiten. De andere vrouw weigerde en ze begonnen met haar te vechten, ze duwden en schopten tot ze wegging. Vrouwen die met elkaar vechten. Om water.' Hij schudt zijn hoofd, nog steeds geschokt bij de gedachte. 'Morgen ga ik vroeger.' Hij geeft haar de gevulde flessen en gaat dan weg, met de belofte dat hij tegen de avond terug zal zijn.

Als Vijay wakker wordt, besluit Kavita om overdag met hem de *basti* uit te gaan. Ze voelt nu al de hopeloosheid van de sloppen-wijk op zich neerdalen. Ze neemt hun belangrijkste spullen mee en verbergt de rest onder de bedrol. Kavita houdt Vijays hand stevig vast terwijl ze door de straten van Bombay lopen, op de kapotte stoep bezaaid met afval en dierenuitwerpselen, mensen dicht tegen elkaar aan gedrukt, met geen andere keus dan te bewegen als een zwerm vogels. Straatverkopers prijzen schreeuwend hun waren aan.

'Hete chai. *Garam* chai! Hete thee!'

'Kijk, mevrouw. *Salwar khameez!* Maar honderd roepie. Allerlei kleuren!'

'Nieuwste films. Twee films voor maar vijftig roepie. Goede prijs. Uw keus.'

Kavita denkt weer aan die dag, jaren geleden, dat ze ook in deze straten liep, voortgetrokken door Rupa, net zoals ze nu Vijay leidt. Ze merkt dat ze op elke hoek kijkt of ze iets herkent. *Ben ik hier bij die bushalte al eens eerder overgestoken? Ziet die kiosk er niet bekend uit? Is dit niet hetzelfde fruitstalletje?* Midden in die idiote stad waar ze maar één keer eerder is geweest, deze stad met meer dan tien miljoen mensen, probeert Kavita iets zinnigs te ontdekken. Te midden van alle lichamen en ledematen ziet ze een gezicht dat bekend lijkt, een klein meisje dat er precies zo uitziet als het beeld van Usha dat ze in gedachten heeft. Twee glanzende vlechtjes met linten, een rond gezichtje, een lieve lach. Het meisje houdt de hand vast van een vrouw in een groene sari. *Is zij het? Zou ze het kunnen zijn?* Ze lijkt ongeveer even oud als Vijay. Kavita dringt zich door de menigte, volgt het stel, negeert Vijays protest dat ze te hard loopt. De groene sari verdwijnt uit het zicht, verdronken in een maalstroom van mensen en kleuren. Kavita stopt midden op het voetpad, zwaar ademend, kijkt in alle richtingen maar ziet niemand meer om te volgen.

'Mama?' Ze voelt Vijay aan haar hand trekken en kijkt neer in zijn vragende ogen.

'Hahn, *beta*. Challo. Laten we gaan.' Ze maakt zich zorgen dat ze Vijay kwijtraakt in de menigte mensen die zich langs hen heen dringt, en over de tandeloze bedelaars die hen volgen. Kavita blijft zoeken naar de groene sari en herinnert zich Jasu's woorden over de meisjesbaby. *Ze zal een last worden voor ons, voor onze familie. Is dat wat je wilt?* Misschien had hij toen gelijk, was het zelfs wijs. Ze kan zich nu moeilijk voorstellen dat ze twee kinderen zouden hebben, nu het niet duidelijk is of ze wel goed voor één kunnen zorgen. Ze lopen de hele dag, totdat Kavita moe genoeg is om vanavond snel in slaap te kunnen vallen. Na één dag al voelt ze zich verstikt door deze stad, kloppend van mensen, drukte en lawaai. Haar longen, gewend aan de zuivere lucht van het dorp, vechten tegen deze smog. Haar voeten verlangen naar de vochtige aarde van de velden thuis.

Ze lopen terug door de sloppenwijk, komen langs honderden hutten als die van hen. Op de hoek loopt ze om een vieze geit heen die zijn neus in een grote hoop rokend afval stopt. Elke hut die ze voorbij komen, heeft dezelfde dingen voor de ingang: een kookvuur met plakken koeienmest, een emmer water als rantsoen voor de dag, en haveloze kleding aan een lijn. Een paar ingenieuze inwoners hebben een manier gevonden om een antenne voor tv of radio op te hangen, waaromheen zich meer mensen verzamelen. Kavita verlangt naar iets om haar te troosten: haar moeders kalmerende hand, Rupa's borrelende lach.

Tegen de tijd dat Kavita en Vijay hun hut bereiken, zit Jasu al binnen op de rand van de bedrol. Hij wrijft de zool van een voet met zijn hand. Als hij hen hoort, kijkt hij op en glimlacht. 'Wat is er?' vraagt Kavita.

'Ik heb wel vijftien kilometer gelopen op die oude dingen.' Hij knikt naar zijn versleten *chappals* bij de deur. Kavita gaat naast hem zitten en pakt zijn voet in haar handen.

'Ik ben vandaag bij drie kantoren voor koeriers geweest.' Hij sluit zijn ogen en gaat achteroverliggen op de bedrol. 'Ze zeiden allemaal dat ze geen werk voor me hebben. Ze willen alleen mannen die de straten van Bombay kennen, riksjachauffeurs of taxichauffeurs. Tja, als ik al riksja- of taxichauffeur was, waarom zou ik dan een baan als koerier zoeken?

'Hahn, waarom?' zegt Kavita langzaam, instemmend maar zich afvragend wat dat betekent.

'Daarna ben ik gaan zoeken naar een baan als dhaba-wallah,' gaat Jasu verder, 'en zoals ik al verwachtte, betaalt het goed om die lunchblikken door de stad te brengen. Honderd roepie per dag, kun je dat geloven? Maar er is een lange lijst van mannen die dhaba-wallah willen worden. Ze zeiden dat ik elke week terug moet komen. Ze zeiden dat het wel drie tot vier maanden zou duren voor ze een baan voor me hebben.'

Kavita, onzeker hoe ze op dit nieuws moet reageren, kijkt naar Vijay, die met zijn vinger cirkels op de grond tekent. *Je moet vertrouwen in hem hebben.*

'Maar het goede nieuws is: ik heb een kerel buiten het dhaba-wallahkantoor ontmoet. Hij kent de grote baas en kan helpen mijn naam boven aan de lijst te krijgen. Dat kan snel met zijn hulp, in twee of drie weken. En dat kostte maar tweehonderd roepie.'

Kavita kijkt gealarmeerd naar haar man. De totale som die ze hebben meegebracht was duizend roepie – al hun spaargeld plus wat giften van hun familie.

'Maak je geen zorgen, chakli!' grijnst hij. 'Het is oké. Die man liet me zijn papieren zien, het is een goede man. En hij zal me ook helpen een fiets te bemachtigen voor mijn werk. Hij laat me die meteen gebruiken, zonder betaling. Eerst zal de fiets van mijn loon worden afgehouden, maar als ik hem heb afbetaald, mag ik alles houden.' Jasu gaat rechtop zitten en grijpt haar schouders. 'Kijk niet zo bezorgd. Dit is goed, chakli, heel goed!' Hij legt zijn brede handen om haar hoofd en kust de bovenkant. 'Het gaat snel, net als ik had gedacht. Binnen korte tijd hebben we onze eigen flat, met volop ruimte en een eigen keuken voor jou, hè?'

Ze kan een glimlach niet onderdrukken als hij zo is. Nu is het haar beurt om uit te blazen. 'Oké, meneer Dhaba-wallah, laten we dan maar gaan eten.'

Op een morgen twee weken later kijkt Kavita vanaf de bedrol toe als Jasu een bakje koud water naar de hoek van de kamer draagt. Zorgvuldig wast hij zijn handen en scheert hij zich. Hij is elke dag teruggegaan naar het dhaba-wallahkantoor, maar ze hebben nog steeds die baan niet voor hem. De man die de tweehonderd roepie heeft aangenomen, is niet meer verschenen. Toch staat Jasu elke dag vroeg op om in de rij voor water te staan. Hij staat erop dat zelf te doen, ook al staan er meestal vrouwen van de basti in de rij. Vandaag brengt hij berichten mee terug van een uitbraak van tyfus aan de noordkant van de sloppenwijk. Al drie kinderen dood, veel meer zieken. 'Hou Vijay weg van het vieze water,' zegt hij tegen haar. 'Die mensen doen *susu* en *kaka* overal, als honden. Geen schaamte.' Hij kleedt zich zorgvuldig aan en kamt zijn haar. Hij haast zich, alsof iemand hem op een bepaalde tijd verwacht. Elke morgen gaat hij vol hoop weg, elke avond komt hij terneergeslagen naar hun tijdelijke huis terug.

Kavita gaat naar buiten om chai te maken in het vuur van gisteravond. Er is nog wat *khichdi* over van het avondeten, die ze in twee porties verdeelt, een voor Jasu en een voor Vijay. Terwijl ze het ontbijt klaarmaakt, komen er andere mensen uit hun hutten om hetzelfde te doen. Vrouwen stoppen hun verkreukelde sari tussen hun knieën om te hurken, en kletsen met elkaar. Ze wonen hier al lang, hun buren. Kavita doet niet mee met hun gesprekken, maar ze luistert wel naar het geroddel bij de kookvuren. Het beangstigt haar: verhalen van kinderen die vermist worden, vrouwen die geslagen worden. Sommige mannen brouwen likeur en verkopen het dan aan andere. Als ze dronken zijn, gaan die mannen met elkaar op de vuist, of met hun buren of familieleden, om hun woede te koelen.

Het lijkt wel een stad op zichzelf, deze sloppengemeenschap. Er zijn geldschieters en mensen die schuld bij hen hebben, huisbazen en huurders, vrienden en vijanden, criminelen en slachtoffers. Anders dan in het dorp dat ze gekend heeft, leven de mensen hier als dieren: bijeengepakt in kleine ruimten, vechtend om alle levensbenodigdheden. En wat nog erger is, veel mensen die hier al jaren zijn, zijn deze plek gaan accepteren als hun thuis. Ze hebben de vuilste, afschuwelijkste banen in de stad: het zijn wc-schoonmakers, vuilnismannen, voddenrapers. Geen dhaba-wallahs, die wonen in fatsoenlijke huizen als fatsoenlijke mensen. Zodra Jasu zijn baan krijgt, zullen ze deze plek verlaten. Kavita weet dat ze het hier niet zullen overleven.

Later die nacht, als iedereen allang slaapt, worden ze gewekt door luide stemmen buiten, mannen die schreeuwen. Jasu springt onmiddellijk naar de deur. De lege Fanta-flessen staan vlakbij, klaar om morgenochtend water in te gaan halen. Hij pakt er één in elke hand. Kavita gaat rechtop zitten en houdt Vijay, die nauwelijks wakker is, in haar armen. Als hun ogen zich aanpassen aan de duisternis, worden de stemmen luider en komen dichterbij. Jasu doet de deur op een kiertje open en gluurt naar buiten. Snel doet hij hem weer dicht en hij fluistert tegen Kavita: 'Politie! Ze gooien de deuren open en kijken naar binnen. Ze hebben stokken en zaklampen.' Hij staat met zijn rug tegen de deur. Zij gaat met haar lichaam voor Vijay zitten, die nu grote, bange ogen heeft.

Ze horen op deuren bonzen. Flessen worden tegen muren gegooid. Brekend glas. Nog meer kwade stemmen. Dan gilt een vrouw, lang en hard, haar stem vol tranen. Na wat een lange tijd lijkt, beginnen de kwade stemmen te verflauwen. Nu klinkt er sinister gelach, dat langzaam in de verte verdwijnt. Eindelijk is het weer stil.

Jasu bewaakt nog steeds de deur. Kavita wenkt hem naar haar toe te komen. Als ze hem tegen zich aan houdt, voelt ze de angst en het zweet dat de politie heeft achtergelaten.

'Mama?' zegt Vijay. Hij trilt. Kavita kijkt naar de plek waar zijn handen zijn broek vasthouden. Die plek is nat. Ze verschoont hem en bedekt de vochtige bedrol met een oude krant. Ze gaan allemaal weer in bed liggen, Jasu met zijn armen om Kavita, en zij met haar armen om hun zoon. In het donker zegt Vijay alleen: 'Ik mis Nani.' Kavita begint te huilen zonder geluid of beweging te maken. Vijays ademhaling wordt ten slotte zwaar en regelmatig, maar zij en Jasu slapen die nacht niet meer.

De volgende morgen komt Jasu terug van het water halen met nieuws over de politie-inval, blijkbaar een veelvoorkomende gebeurtenis in de basti. Een van de buren vertelde hem dat de politie op zoek was naar iemand, een man die verdacht werd van diefstal uit de fabriek waar hij werkt. Zelfs nadat ze tientallen andere gezinnen hadden gewekt, vonden ze de man niet in zijn huis.

Maar ze vonden wel zijn vijftienjarige dochter. Voor de ogen van haar moeder en jongere broertjes, en terwijl de buren er vol angst naar luisterden, werd ze bruut verkracht.

23

Een toost uitbrengen

Menlo Park, Californië, 1991
Krishnan

'Heb je de aardappels al gestampt? Kris!'

Krishnan is zo verdiept in de *India Abroad* dat hij Somer nauwelijks hoort.

'Je moet de aardappels stampen. De kalkoen is over een halfuurtje klaar. En denk erom dat je er deze keer geen peper in doet. Mijn vader houdt niet van heet gekruid eten.'

Krishnan zucht diep. *Heet gekruid eten?* Alleen een Amerikaan kan aardappelpuree, waarschijnlijk het flauwste gerecht dat er bestaat, heet gekruid vinden. Nee, dan de *battata pakora* die zijn moeder maakte: plakjes kort gekookte aardappel, gedoopt in heet gekruid beslag en bedekt met groene pepers, dan gefrituurd tot ze goudbruin waren. Zodra ze er een op het bord legde, pakten zijn gretige vingers hem op. Het is al zo lang geleden dat hij goede battata pakora heeft gegeten. Hij zucht als hij de stomende aardappels in de grote schaal fijn begint te stampen. Somer komt hem tegemoet door af en toe Indiaas met hem te gaan eten, maar ze heeft geen echte interesse in de Indiase keuken, en ze kan niet erg goed koken. Hij heeft haar ooit laten zien hoe ze *chana masala* moet maken, een eenvoudig gerecht met een blik kikkererwten en wat gedroogde kruiden. Nu is het het enige gerecht dat ze vaak maakt, met pitabrood uit de winkel. De dure fles saffraan die zijn ouders vanuit India hebben gestuurd, staat ongeopend in hun kruidenrek, nadat Somer heeft toegegeven dat ze niet weet hoe ze die moet gebruiken.

Hij doet een paar eetlepels boter in de schaal, gooit er wat melk bij en roert. Het spul is net zo glad en wit als ziekenhuislakens, en bijna net zo aantrekkelijk. Hoe kan iemand iets eten zonder kleur of smaak? Het maken van aardappelpuree is altijd zijn taak met Thanksgiving. Eén jaar was hij zo vrij er een handvol fijngesneden koriander als garnering op te doen. Het jaar daarop heeft hij er samen met de boter een theelepel van zijn moeders *garam masala* doorheen geroerd. Dit jaar mag hij alleen nog maar zout en boter gebruiken.

'De taart moet nog in de oven.' Somer rent naar de oven, opent de deur en steekt de thermometer voor de zoveelste keer in de kalkoen.

Krishnan begrijpt nooit waarom Amerikanen, en vooral zijn vrouw, zich zo druk maken over die ene maaltijd elk jaar. Bij familiefeesten thuis stonden er vaak meer dan tien gerechten op tafel, allemaal veel bewerkelijker dan een kalkoen een paar uurtjes in de oven zetten. En er kwam niets uit blik. Met Diwali kookten zijn moeder en tantes elk jaar al dagen van tevoren: luchtige *dolka's* gedoopt in romige kokosnootchutney, romige groentecurry, fijngekruide dal. Elke groente werd apart uitgezocht bij de *sabzi-wallah*, en elk kruid werd met de hand geroosterd, fijngemalen en vermengd. De zure, romige yoghurt was zelfgemaakt, en de *paratha's* werden gerold en heet van het vuur geserveerd. De vrouwen kookten uren, roddelend en lachend, terwijl ze schilden, sneden, frituurden en gerechten lieten prutelen voor een feest voor twintig personen of meer. Nooit zag hij die jachtige bezorgdheid die zijn vrouw nu vertoont. Hij denkt terug aan zijn eerste kennismaking met de vreemde rituelen van een Amerikaanse Thanksgiving.

In zijn eerste jaar als geneeskundestudent nodigde zijn studiegenoot Jacob hem uit in Boston. Krishnan was pas een paar maanden in de Verenigde Staten, en al die tijd in California, dus toen hij in Boston aankwam, was het eerste wat hem opviel de frisse, koele lucht en de prachtige kleuren van de bladeren. Het was de eerste herfst die hij meemaakte.

Er waren ruim tien mensen en Krishnan werd al snel met de

117

andere mannen aan het werk gezet om bladeren te harken op de grote binnenplaats van het vorstelijke, koloniale huis. Dat was al verbijsterend genoeg – hij vroeg zich af of er geen bedienden waren om zulk werk te doen – maar Krishnan raakte nog meer in de war door het spelletje *touch football* dat daarop volgde. Binnen, terwijl ze hun bevroren vingers warmden bij de open haard, kon Krishnan de heldere lach van Jacobs knappe nichtje in de keuken horen. Haar neven plaagden haar met haar nieuwe vriend, die ze voor het eerst mee had gebracht. Dit was Krishnan totaal vreemd. In India waren de ouders en andere familieleden de eersten die een toekomstige partner moesten goedkeuren, niet de laatsten. Verkeringen waren kort en meestal gechaperonneerd. Krishnan vond het eten lekker, maar hij vond wel dat een scheut hete saus alles nog veel lekkerder zou maken. Tegen het eind van het weekend was Krishnan verliefd op alles wat hij had gezien: het prachtige huis, de grote binnenplaats, het knappe, blonde meisje. Hij wilde het allemaal. Hij was verliefd geworden op de Amerikaanse droom.

Toen hij pas in de Verenigde Staten was voor zijn studie, was hij opgewonden over de nieuwe mogelijkheden die hij opeens in zijn leven had. De rustige campus van Stanford kon niet meer verschillen van de drukke stad waar hij vandaan kwam, maar er was veel in Amerika wat hij kon waarderen: schone straten, grote winkelcentra, gerieflijke auto's. Hij begon het eten lekker te vinden, vooral de frites en pizza's die geserveerd werden in de cafetaria op de campus.

Krishnan ging na zijn tweede jaar voor een bezoek terug naar India en merkte dat er veel was veranderd. Het was de zomer van 1975 en Indira Gandhi had net de noodtoestand uitgeroepen nadat ze schuldig was bevonden aan verkiezingsfraude. Politieke protesten werden snel de kop ingedrukt, en tegenstanders van de regering werden met duizenden gevangengenomen. Het was moeilijk om iets te geloven van de kranten vol propaganda, maar er was een duidelijk gevoel van angst en onzekerheid over de toekomst. Toen hij zijn vader op zijn ronden vergezelde, merkte hij dat het ziekenhuis ouder was dan hij zich herinnerde, vooral in vergelijking met Stanford. Sommigen van zijn vrienden gingen trouwen, maar het lukte Krishnan om zijn moeders suggestie dat het tijd was om meisjes te gaan ontmoeten, te ontwijken. Tegen het einde van die zomer merkte hij dat hij Amerika, waar het leven goed leek en de carrièremogelijkheden veel beter waren, miste. Het terugzien van zijn vaderland had de doorslag gegeven, en toen hij voor de laatste twee jaar van zijn studie naar California terugging, was hij er vrij zeker van dat hij wilde blijven.

De tien jaar sinds zijn studietijd zijn voorbijgegaan in een eindeloze rij dagen en nachten, waarin hij hard heeft gewerkt om chirurg te worden. Hij heeft een van de zwaarste arts-assistenten-programma's van het land doorstaan. Zijn collega's consulteren hem nu over hun moeilijkste gevallen, en hij wordt vaak gevraagd om gastcolleges te geven op Stanford. En hij heeft het knappe blonde meisje gekregen, dat nu zijn vrouw is. Naar alle objectieve maatstaven is hij een succes. Na vijftien jaar in dit land heeft hij die droom die hij zo mooi vond, waargemaakt.

Ze zitten allemaal in de eetkamer, aan de officiële eettafel, met een beetje te veel ruimte tussen hen in. Somers vader snijdt de kalkoen en ze geven schalen door met de vulling, en met cranberrysaus, jus, aardappelpuree en groene bonen. Terwijl Krishnan eet, luistert hij naar Asha, die haar grootouders vermaakt met verhalen over haar nieuwe leraren en het schooluniform, dat ze prachtig vindt. 'Het fijnste is nog dat er geen jongens zijn, die zijn soms zo vervelend.' Iedereen lacht, en Krishnan doet zijn best om te glimlachen. Ze eten maar een paar keer per jaar in deze kamer, realiseert hij zich terwijl hij rondkijkt, maar ze vullen de tafel nooit. Hij knippert een paar keer met zijn ogen. Het huis is ruim en mooi maar voelt steriel aan, net als hun levens. Het valt hem niet zo op als Asha het vult met haar gebabbel en gelach, maar zelfs dan voelt het nooit zo rijk en vol aan als de familiebijeenkomsten die hij zich uit zijn jeugd herinnert. Hoewel dit het leven is dat hem voor ogen stond, het leven waar hij op hoopte, lijkt de Amerikaanse droom hem nu op de een of andere manier hol.

Pas een paar weken geleden was zijn familie thuis bijeengekomen voor het Diwali-diner in het huis van zijn ouders, bij elkaar minstens vijfentwintig mensen. Krishnan was de enige die ontbrak, en dus belden ze hem en gaven de telefoon door zodat iedereen hem een gelukkig Diwali kon wensen. Hij had op het punt gestaan zich de deur uit te haasten toen de telefoon ging, maar nadat ze hadden opgehangen, bleef hij beweginloos aan de keukentafel zitten met de telefoon in zijn hand. Het was avond in Bombay en als hij zijn ogen sloot kon hij de miljoenen diya's zien, de kleipotjes met een vlammetje die langs de randen van de balkons, langs de straten en voor de winkelruiten stonden. Er kwamen bezoekers om dozen bonbons en goede wensen te brengen. De scholen waren dicht en de kinderen bleven laat op om van het vuurwerk te genieten. Als kind al was het zijn lievelingsavond, als heel Bombay een magische sfeer had.

Krishnan had het idee geopperd om terug te gaan naar India voor een bezoek en misschien nog een kind te adopteren, maar Somer had zich ertegen verzet. Ze leek vastbesloten de kleine cocon die ze om Asha hadden gesponnen te beschermen. Dat is niet zoals hij familie beschouwt, als een kostbaar iets dat beschermd moet worden. Voor hem is familie een wijd uitgespreid iets, iets sterks wat bestand is tegen jaren, kilometers en zelfs fouten. Zolang hij zich kan herinneren, zijn er kleinere problemen en grotere ruzies ontstaan binnen zijn grote familie, maar die beinvloeden de duurzaamheid van hun familieband niet. Somer heeft goede bedoelingen, ze doet erg haar best voor Asha: kijkt National Geographic, bekijkt kaarten van India met feiten over landbouw en dieren. Als zijn ouders een *chania-choli* sturen, trekt ze Asha die aan en stuurt er foto's van. Maar zijn dochter heeft geen gelegenheid om die feestelijke kleding te dragen, dus hoopt die zich op in haar kast. Net als bij zijn zwakke pogingen om Somer een paar woordjes Gujarati te leren, zijn haar inspanningen uiteindelijk onbeduidend.

Misschien zou dat hem allemaal niet zo dwarszitten als hij het gevoel zou hebben dat hij nog steeds de vrouw had op wie hij verliefd was geworden, de intellectuele partner, de gelijke kameraad. Hij mist het om met Somer over geneeskunde te praten. Ze was altijd zo geïnteresseerd in zijn werk, maar tegenwoordig bespreekt ze liever de dagelijkse details van Asha's schoolwerk. Zelfs als Somer over haar werk in de kliniek praat, vindt hij het moeilijk om interesse te hebben voor loopneuzen en verstuikingen nadat hij zich de hele dag heeft beziggehouden met hersentumoren en aneurysma's. Ook al hebben ze technisch gesproken hetzelfde beroep, het is moeilijk om een gesprek te hebben zonder dat een van de twee zijn interesse verliest of gefrustreerd raakt. Het lijkt soms of de dingen die zijn huwelijk tegenwoordig bepalen weinig meer te maken hebben met wat hen ooit heeft samengebracht.

'Laten we een toost uitbrengen.' Somers vrolijke stem haalt hem uit zijn gedachten. Ze houdt haar wijnglas in de lucht en de rest volgt haar. 'Op familie!' Ze herhalen die wens allemaal terwijl ze half opstaan om onhandig over de tafel te reiken en tegen elkaars glas te klinken. Krishnan neemt een flinke slok van zijn gekoelde chardonnay en voelt de vloeistof door zijn keel glijden en de koelheid zich door zijn lichaam verspreiden.

24

Middagrust

Bombay, India, 1991
Jasu en Kavita

Jasu kreunt als de wekker zachtjes rinkelt. Het bed kraakt als hij opstaat van de dunne matras, al zouden het net zo goed zijn gewrichten kunnen zijn die dat geluid maken. Hij raakt Kavita's kuit aan als hij stijf langs het voeteneind van het bed loopt in de kamer waar ze allemaal slapen. Als ze beweegt, gaat hij naar beneden om gebruik te maken van de gezamenlijke toiletten van de *chawl*-appartementen. Een van de voordelen van zo vroeg opstaan is dat de toiletten nog niet overlopen.

Als hij terugkomt, ziet hij dat Kavita al gewassen en aangekleed is. Ze staat nu haar tanden te poetsen en spuugt over de rand van het balkon. Als hij zich wast in de tweede kleine kamer, die ze ook gebruiken om te koken en te eten, hoort hij het getinkel van Kavita's gebedsbel. Haar zachte gezang zal Vijay zo wel wakker maken. Zelfs als ze meer ruimte hadden, zou Vijay nog niet alleen slapen. Niet alleen is hij er al zijn zes jaren aan gewend geraakt bij zijn ouders in bed te slapen, maar hij heeft ook steeds nachtmerries door hun nare ervaringen in de sloppenwijk. Kavita komt de keuken binnen om het ontbijt te maken. Jasu loopt kwiek naar de andere kamer om zich aan te kleden en haalt een zwarte kam door zijn natte haar. Hij stopt even voor de *mandir* om zijn handpalmen tegen elkaar te drukken en zijn hoofd te buigen. Ze passeren elkaar elke morgen een paar keer op deze manier, voeren een stille, goed gerepeteerde dans uit.

'Eten?' vraagt Kavita.

'Ik zal het meenemen,' zegt hij. De fabriek waar hij werkt in Vikhroli ligt veertig minuten verderop, een korte reis volgens de normen in Bombay, maar hij vindt het prettig om 's morgens als een van de eersten aan te komen. Gelukkig is het station dichtbij, en hij heeft nu geleerd om rennend een trein te pakken die het station al verlaat. Hij is in staat om op het allerlaatste moment aan boord te springen. Het is het leukste moment van de dag: deze sport om een trein te halen, het gevoel van vrijheid als hij aan de buitenkant hangt terwijl de trein door de stad rijdt, de wind door zijn kleren te voelen die al plakkerig zijn van het zweet. Hij heeft gehoord dat het gevaarlijk is: er schijnen elk jaar een paar duizend passagiers te overlijden doordat ze op deze manier de trein pakken. Als je echter bedenkt dat er in Bombay miljoenen mensen met de forensentreinen meegaan, vindt Jasu het niet zo bijzonder onveilig.

Maar de fietsenfabriek waar hij werkt, is wel erg onveilig. In zijn eerste maand zag hij twee mannen hun vingers verliezen in de machines, en een derde zich zwaar verbranden aan een lasbrander. Door 's morgens vroeg te zijn heeft hij meer kans om een van de minder gevaarlijke opdrachten te krijgen, bijvoorbeeld frames verven of bouten aandraaien met een moersleutel. De fabriek is een groot, stoffig pakhuis, lukraak gevuld met machines en gereedschap. Het zwakke licht maakt het moeilijk om goed te zien, en Jasu is al een paar keer gestruikeld over de elektriciteitskabels die overal op de grond liggen. Het stof en de rook van de lasbranders zijn zo irriterend voor zijn keel en ogen, dat het een opluchting is als hij aan het eind van de dag de smog van Bombay in kan stappen. Toch is Jasu blij dat hij deze baan heeft, die hij een paar dagen na de politie-inval in de sloppenwijk heeft gevonden. Het loon is niet zo hoog als wanneer hij een dhaba-wallah was geworden: slechts acht roepie per uur. Maar als hij 's morgens en 's avonds een uur extra werkt, kan hij meer dan tweeduizend roepie per maand verdienen, het equivalent van vijf maanden inkomen in het dorp.

Ondanks dat was het niet makkelijk een appartement te vinden dat ze konden betalen. De chawl op Shivaji Road is klein; veel kleiner zelfs dan het huis dat ze hebben achtergelaten in hun dorp. Maar Jasu's perspectief is veranderd sinds ze in Bombay zijn, na de verschrikkingen die ze gezien hebben in de sloppenwijk. De een of twee nachten dat ze daar zouden blijven, zijn een paar weken geworden, en dat voelde nog veel langer. Tussen alle dingen die hij over Bombay gehoord had, tussen alle zaken waarover hij had gedroomd, was er nooit een plek als Dharavi. Het was genoeg om hem de neiging te geven alles op te pakken en naar huis te vluchten.

Maar hij wist dat daar niets de moeite waard was om naar terug te gaan, en hij wist dat zijn gezin op hem rekende. Hij had hen daar gebracht en hij zou voor hen zorgen. De dag na de politie-inval had Jasu een mes gekocht van de man in de gele sari, en begon hij voor de deur te slapen met het mes in zijn hand. In de daaropvolgende nachten werd Vijay steeds gillend wakker en moest hij weer in slaap gesust worden. Kavita zei er nooit een woord over, maar hij wist dat ze de plek verafschuwde, en haar haat groeide elke dag dat ze langer moesten blijven. Vaak als hij thuiskwam, was ze woest de vloer aan het vegen met een bezem, terwijl Vijay met grote angstogen buiten zat. De chawl op Shivaji Road voldeed aan hun basisbehoeften en gaf meer veiligheid en privacy dan de basti. Er was zelfs een goede school voor Vijay vlakbij. Ze gebruikten de rest van het spaargeld dat ze hadden meegebracht en het grootste deel van Jasu's loon om de huur te betalen. Die eerste nacht voelde hun eenvoudige tweekamerappartement als een paleis vergeleken met waar ze vandaan kwamen.

De trein gaat langzamer rijden als hij het station in komt en Jasu springt op het perron. Hij kijkt op zijn horloge. Nadat hij een eind heeft gelopen, zal hij toch nog voor halfacht in de fabriek zijn, zoals elke morgen sinds hij met deze baan is begonnen. Dan gaat hij naar de voorman, die hem zelfs een of twee keer een lauwwarme kop thee heeft aangeboden die nog onaangeroerd op het blad van de baas stond. Op deze manier gaat Jasu naar zijn werk, zes dagen in de week, van de vroege ochtend tot de late avond. Hij doet wat hem wordt opgedragen en neemt haast geen pauzes, zelfs niet als de andere mannen naar buiten gaan om te roken. Als hij 's avonds thuiskomt, stinkt hij naar zweet en doet zijn lichaam pijn. Zijn dagen zijn nu nog afmattender dan met het werk op het veld in het dorp. Maar Jasu vindt het niet erg. Ze zijn op weg naar een beter leven.

Kavita wast de laatste roestvrijstalen schalen. Elke morgen als ze bij de luxueuze flat van haar werkgever aankomt, is het afwassen van de ontbijtboel haar eerste werk. Ze krijgt haar orders van Bhaya, de hoofdbediende, die hier al zo lang werkt dat *memsahibs* instructies aan haar bestaan uit gedeeltelijke zinnen die alleen door hen tweeën worden begrepen, als een soort geheimtaal. Bhaya heeft ook de verantwoordelijkheid om naar de markt te gaan en te koken, terwijl Kavita de afwas en het meeste schoonmaakwerk doet. Ze doen hun werk in stilte, en als Bhaya iets tegen Kavita zegt, is het meestal om te vragen of ze iets wil toevoegen – volkorenmeel, *masoor dal*, komijnzaad – aan de marktlijst die Kavita in haar hoofd heeft. Want al kan ze niet lezen en schrijven, Kavita heeft een goed geheugen voor woorden, en Bhaya is daarop gaan rekenen.

Het is verbazingwekkend hoeveel rommel twee mensen kunnen maken, zelfs met volwassen kinderen die rijk genoeg zijn om ergens anders te kunnen wonen. Sahib en zijn vrouw gebruiken verschillende kopjes en schaaltjes voor elke maaltijd, niet zoals de enkele thali waar Kavita aan gewend is. Bhaya is net zo erg, zij gebruikt voor elk gerecht een andere pan. Soms draagt memsahib drie verschillende sari's op één dag, en laat ze vervolgens samen met onderrokken en blouses op het bed slingeren. Maar ze zorgt er wel voor dat haar sieraden altijd zorgvuldig worden opgeborgen in de afgesloten, metalen kast. Elke dag strijkt Kavita de sari's en legt ze dan netjes opgevouwen in de kast. Vaak komen er mensen op bezoek, en sahib en memsahib hebben bij bijna elke maaltijd gasten. Bhaya maakt altijd genoeg eten voor ten minste zes mensen, wat betekent dat er altijd genoeg over is voor de bedienden.

Kavita hoorde over deze baan van Bhaya's zus, die ook in hun gebouw aan Shivaji Road woont. Het is niet het soort werk dat Jasu wil dat ze doet; hij wil liever dat ze gaat naaien. Maar met deze baan verdient ze zevenhonderd roepie per maand. En de flat is ruim en mooi, met koele marmeren vloeren, stevige houten meubels en een grote keuken. Het is een mooie plek om haar dagen door te brengen, zelfs als bediende. En het belangrijkste is dat Bhaya het goedvindt dat ze Vijay 's middags uit school haalt en hij bij haar blijft terwijl ze haar werk afmaakt.

Vroeg in de middag, na het zware middageten, als het buiten op z'n heetst is en de plafondventilator lonkt, is de enige periode dat Bombay eindelijk rustiger wordt. Taxichauffeurs zetten hun meter uit en strekken zich uit op hun achterbank. In het gebouw van zes verdiepingen van memsahib liggen de bedienden op bedrollen, langs de muren van de galerijen en in de trappenhuizen. Zelfs de portier in de hal zit te knikkebollen. Kavita ziet hem daar met zijn hoofd voorovergezakt, kin op de borst en kwijl in zijn mondhoeken, als ze terugkomt met Vijay. Kavita is nooit iemand geweest die overdag ging rusten, en nu komt dat prima uit. Vandaag heeft Bhaya haar gevraagd onderweg naar Vijays school wat paneer te kopen. Nadat ze bij de markt is geweest, kijkt Kavita op haar horloge. Er is nog genoeg tijd voor een omweg. Als ze snel loopt, kan ze het halen. Geen getreuzel vandaag.

Tien minuten later komt ze buiten adem bij het bekende ijzeren hek van het weeshuis. Ze duwt haar gezicht tegen de metalen spijlen en kijkt erdoor, naar het bordje met rode letters op de deur. Het geluid van gelach klinkt achter haar en ze draait zich om. Een rij kinderen, twee naast elkaar en opklimmend in lengte, loopt langs haar heen. Snel bekijkt ze de gezichten van de kleine meisjes, zoekend naar dat ene gezicht dat past bij de herinnering die in haar geheugen gegrift staat. Eén meisje glimlacht naar haar, maar haar huid is te donker. Een ander lijkt de goede lengte te hebben, maar haar ogen zijn donkerbruin. De kinderen dragen schone kleren, ziet ze als ze langs haar lopen. Ze zien er goed doorvoed uit en lijken gelukkig. Veel te snel lopen de laatste kinderen door het hek en verdwijnen in het gebouw. Er is nooit genoeg tijd.

Ze moet daar ergens zijn. Natuurlijk zijn er andere mogelijkheden, die haar 's nachts kwellen: Usha verkocht als een contractbediende, of gestorven aan ondervoeding of een ziekte. En precies daarom blijft Kavita daar komen, hopend een meisje met haar ogen te zien, zodat ze die gedachten die haar kwellen kan vergeten.

Opeens denkt ze aan de tijd. *Vijay.*

Ze loopt snel de straat over. Ze zal maar een paar minuten te laat zijn. Het is een mooie dag, misschien kan ze wat verse kokosmelk kopen voor onderweg. Als ze de school nadert, hoort ze de opgewonden stemmen van jongens die na schooltijd op het plein spelen. Maar vandaag klinken die stemmen boos in plaats van vrolijk. Kavita gaat sneller lopen als de angst een knoop in haar maag legt. Wanneer ze aankomt, ziet ze een aantal jongens op het plein en een groepje dat bij elkaar staat tegen de stenen muur van de school. Ze haast zich om het metalen hek open te maken en rent nu zo snel als ze kan in haar sari. Als ze dichterbij komt, hoort ze de jongens schelden.

'Boerenpummel! *Gawar!*' roepen ze.

'Waarom ga je niet terug naar je dorp om met de andere kippen te spelen!'

Kavita duwt zich tussen de jongens en ziet Vijay op de grond, leunend tegen de muur, zijn benen bloederig geschaafd en zijn shirt vol stof. Ze rent naar hem toe en aait hem over zijn hoofd. 'Wat is er met jullie aan de hand? Schamen jullie je niet? Ga weg. Hoepel op. Voor ik jullie zelf te lijf ga! Wegwezen!' gilt ze, terwijl ze met een arm zwaait en met de andere haar zoon vasthoudt.

Ze schuifelen weg om hun tassen te pakken en rennen lachend de straat op. Ze draait zich om naar haar zoon om de schade op te nemen. Zijn onderlip is dik, er zitten schaafplekken op zijn wang en er lopen tranen uit zijn ogen. Ze gaat bij hem zitten en trekt hem op schoot zodat ze zijn hele lichaam in haar armen kan houden. Ze wiegt hem en voelt de nattigheid op zijn broek en tussen zijn benen. 'Ach, ach, lieverd, het is al goed.' Zelfs terwijl ze die woorden zo rustig mogelijk zegt, gaan haar ogen speurend over het schoolplein en naar de straat achter het hek, op zoek naar nieuwe gevaren, die elke dag in een andere gedaante verschijnen in deze vreemde stad.

November 1997

Ik wilde dat je hier was om me te helpen.

Ik moet voor school een biografie over mezelf schrijven, maar ik weet niet waar ik moet beginnen. Ik weet niet waar ik echt vandaan kom. Als ik het aan mijn moeder vraag, krijg ik steeds hetzelfde verhaal: ze hebben me bij een weeshuis in India opgehaald toen ik een baby was en me meegenomen naar Californië.

Ze weet niets over jou, of waarom je me hebt afgestaan. Ze weet niet hoe je eruitziet. We lijken vast op elkaar, en ik wil wedden dat je weet wat je met mijn borstelige wenkbrauwen aan moet. Mijn moeder wil niet over die dingen praten. Ze zegt dat ik nu net ben als ieder ander en dat het er niet toe doet.

Mijn vader hielp me foto's zoeken voor mijn project. Hij haalde zijn oude fotoalbum tevoorschijn, met zwart-witfoto's en vloeipapier tussen de bladzijden. Er waren foto's van hem in zijn cricketuniform en van zijn oom op een wit paard bij zijn bruiloft.

Hij vertelde over het vliegerfestival dat de kinderen in India in januari houden, en over de gekleurde verf waarmee ze gooien voor die vakantie in het voorjaar. Het klinkt erg leuk.

Ik ben zelfs nog nooit in India geweest.

25

Te laat

Mumbai, India, 1998
Kavita

Kavita proeft de dal en doet er meer zout bij om de waterige smaak van de linzensoep te compenseren. Ze zet twee thali's met rijst en dal klaar, en doet een beetje ingemaakte mango op die van Vijay om wat smaak te geven aan dit basisgerecht dat ze de laatste tijd zo vaak eten. Ze eten samen, omdat Jasu weer overwerkt. Hij werkt bijna elke dag extra uren en neemt de dienst van anderen over. Het heeft hem een aantal maanden gekost om weer werk te vinden nadat de fietsenfabriek na een inval werd gesloten. Ze moesten geld bij een geldschieter lenen om de huur en Vijays schoolgeld te kunnen betalen tot Jasu een nieuwe baan had gevonden in een textielfabriek. Nu lijkt het wel of elke *paisa* die ze verdienen naar de geldschieter gaat, terwijl de helft van het bedrag nog moet worden afbetaald. Ze waren te laat met Vijays schoolgeld, en nu ook met de huur. Ze hoopten dat de huisbaas, Manish, inschikkelijk zou zijn, omdat ze altijd op tijd betaald hebben in de acht jaar dat ze hier nu wonen. Maar de huren gaan overal in Mumbai omhoog, en Manish zou graag zijn oude huurders kwijt zijn zodat hij het appartement voor meer kan verhuren.

'Wat heb je vandaag op school gedaan, Vijay?' Kavita kijkt er de hele dag naar uit om dat te horen.

'Hetzelfde, mam. Vermenigvuldigen, machtsverheffen. De leraar zegt dat ik die dingen goed moet oefenen om de anderen in te halen.'

'Achha,' zegt ze langzaam. Ze brengt de lege thali naar de gootsteen en gaat druk in de weer met de afwas, zodat haar zoon niet ziet dat er tranen in haar ogen komen. Het is haar schuld. Vijay heeft de afgelopen weken 's middags met haar in sahibs huis gewerkt. Toen een van de vaste boodschappenjongens ziek werd, vroeg memsahib of Vijay haar blouses bij de kleermaker kon ophalen. Ze betaalde hem vijftig roepie en vroeg of hij de volgende dag terug kon komen. Sindsdien haalt en brengt hij elke middag pakjes, in de tijd die hij eerst aan zijn huiswerk besteedde. Zij en Jasu vonden dat het geen kwaad kon als het hen hielp de geldschieter af te betalen. Nu beseft ze dat het dom was. Ze hebben de opvoeding van hun zoon in de waagschaal gesteld, zijn enige kans op een beter leven, alleen maar voor een paar honderd roepie. Ze schrobt hard op een paar vastgeplakte rijstkorrels op de bodem van de pan.

De voordeur gaat open. 'Hallo.' Jasu stopt om Vijays haar door elkaar te woelen en gaat dan naar de keuken, waar Kavita zijn eten opwarmt. 'Hallo, chakli.' Hij slaat zijn armen van achteren om haar heen en legt zijn kin op haar hoofd. 'Mmmm. *Dal-bhath*,' zegt hij snuivend. 'Fijn dat mijn vrouw zo goed kan koken en dal-bhath op zoveel manieren kan klaarmaken.' Hij grijnst als hij naar Vijay loopt, op zijn buik kloppend. 'Hé, Vijay, hebben wij geen geluk dat je moeder zo goed kan koken?'

De tijdelijke luchthartigheid wordt onderbroken door een luid gebonk op de deur, gevolg door Manish' stem. 'Jasu? Hé, Jasu! Ik weet dat je er bent. Ik kan je zware, luie voetstappen boven mijn hoofd horen. Doe open of ik sla de deur in.'

'Wat doet die schurk hier op dit uur?' Jasu loopt naar de deur en gooit hem open. Manish staat ervoor, zijn harige buik steekt tussen zijn versleten hemd en broek naar voren. Hij heeft een baard van een week, zijn ogen zijn bloeddoorlopen en hij ruikt naar likeur. Kavita grijpt Jasu's onderarm, hopend dat de druk van haar hand zijn reactie zal temperen.

'Manish, het is al laat. Wat is er zo belangrijk dat het niet tot morgenochtend kan wachten?' Jasu's stem is ferm en hij begint de deur dicht te doen.

Met een verrassende snelheid heft Manish een kwabbige arm op en houdt de deur tegen. 'Luister, luie smeerlap. Je bent al twee weken te laat met de huur, en dat pik ik niet langer,' schreeuwt hij.

Jasu blokkeert de halfopen deur en beschermt Kavita en Vijay met zijn lichaam. 'Manish, bhai,' zegt hij met zachte stem. 'Ik zal je betalen. Heb ik ooit niet betaald in de acht jaar dat we hier wonen? Ik heb pech gehad met m'n baan, de laatste tijd, en... het kost nog wat tijd.'

'Tijd? Ik heb geen tijd, Jasu. Je steelt het geld uit mijn zak, hoor je?' Manish zwaait met zijn vuist. 'Denk je dat je de enige bent die dit appartement wil hebben? Er staat een rij mensen van hier tot de zee te wachten op een plekje, en allemaal kunnen ze op tijd betalen. Ik kan niet op je wachten, Jasu!'

'Manish, bhai, alsjeblieft. Je kunt ons er niet uit gooien. We hebben het hier over mijn gezin.' Jasu doet de deur wijd open om Kavita en Vijay te laten zien. 'Je kent ons toch.' Hij doet zijn best om respectabel te klinken. 'Ik beloof je dat je de huur krijgt. Alsjeblieft, Manish, bhai.' Jasu houdt kalmerend zijn handpalmen tegen elkaar. Kavita houdt haar adem in.

Manish schudt zijn hoofd en zucht diep. 'Vrijdag, Jasu. Je hebt tot vrijdag, en dat is het. Dan moet je eruit.' Hij draait zich om en waggelt de gang uit, de kakkerlakken schuifelen voor hem uit.

Jasu sluit de deur. Hij legt zijn voorhoofd tegen de gesloten deur en zucht diep voordat hij zich omdraait. 'Hebzuchtige smeerlap. We hebben die man acht jaar lang elke maand op tijd betaald.' Jasu loopt terug naar de keuken. 'We hebben geaccepteerd dat zijn toiletten vies zijn en dat het water op de onmogelijkste uren werd afgesloten, en we hebben nooit geklaagd.' Hij zwaait met zijn vuist naar de deur. 'En nu wil hij ons er zo uit gooien. De rotzak.' Jasu neemt de thali uit Kavita's trillende handen en gaat zitten. 'Hij heeft geluk dat ik niet met hem afreken.' Hij neemt een hap dalbhath en kauwt woest.

'Waarom doe je dat dan niet, papa?' zegt Vijay, die in de deuropening van de keuken staat. 'Waarom doe je niet iets waardoor Manish niet meer steeds kwaad hier kan komen? Gisteren kwam hij ook en mama was bang...'

Kavita ziet de frustratie en teleurstelling in de ogen van haar zoon, en weet dat Jasu die ook ziet. 'Kom, kom, het viel wel mee. Ik was niet bang. Papa heeft het nu opgelost, achha? Kom nu maar, maak je huiswerk af,' zegt ze, en ze gebaart naar zijn boeken en schriften die verspreid liggen over de grond. 'Wat, Vijay? Wat wil je dat ik doe? Die man is een schurk. Hij buit hardwerkende mensen uit. Er kan niets anders gedaan worden,' zegt Jasu, die nu grote happen voedsel in zijn mond stopt.

'Ik weet het niet, papa, doe iets. Geef hem het geld. Vecht met hem. Doe iets. Wat dan ook. Iets anders dan smeken.'

Kavita ademt verschrikt in en beweegt zich instinctief naar haar zoon toe. Met een ruk staat Jasu op en met één stap staat hij voor Vijay en zwaait met zijn vuist. 'Hou je mond! Je denkt zeker dat je beter bent dan je vader omdat je kunt lezen en naar school gaat? Ik breek mijn rug elke dag voor jou. Je weet niets!' Hij kijkt naar zijn half opgegeten avondeten en slaat tegen de thali, wat een galmend geluid maakt. 'Ik ben het zat dal-bhath te moeten eten.' Hij draait zich om om weg te lopen. 'Helemaal zat.'

Kavita volgt hem de gang in. 'Jasu, hij is nog maar een kind. Hij weet niet wat hij zegt.' Ze ziet dat hij zijn chappals aantrekt. 'Waar ga je naartoe?'

'Weg. Weg van hier.' Hij slaat de deur met een klap achter zich dicht.

Kavita staat even naar de dichte deur te staren. Ze voelt haar angst omslaan in haat tegen hen allemaal – Manish, Jasu en Vijay – omdat ze woede om zich heen sproeien als benzine, die het landschap van haar leven verandert in geschroeide aarde. Ze haalt diep adem voordat ze zich naar haar zoon omdraait. *Hij is nog maar een kind.*

'Vijay,' zegt ze, en ze pakt hem stevig bij zijn schouders. 'Wat is er met jou aan de hand? Je mag nooit meer op die manier tegen je vader praten.'

Vijay staart haar aan met een staalharde uitdrukking in zijn jeugdige ogen.

'Hoor eens, papa zal dit wel oplossen.' Ze raakt zijn wang aan met de rug van haar hand, en voelt dat zijn baardharen beginnen te groeien. 'Je moet je geen zorgen maken over deze dingen, beta.

Je moet je op je studie richten.' Ze leidt hem aan zijn arm terug naar zijn boeken.

Vijay trekt zich los uit haar greep en schopt woest tegen zijn boeken op de grond. 'Waarom? Waarom zou ik studeren? Het is tijdverspilling. Zie je dat niet? Wat schieten we ermee op, ma? Je zegt dat ik hard moet werken, maar we schieten er niks mee op.'

Ze kijkt toe hoe hij zich omdraait en het balkon op stapt, de enige plek in de kleine chawl waar hij zich kan terugtrekken voor wat privacy. Zulke grote dromen, net zijn vader. Wanneer is haar kleine jongen begonnen zich zorgen te maken als een volwassen man? Zonder de moeite te nemen zich uit te kleden, stapt ze in het bed dat ze met Jasu deelt. Ze begraaft haar hoofd in het dunne, muffe kussen en begint hard te huilen, bijna zonder geluid. Ze ligt een tijd wakker in de duisternis, totdat ze het kraken van het balkonscherm hoort, en dan de diepe, zware ademhaling die ze overal zou herkennen als die van haar zoon.

Ergens vroeg in de ochtend hoort ze de voordeur open- en dichtgaan. Als Jasu naast haar in bed stapt, herkent Kavita de geur van zijn adem. Ze herinnert zich die van die vreselijke, eerste weken in de sloppenwijken van Bombay, toen de nachtlucht was doordrongen van de geur van drank. Ze herinnert zich de plakkerige geur van gegist chickoofruit van de nacht dat Jasu de geboortehut binnenkwam. Elke keer gebeurden er vreselijke dingen.

26

Zestien jaar

Menlo Park, Californië, 2000
Asha

Asha komt vroeg het kantoor van de *Harper School Bugle* binnen, de raamloze kamer waar ze de meeste van haar lunchpauzes en veel van haar vrije tijd doorbrengt. Ze gaat bij Clara, de redacteur, en mevrouw Jansen, hun mentor, aan tafel zitten en pakt haar blocnote en potlood. Asha kan er nooit toe komen met pen te schrijven, of het nou een balpen of een viltstift is. De blijvendheid ervan geeft haar een onprettig gevoel, dat je niet meer terug kunt als iets eenmaal is opgeschreven.

'Oké,' zegt Clara. 'Laten we even kijken welke artikelen we hebben voor het eeuwfeestnummer van volgende maand dat naar alle alumni gaat. Asha?'

Asha gaat rechtop zitten. 'Nou, gezien het jubileum van de school leek het me belangrijk om eens naar onze geschiedenis te kijken. Zoals we allemaal weten, heeft Susan Harper deze school gesubsidieerd met haar familiefortuin.' Ze kijkt langs de kring verveelde gezichten. Net als zij horen ze al jaren over Susan Harper. 'Maar dat fortuin kwam van haar man, Joseph Harper, en zijn bedrijf United Textiles, een van de grootste textielfabrikanten van het land. Het blijkt dat United Textiles tien jaar geleden, toen ze problemen hadden met de vakbonden, is begonnen hun fabrieken naar het buitenland te verhuizen. De meeste van hun fabrieken staan nu in China en de meesten van hun werknemers zijn kinderen...' Ze pauzeert even voor het effect. 'Kinderen van tien jaar, die twaalf uur per dag in een fabriek werken in plaats van naar een chique school als de onze te gaan.' Asha steekt haar potlood tussen haar tanden en ziet met voldoening dat niemand meer verveeld kijkt.

Clara weet ten slotte iets uit te brengen. 'Ik denk niet dat dat een geschikt onderwerp is, vind je ook niet, Asha?'

'Ja, dat vind ik eigenlijk wel. Ik vind dat we als instelling onze geschiedenis moeten kennen en moeten weten waar het geld voor dit alles vandaan komt.' Ze gebaart met haar handen in het rond.

'Het komt van onze ouders,' mompelt een andere leerling.

Onaangedaan gaat Asha verder: 'Er wordt ons altijd geleerd dat we over de wereld om ons heen moeten nadenken. Nou, de kinderen in China zijn de wereld om ons heen. We hebben een verplichting om de waarheid na te streven. Is dat niet het hele punt van journalistiek? Zegt u dat we onszelf moeten censureren?'

Mevrouw Jansen zucht diep en zegt: 'Asha, laten we dit bespreken als je bij me langskomt in mijn kantoor... morgen, lunchtijd.' Haar toon maakt duidelijk dat dit geen verzoek is.

'En, heb je je ouders gepeild over het feest zaterdag?' Rita stuitert de voetbal op haar knie en richt op Asha.

Asha zucht. 'Nee, mijn vader heeft de hele week laat gewerkt.' Ze schopt de bal recht omhoog, volgt hem met haar ogen en vangt hem dan op. 'Hij is zo gespannen over dit soort dingen. Hij zegt dat hij er het nut niet van inziet dat ik naar feestjes ga. Wat zou je denken van plezier hebben, zoals iedere normale zestienjarige?'

'Weet je, Asha, mijn vader laat me ook niet uitgaan in de weekenden.' Manisha, het enige andere Indiase meisje in haar klas, onderschept de bal. Ze gaat verder, nu met een nep-Indiaas accent en met opgeheven wijsvinger: 'Tenzij het speciaal voor een studiedoel is.' Ze lachen en Manisha gooit de bal terug naar Asha. 'Het is iets cultureels.' Ze haalt haar schouders op.

In de kleedkamer kleden de meisjes zich discreet om in hun schooluniform en verdringen zich voor de spiegel om hun gezicht te controleren. Asha probeert haar dikke, zwarte haar in een paardenstaart te krijgen, maar het elastiekje springt tegen haar vingers uit elkaar. 'Au... verdorie!' Ze schudt haar hoofd, haalt een klein tasje uit haar rugzak en loopt naar de spiegel om mascara op te doen.

'Hemel, Asha, als er iemand is die geen oogmake-up nodig heeft, dan ben jij het wel,' zegt een van de meisjes, terwijl ze onder het praten naar zichzelf in de spiegel blijft kijken.

'Nou, ik zou een moord plegen voor zulke ogen. Ze zijn zo exotisch. Heb je ze van je moeder of je vader?' vraagt een ander, die haar gouden haar staat te borstelen.

Asha verstijft. 'Ik weet het niet,' zegt ze zachtjes. 'Ik denk.... Dat ze een generatie hebben overgeslagen.' Ze draait zich met een rood gezicht weg van de spiegel en loopt naar haar kastje. *Ik weet niet van wie ik mijn exotische ogen heb,* wil ze schreeuwen. Alleen Asha's beste vriendinnen weten dat ze is geadopteerd, de rest laat ze zelf conclusies trekken. Het is makkelijk genoeg om aan te nemen dat ze het product is van haar Indiase vader en Amerikaanse moeder, en dat heeft haar al heel wat keren uitleg bespaard. Ze wil niet haar hele geschiedenis delen met de meisjes voor de spiegel. Ze vraagt zich af of ze haar ook de zwarte haren op haar benen benijden, of haar getinte huid die al na tien minuten in de zon donkerder wordt, zelfs dik besmeerd met zonnebrandcrème.

'O, Asha, je bent zo exotisch,' hoort ze iemand achter zich met een lage, plagende stem zeggen. Ze draait zich om en ziet Manisha, die een gezicht trekt en lacht. 'Kom op, zullen we yoghurtijs gaan halen?' Manisha gebaart naar de deur.

'Lekker,' zegt Asha.

'Ik haat dat "exotische" gedoe waar mensen het altijd over hebben,' zegt Manisha als ze buiten zijn. 'Ik bedoel, ga naar Fremont en je kunt zien dat het helemaal niet zo exotisch is. Overal Indiërs.'

Ze zitten op een bank bij het winkeltje, ieder met een beker yoghurtijs. Hun gesprek gaat verder tussen happen vanille-chocoladedraaiingen door. 'Er is een ijstentje vlak bij ons huis,' zegt Manisha. 'Ze hebben ijs met paansmaak. Zo lekker, het smaakt precies zoals echte paan. Moet je eens proberen.'

Asha knikt alleen en eet door. Ze weet niet hoe paan smaakt, haar vader heeft het maar één keer aan haar gegeven, toen ze nog heel jong was.

'Heb je wel eens ijspaan in India gehad? Afgelopen zomer heb ik mijn nichtjes zover gekregen dat ze het elke avond met me gingen halen. Vreselijk verslavend. Moet je proberen, de volgende keer dat je gaat.'

Manisha praat zonder antwoord te verwachten, waar Asha dankbaar voor is. Dan hoeft ze niet te zeggen dat ze nog nooit in India is geweest, of een smoesje te bedenken. Ze weet nog dat haar vader een paar keer is geweest toen ze nog op de basisschool zat. Ze herinnert zich dat haar ouders discussieerden terwijl ze dachten dat zij sliep, over of Asha met hem mee moest gaan of niet. Ze herinnert zich geen enkele discussie over of haar moeder mee zou gaan. Ten slotte besloten ze dat het geen goed idee was om haar zo lang van school te halen. Aan het begin van elke reis brachten ze haar vader naar het vliegveld met twee gigantische koffers in de achterbak, waarvan een helemaal gevuld met Amerikaanse snuisterijen en cadeautjes. Om de paar dagen hielden ze een krakend telefoongesprek. Als haar vader na twee weken weer verscheen, was een van de koffers gevuld met thee en kruiden, sandelhoutzeep en kleurige nieuwe kleren voor Asha. Er was ook altijd een batikblouse of geborduurde sjaal voor haar moeder bij, die ze bij de andere in de kast legde. Als de koffers waren opgeborgen, ging hun leven weer gewoon verder.

Manisha staat op en begint terug te lopen. 'Zeg, ga jij volgend weekend naar *Raas-Garba?*' vraagt ze. 'Ik geloof niet dat ik je er wel eens heb gezien, maar het is er altijd zo vol.'

'Eh, nee. Ik ben er nooit geweest,' zegt Asha. 'Mijn ouders houden niet zo van die dingen, denk ik.'

'Nou, dat zijn dan de enige Indiase ouders in heel Noord-Californië.' Manisha lacht als ze haar lege bekertje in de afvalbak gooit. 'Je moet eens komen, het is echt heel leuk. Ik bedoel, het is tenslotte de enige keer dat mijn vader het goedvindt dat ik me mooi maak en in het weekend met vrienden ga dansen, weet je.'

Asha knikt weer. Maar ze weet het niet. Ze weet er helemaal niets van.

'We moeten eens even over je rapport praten.' Haar moeders toon is ernstig. Asha kijkt op van haar eten. Haar vader kijkt naar haar, zijn handen gevouwen voor zijn lege bord.

'Weet ik, weer een uitstekend voor Engels, zijn jullie niet trots op me?' zegt Asha.

'Asha, een redelijk voor wiskunde en een onvoldoende voor scheikunde?' zegt haar moeder. 'Wat is er aan de hand? Je cijfers zijn omlaag gegaan sinds je zoveel tijd besteedt aan die schoolkrant. Misschien moet je er eens wat minder voor doen, zodat je je kunt richten op je studie.'

'Ja, daar ben ik het mee eens, Asha,' zegt haar vader knikkend. 'Er komt een bepalend jaar aan. Je cijfers van de middelbare school zijn belangrijk voor de universiteit. Je kunt het je niet veroorloven om onvoldoendes te halen. Je weet hoe zwaar de concurrentie is voor de goede universiteiten.'

'Wat maakt het nou uit?' zegt Asha. 'Ik heb altijd goede cijfers gehaald op de middelbare school; het is gewoon één slechter semester. En trouwens, ik heb toch volgend jaar geen wiskunde en scheikunde meer.' Asha houdt haar ogen op haar bord gericht.

'Wat bedoel je daarmee?' vraagt haar vader. Zijn stem verraadt de teleurstelling die Asha vreest. 'Je moet nog twee jaar middelbare school, en deze cijfers zullen je inschrijving in elk geval beïnvloeden. Het is tijd om het serieus aan te pakken, Asha, het gaat om je toekomst!' Hij duwt zich van de tafel af, de stoelpoten gaan piepend over de keukenvloer om zijn punt kracht bij te zetten.

'Er is nog genoeg tijd om je cijfers dit jaar op te krikken,' zegt haar moeder. 'Ik kan je met scheikunde helpen, of we kunnen bijles voor je regelen.' Haar moeder grijpt de rand van de tafel met beide handen, alsof ze een aardbeving verwacht.

'Ik heb geen bijles nodig, en ik heb zeker jouw hulp niet nodig,' zegt Asha, haar woorden zo kiezend dat ze haar moeder pijn zullen doen. 'Ik hoor jullie alleen maar over cijfers en studie. Het kan jullie niet schelen wat voor mij belangrijk is. Ik vind het heerlijk om bij de krant te werken, en ik ben er goed in. Ik wil met mijn vrienden rondhangen, ik wil naar feestjes gaan en een normale tiener zijn. Waarom kunnen jullie dat niet begrijpen? Waarom begrijpen jullie me nooit?' Ze schreeuwt nu en krijgt een brok in haar keel.

'Lieverd,' zegt haar moeder, 'we houden van je, en we willen alleen maar het beste voor je.'

'Dat zeg je altijd, maar het is niet waar. Jullie willen niet het beste voor me.' Asha staat op van de tafel en struikelt achteruit tot ze met haar rug tegen de keukenmuur staat. 'Jullie kennen me zelfs niet. Jullie hebben altijd geprobeerd me in te passen in het beeld van het perfecte kind dat jullie willen. Jullie hebben me gewoon in jullie fantasietje ingepast, maar zien mij niet. Jullie houden niet van mij. Jullie willen dat ik zoals jullie ben, maar dat ben ik niet.' Ze schudt verwoed haar hoofd terwijl ze praat. 'Dat is de waarheid. Als jullie mijn echte ouders waren, dan zouden jullie me misschien begrijpen en van me houden zoals ik ben.' Ze voelt haar lichaam trillen, haar handen zweten. Het is alsof iets vreemds haar lichaam is binnengedrongen en het vergif dat nu uit haar mond komt, heeft losgelaten. Ondanks de holle blik in haar vaders ogen en de tranen die over haar moeders wangen stromen, kan Asha niet stoppen. 'Waarom vertellen jullie me nooit over mijn echte ouders? Jullie zijn bang dat ze meer van me houden dan jullie.'

'Asha, we hebben het je al zo vaak verteld,' zegt haar moeder met trillende stem, 'we weten niets over hen. Zo ging het toen in India.'

'En waarom hebben jullie me nooit meegenomen naar India? Ieder Indiaas kind dat ik ken, gaat steeds. Wat is het, pap, schaam je je voor me? Ben ik niet goed genoeg voor je familie?' Asha staart naar haar vader, die naar zijn handen kijkt, die hij zo stijf samenknijpt dat de knokkels wit zijn.

'Het is niet eerlijk.' Asha kan de tranen nu niet meer tegenhouden. 'Iedereen weet waar hij vandaan komt, maar ik heb geen flauw idee. Ik weet niet waarom ik zulke ogen heb, waar iedereen altijd wat over zegt. Ik weet niet wat ik met dat stomme haar aan moet,' schreeuwt ze terwijl ze het in haar vuist klemt. 'Ik weet niet waarom ik elk zevenletterwoord bij scrabble kan onthouden, maar niets van het periodieke systeem. Ik wil gewoon het gevoel hebben dat iemand, ergens, me echt begrijpt!' Ze huilt nu hardop en veegt het snot dat uit haar neus loopt met haar hand weg.

'Ik wilde dat ik nooit was geboren,' haalt ze uit. De blik van pijn en shock op haar moeders gezicht stemt Asha een beetje tevreden. 'Ik wilde dat jullie me nooit hadden geadopteerd. Dan zou ik niet zo'n vreselijke teleurstelling voor jullie zijn.' Asha schreeuwt nu en voelt een vreemd plezier als haar moeder ook gaat schreeuwen.

'Nou, Asha, ik heb het tenminste geprobeerd. Ik heb in elk geval geprobeerd een ouder voor je te zijn. Meer dan die... mensen in India die je hebben achtergelaten. Ik wilde graag een kind, en ik was er voor je, Asha. Elke dag.' Ze zet elk woord kracht bij met haar vinger op de tafel. 'Meer dan je vader, meer dan wie ook.' Haar moeders stem zakt plotseling weg tot een hees gefluister. 'Ik wilde je tenminste.'

Asha laat zich langs de muur naar beneden zakken tot ze met haar hoofd tussen haar knieën zit te snikken. Precies daar, in de keuken waar ze verjaardagen heeft gevierd en koekjes heeft gebakken, in het hart van het enige thuis dat ze kent, voelt ze zich zo alleen en niet op haar plaats als nooit tevoren in haar leven. Een paar minuten lang zegt niemand wat. Dan kijkt Asha op, haar gezicht nat van de tranen en de randen van haar hazelnootkleurige ogen rood. 'Het is gewoon niet eerlijk,' zegt ze zachtjes tussen snikken door. 'Ik weet al zestien jaar niets, zestien jaar heb ik vragen gesteld die niemand kan beantwoorden. Ik heb gewoon het gevoel dat ik hier niet thuishoor, niet in dit gezin en niet ergens anders. Het is net of een deel van me altijd ontbreekt. Kunnen jullie dat niet begrijpen?' Ze kijkt naar haar ouders, zoekend naar iets in hun gezicht wat haar zal troosten. Haar moeder kijkt naar de tafel. Haar vader heeft zijn ogen gesloten, een hand ondersteunt zijn voorhoofd. Zijn hele gezicht is bewegingloos, behalve de spier die in zijn kaak klopt. Geen van beiden kijkt naar haar.

Asha staat op van de grond, snuffend, en rent naar boven naar haar kamer. Nadat ze de deur heeft dichtgeslagen en op slot heeft gedaan, gooit ze zich op het bed, snikkend in het witte dekbed. Als ze eindelijk opkijkt, is het schemerig in haar kamer en is de lucht buiten donkergrijs. Ze doet de onderste la van haar nachtkastje open, haalt er een vierkant, witmarmeren doosje uit en legt het voor zich neer. Haar vingers gaan trillend over het geometrische patroon dat is gesneden in het deksel van het doosje dat haar vader voor haar op een vlooienmarkt heeft gekocht toen ze acht was. Hij zei dat het patroon hem deed denken aan India, aan de reliëfs in de Taj Mahal.

Ze haalt het deksel eraf en pakt er een paar velletjes briefpapier uit. Het papier is dun en versleten, omdat het al zo vaak is open-gevouwen. Onder al dat papier, onder in het doosje, ligt de dunne zilveren armband. Hij is verbogen en dof geworden. Hij is bijna te klein om makkelijk over het breedste deel van haar hand te pas-sen, maar ze drukt door en het lukt haar hem om te doen. Ze gaat in foetushouding op het bed liggen, klemt het met kant afgezette kussen tegen haar borst en doet haar ogen dicht. Ze ligt daar, in haar donker wordende kamer, en luistert naar de luide stemmen van haar ouders beneden. Het laatste wat ze hoort voor ze in slaap valt, is de voordeur die dichtslaat.

27

Wrede complicaties

Mumbai, India, 2000
Kavita

Kavita doet de voordeur van de chawl open. 'Hallo?' roept ze. Jasu
en Vijay zouden al thuis moeten zijn, maar het appartement is
leeg. Ze is bang dat Jasu weer drinkt. Drie weken geleden is hij op
de fabriek gewond geraakt aan zijn hand toen een collega per
ongeluk de stoffenpers aanzette terwijl Jasu de instelling aan het
veranderen was. De stalen platen verbrijzelden zijn bot op drie
plaatsen voordat de machine werd uitgezet. Hij werd naar het ziekenhuis gebracht, waar de dokter zijn hand in een brace zette en
hem terugstuurde naar de fabriek. Maar de voorman zei dat Jasu
de boel ophield en dat hij maar terug moest komen als hij weer
goed kon werken. Hij vroeg Jasu zijn duimafdruk op een papier te
zetten en legde toen uit dat hij geen loon meer kreeg tot hij weer
terugkwam op het werk.

De eerste dagen zat Jasu thuis te kniezen. Toen begon hij op
straat rond te hangen en kwam bruinverbrand en stoffig weer
thuis. Kavita probeerde hem te troosten. Gelukkig hadden ze de
geldschieter bijna afbetaald, en met haar inkomen en Vijays koe-
rierssloon konden ze de huishoudkosten wel een paar weken betalen, tot zijn hand weer genezen was. Dat troostte Jasu niet veel; hij
werd alleen maar nog norser. Na de eerste week begon Kavita die
bepaalde geur weer aan hem te ruiken. Ze probeerde het te negeren. Eigenlijk heeft ze geen tijd om zich ermee bezig te houden.
Elke dag staat ze vroeg op, gaat naar haar werk, komt thuis om

eten te koken, valt uitgeput in bed, en de volgende dag doet ze weer hetzelfde. Als ze er de energie voor heeft, probeert ze 's avonds wat tijd met Vijay door te brengen, al is ook hij nors geworden.

Ze overweegt of ze Jasu zal gaan zoeken, maar ze weet dat hij en Vijay honger zullen hebben als ze thuiskomen. Het is beter om eerst eten te gaan koken. Een uur later zijn de rijst en aardappel-uien-*shaak* klaar. Kavita voelt haar maag knorren. Ze heeft al meer dan acht uur niet gegeten. Voorzichtig pakt ze een paar hapjes met haar vingers. Ze kan zich er niet toe brengen te gaan zitten en te eten zonder haar man of zoon. Vijay zal wel met een schoolvriend studeren, wat hij de laatste tijd wel vaker doet. Maar Jasu zou nu langzamerhand thuis moeten zijn. Haar bezorgdheid verandert in ongerustheid, en dan in angst. Kavita neemt een besluit, ze dekt het eten af en trekt haar chappals aan. Ze stopt wat geld en de sleutel in de plooien van haar sari en gaat op pad.

Buiten loopt Kavita snel door. Ze kijkt strak voor zich uit: de straten zijn hier niet veilig voor een vrouw alleen als het donker is. Waar is hij naartoe? Hoe kan hij zich zo lomp gedragen? Meestal kan ze wel leven naar haar moeders advies om vertrouwen te hebben in haar man, dapper te zijn voor haar gezin. Maar soms doet hij iets stoms als dit, dan verdwijnt hij 's nachts of ruikt hij naar drank als hij thuiskomt, en in een flits is ze al haar vertrouwen kwijt. Ze vraagt zich af of ze een fout heeft gemaakt door vertrouwen in hem te hebben, of het allemaal verkeerde beslissingen waren: haar dochters opgeven, hun dorp verlaten, proberen om in deze stad te overleven die toch nooit als thuis zal aanvoelen.

Haar voeten voeren haar langs het pad naar het kleine park, ingeklemd tussen de winkels en de lichten van de straten. Ze loopt voorbij de roestige speeltuin, die nu leeg is, naar een groepje mannen; ze zitten bij elkaar onder een grote boom. Als ze dichterbij komt, ziet ze een grote waterpijp in het midden, en slierten rook die omhoogkringelen.

Het is nu bijna helemaal donker. Ze kan vanaf deze afstand de gezichten van de mannen niet onderscheiden. Ze lachen luidruchtig, en even maakt ze zich zorgen wat ze met haar zullen doen als

Jasu niet bij hen is. Als ze dichterbij komt, is ze eerst opgelucht en dan teleurgesteld als ze Jasu tegen de boom ziet leunen, zijn ogen halfdicht en zijn gewonde hand slap in zijn schoot. In zijn goede hand houdt hij een fles.

'Jasu,' zegt ze. Een paar mannen kijken naar haar, gaan dan weer door met hun gesprek. 'Jasu!' zegt ze weer, hard genoeg om gehoord te worden boven de grove mop uit over een vrouw en een ezel. Haar mans rode ogen richten zich langzaam op haar gezicht. Hij probeert rechtop te gaan staan als hij haar ziet.

'Arre, Jasu, komt je vrouw je halen als een schooljongen?' plaagt een man.

'Wie draagt je *dhoti*, bhai?' Een ander slaat hem op zijn rug, waardoor hij weer vooroverzakt.

Jasu glimlacht zwakjes naar de spottende mannen, maar Kavita ziet de pijn in zijn ogen. Ze ziet zijn gekwetste trots, de schaamte, de teleurstelling waarvan ze weet dat hij die voelt. Op dat moment, terwijl ze hem ziet in zijn verwarde, hulpeloze staat, voelt Kavita haar boosheid en angst weggespoeld worden door verdriet. De hele tijd heeft Jasu boven alles maar één doel gehad: voor zijn gezin zorgen. En de laatste twintig jaar lijkt het wel of God de ene wrede complicatie na de andere heeft verzonnen om hem van dat bescheiden doel af te houden. De slechte oogsten in Dahanu, de illusoire dhaba-wallahbaan, de inval in de fietsenfabriek, de geldschieter, en nu zijn gebroken hand, die slapjes langs zijn zij bungelt als hij probeert te blijven staan. Kavita haast zich naar hem toe om hem te helpen.

'Kom, Jasu-ji,' zegt ze, de respectvolle aanspreekvorm voor haar man gebruikend. 'Ik zou je komen roepen als het eten klaar was. Ik heb al je favoriete gerechten gemaakt: *bhindi masala, khadi, laddoo.*' Kavita probeert zich staande te houden onder het gewicht van Jasu's zware lijf. Hij kijkt haar aan. Zo'n maaltijd hebben ze niet meer gegeten sinds ze getrouwd zijn.

'Ah, wat fijn dat mijn vrouw zo goed kan koken,' zegt hij als ze langzaam samen weglopen. Jasu steekt zijn goede hand op tegen de mannen en zegt over zijn schouder: 'Zien julie wat een geluk ik heb? Jullie arme kerels zouden willen dat je ook zoveel geluk had.'

Als ze thuiskomen, helpt Kavita Jasu in bed en legt een koude doek op zijn voorhoofd. Ze voert hem koude rijst en shaak met haar vingers, die hij onhandig eet voordat hij in slaap valt. Haar maag knort en ze beseft opeens dat ze zelf nog steeds niet heeft gegeten. Kavita ziet dat het al na negen uur is en Vijay is nog steeds niet thuis. De angst komt weer terug, deze keer als een bittere smaak in haar mond.

Vijay was vijf uur geleden al klaar met zijn bezorgingen voor sahib. De enige redelijke verklaring is dat hij bij een vriend thuis is. Ze hebben geen telefoon, en Vijays vrienden ook niet. Hij is waarschijnlijk zo druk met studeren dat hij de tijd is vergeten. Ja, dat moet het wel zijn. Hij is een slimme jongen, betrouwbaar. Kavita ademt een paar keer diep in en uit, terwijl ze met de vochtige doek over Jasu's voorhoofd strijkt. Als hij weer aan het werk gaat, zal alles goed komen. Ze gaat op de grond zitten bij het kale peertje dat haar wat licht geeft, en naait een knoop aan Jasu's overhemd terwijl ze op Vijay wacht. Het is tenminste een troost dat een vijftienjarige jongen veiliger is in het donker dan een vrouw. Als ze de voordeur eindelijk hoort, gaat er voor de tweede keer deze avond een golf van opluchting door haar heen. Vijay komt de kamer binnen.

'Vijay,' zegt ze fluisterend terwijl ze opstaat. 'Waar ben je geweest? Heb je geen fatsoen? We maken ons zorgen om je!'

Haar tienerzoon, die het eerste begin van een snor op zijn bovenlip heeft, haalt zijn schouders op, met zijn handen in zijn zakken. Hij ziet zijn vader in bed liggen. 'Waarom slaapt papa al?'

'Je stelt me geen vragen, achha. Je geeft gewoon antwoord. Papa en ik werken elke dag hard om voor je te zorgen. Begrepen?' De woede in haar stem vermengt zich met vermoeidheid. Ze voelt zich opeens compleet uitgeput door dit alles.

'Ik werk ook,' mompelt Vijay.

'Hè? Wat zei je?'

'Ik werk ook. Ik verdien geld.' Vijays gedempte stem wordt luider als hij naar zijn vader wijst. 'Kijk eens naar papa! Al weer dronken. Hij werkt niet, hij slaapt.'

Kavita's hand schiet omhoog en ze slaat Vijay hard in zijn gezicht. Hij trekt zich terug, onthutst, en grijpt met zijn hand naar zijn gezicht. Hij klemt zijn lippen op elkaar en zijn hand graaft diep in zijn zak. Hij haalt er een stapel geld uit en gooit het voor haar voeten. 'Daar! Nou goed? Nu hebben we genoeg geld. Papa kan dronken worden en de hele dag slapen als hij wil.' Hij kijkt haar uitdagend aan.

Kavita's hart staat stil. Ze kijkt naar het geld alsof het een cobra is die uit een mand komt. Het zijn op zijn minst drieduizend roepie. Dat kan hij onmogelijk verdienen met bezorgwerk. Ze kijkt ongelovig en angstig naar haar zoon. 'Beta, waar heb je dat vandaan?'

'Maak je er geen zorgen om, ma,' zegt hij, en hij draait zich om. 'Je hoeft je geen zorgen meer om me te maken.'

Juli 2001

Mijn vader en ik hebben geprobeerd twee Indiase gerechten te maken dit weekend. Het eerste was een ramp: de rookmelder ging af toen de olie en kruiden verbrandden op de bodem van de pan. Maar het tweede, een soort tomatencurry met aardappels en erwtjes, lukte best goed.

Ik vind het vervelend dit te zeggen, maar ik kijk uit naar die weekenden alleen met mijn vader. Mama gaat ongeveer elke maand naar San Diego sinds oma de knobbel in haar borst heeft ontdekt.

Vanmorgen heeft pap zijn familie in India gebeld en ik heb weer met ze gepraat. Het is nog steeds een beetje vreemd om met mensen te praten die ik alleen op foto's heb gezien, maar het gaat al beter. Hij heeft die recepten van zijn moeder gekregen, en we zijn helemaal naar de Indiase groentewinkel in Sunnyvale gereden voor de ingrediënten.

Morgen gaan we tennissen; pap is mijn backhand aan het coachen. We kunnen nu dus behoorlijk goed met elkaar opschieten. Het enige wat hem boos maakt, is als we over mijn toekomst praten en ik zeg dat ik journalist wil worden en geen dokter. Het werd zelfs een grote ruzie tussen hen toen mijn moeder me hielp een stageplek voor de zomer te zoeken bij een radiostation. Ik vond het behoorlijk cool van haar. Ze leek er zelfs blij mee toen ik voor volgend jaar werd benoemd als redacteur bij de Bugle.

Ik heb niet meer zo vaak ruzie met hen. En er is licht aan het eind van de tunnel: mijn laatste jaar zal zo voorbij zijn en dan ga ik naar de universiteit, waar ik kan doen wat ik wil.

Deel 3

28

Ouderweekend

Providence, Rhode Island, 2003
Asha

De campus is bedekt met bladeren, die knisperen onder hun voeten als Asha met haar ouders over het hoofdgrasveld loopt. Het is een koele dag, maar de heldere herfstzon die door de boomtakken schijnt en de kopjes appelcider houden hen warm als ze hun een rondleiding geeft.

'Het kantoor van de *Daily Herald* is daar, een paar blokken verderop.' Asha wijst langs de met klimop begroeide gebouwen.

'Ik wil het graag zien, want je bent er zo vaak,' zegt haar moeder.

'Prima. Nog wat cider, pap?' vraagt Asha terwijl ze haar kopje onder een stalen ketel houdt die op een van de tafels op het gras staat. Honderden andere studenten en ouders lopen er door elkaar. Asha voelt een hand midden op haar rug. Ze draait zich om, ziet Jeremy, glimlacht en draait zich weer naar haar ouders.

'Mam en pap, dit is Jer... meneer Cooper. Ik heb jullie al over hem verteld. Hij is de mentor van de *Herald*.'

'Jeremy Cooper,' herhaalt hij, en hij steekt zijn hand uit naar haar vader. 'U kunt erg trots zijn op uw dochter, meneer en mevrouw Thakkar. Ze is echt...'

'Doctor,' valt haar vader hem in de rede.

'Pardon?'

'Het is "doctor". Asha's moeder en ik zijn allebei arts,' zegt hij.

Asha ziet dat haar moeder naar de grond kijkt.

'O, ja, natuurlijk.' Jeremy grinnikt. 'Dat heeft Asha verteld. Ik vergeet altijd het doctordeel in mijn eigen naam,' zegt hij met een geringschattende beweging van zijn hand. Asha glimlacht even. 'Zoals ik al zei, u kunt erg trots zijn op uw dochter. Asha is een van de beste jonge journalisten die ik heb gezien in mijn jaren op Brown.' Asha lacht voluit.

'En hoeveel jaar is dat?' vraagt haar vader.

'Eh... nou, vijf jaar. De tijd is omgevlogen. Hebt u de artikelen gezien die ze deze herfst heeft geschreven over rekrutenwervers op de campus? Erg inzichtelijk. Goed genoeg om in elke grote krant te verschijnen. Echt. Uitstekend.' Jeremy lacht naar Asha.

'Meneer Cooper, wat doet u...' begint haar vader.

'Zeg maar Jeremy, alstublieft.' Hij stopt zijn handen in de zakken van zijn bruine tweedblazer, die gerafeld is aan de randen van de revers.

'Ja, wat doe je, Jeremy,' zegt Krishnan, 'naast toezicht houden op de krant?'

'Nou, ik geef les in Engels, en ik probeer freelance wat te schrijven als ik tijd heb.' Jeremy wiebelt heen en weer op de hielen van zijn versleten bruine schoenen. 'Maar ik heb het aardig druk op de campus.'

'Ja, dat kan ik me voorstellen,' zegt haar vader. 'Je houdt er wel van, van het docentenleven? Tenslotte zijn er niet zoveel andere carrièremogelijkheden op jouw terrein.'

'Pap...' pleit Asha, en ze trekt een gezicht.

'Nee, nee, je vader heeft gelijk,' zegt Jeremy. 'Maar ik heb nooit zoveel talent gehad als Asha. Ze zou onze volgende geweldige buitenlandcorrespondent kunnen worden, die naar verre landen reist om ons het nieuws te brengen.'

Asha ziet haar moeder geschokt kijken en wil haar net geruststellen, als haar huisgenoten naar hen toe komen. 'Asha! O, hoi Jeremy.'

Jeremy excuseert zich omdat hij een faculteitsreceptie heeft waar hij wordt verwacht. Als hij vertrekt kijkt Asha hem aan, zich in stilte verontschuldigend voor haar vader.

'Hallo, meiden!' Asha wendt zich tot haar ouders. 'Mam, pap... kennen jullie mijn huisgenoten nog? Nisha, Celine, en dit is Paula. Ik geloof dat jullie haar de vorige keer niet hebben ontmoet.'

Nisha en Celine zwaaien allebei en zeggen gedag. Paula duwt haar zonnebril boven op haar hoofd, waardoor er bruine ogen met dikke wimpers tevoorschijn komen. Ze buigt zich naar voren, haar trui met wijde hals laat een glimp van haar bleke borsten zien, en steekt haar hand uit. 'Leuk u te ontmoeten. Ik heb al zoveel over u gehoord.' Asha wisselt een blik met Nisha en Celine. Ze plaagden Paula er altijd mee dat ze zo'n flirt is, speciaal tegenover haar docenten, totdat ze beseften dat ze niet weet hoe het anders moet. Paula houdt haar hoofd een beetje scheef en glimlacht naar haar vader. 'Asha heeft wat van uw curryrecepten met ons gemaakt. U kunt zeker goed koken.'

'O, nee, niet echt,' zegt haar vader. 'We vinden het leuk om samen te koken. Ik doe het vaak fout, maar Asha heeft veel geduld met me.' Hij slaat een arm om haar heen.

'Weet u,' zegt Paula, 'er is een *bhangra*-feest op de campus later vanavond. U moet ook komen. Er komt een geweldige deejay.'

'Echt waar, bhangra?' zegt haar vader. Asha ziet de verwarring op haar moeders gezicht.

'O, we willen niet in de weg lopen,' zegt haar moeder, en ze legt haar hand op zijn elleboog. 'Gaan jullie maar. Veel plezier!'

'Oké, dan zie ik jullie morgenochtend in het hotel voor de brunch?' vraagt Asha.

'Natuurlijk, lieverd.' Haar moeder buigt zich voorover om haar een kus te geven. 'Tot morgen.'

Haar moeder schuift een ingepakte doos met een geelsatijnen lint over de tafel naar haar toe. Asha zet haar sinaasappelsap neer en kijkt van haar moeders stralende gezicht naar haar vaders neutrale uitdrukking. 'Wat is dat?'

'Een vroeg verjaarscadeau,' zegt haar moeder. 'Maak maar eens open.'

Asha opent de doos en ziet een nieuwe videocamera.

'Ik weet nog hoe graag je die van ons gebruikte toen we vorige zomer op Hawaii waren.' Haar moeder glimlacht en kijkt naar haar vader. 'En je zei dat je graag je interviews opneemt om niets te missen.'

Asha glimlacht. Ze herinnert zich het gesprek met haar moeder, waarin ze geluidsopnamen bedoelde.

'Het is niet te geloven hoeveel mogelijkheden er zijn,' gaat haar moeder verder. 'Maar de man in de winkel zei dat deze de belangrijkste dingen heeft: een zoomlens en een computeraansluiting. Je kunt hem rechtstreeks aansluiten op je Mac voor het monteren.'

'Dank je, mam,' zegt Asha. 'Geweldig. Ik kan niet wachten om hem te gebruiken.' Ze houdt de camera voor haar oog en richt hem op haar vader. 'Kom op, pap, lachen!'

29

Het echte leven

Mumbai, India, 2004
Kavita

'Denk je echt dat ze er zo vandoor zou gaan met zijn beste vriend?'
zegt Kavita, en ze steekt haar arm door die van Jasu als ze de bioscoop verlaten.
'Natuurlijk niet, chakli. Het is niet het echte leven. Het is maar
een film.' Hij slaat zijn arm om haar schouders en leidt haar over
de drukke straat door een opening in het verkeer.
'Waarom maken ze dan zulke films? Over iets wat nooit zal gebeuren?' zegt ze als ze veilig aan de overkant zijn.
'Tijdverdrijf, chakli!'
'Hmmm.' Het concept van tijdverdrijf is haast net zo vreemd
voor Kavita als het idee dat ze het zich nu kunnen veroorloven zomaar naar de bioscoop te gaan.
'Wat wil je nu gaan doen, chakli? Iets kouds?' vraagt hij als ze
een ijszaak naderen.
'Ja, ik lust wel een ijskoffie,' zegt Kavita. Ze heeft deze zoete, romige lekkernij pas ontdekt en kan er moeilijk weerstand aan bieden op een warme avond als deze. Ze verbaasde zich altijd over de
mensen die in dit soort zaken in de rij stonden en hun zuurver-
diende roepies aan zulke frivoliteiten wilden uitgeven.
'*Ek* ijskoffie, ek *pista*-ijs,' zegt Jasu tegen de man achter de toonbank, die een papieren Nehru-muts draagt. Een paar minuten later
geeft hij de beker aan zijn vrouw en wandelen ze verder. De straten en trottoirs zijn overvol. Het is zaterdagavond, de enige avond

van de week dat heel Mumbai zijn zorgen lijkt te vergeten en uit-gaat in de stad. De restaurants zitten vol gezinnen, en later zullen zich rijen vormen voor de populaire nachtclubs. Die wereld is ook een recente ontdekking voor Kavita en Jasu.

Het is een paar jaar geleden begonnen, toen Vijay hen meenam naar een restaurant om zijn zestiende verjaardag te vieren. Het was de eerste keer dat ze in een restaurant kwamen, met tafels met frisse, witte tafelkleden erop. Vijay had met succes de middelbare school afgemaakt en was een koeriersbedrijf begonnen met zijn vriend Pulin. Kavita en Jasu hoopten nog steeds dat hij een ander pad zou kiezen. 'Beta, je bent zo'n slimme jongen. Je bent zoveel verder gekomen op school dan wij. Waarom zo'n gewoon koe-riersbedrijf?' had Jasu gezegd. 'Je kunt veel meer. Waarom zoek je niet een goede kantoorbaan?'

'Papa, dit ís een goede baan,' had Vijay gezegd. 'Ik ben de baas. Niemand zegt me wat ik moet doen.' Vijay had voor hen allemaal besteld, omdat hij de enige was die de menukaart kon lezen. Ka-vita kende de gerechten die hij had gekozen niet, maar al het eten was heerlijk, opgediend op glanzende, zilveren schalen en door obers gebracht. Ze voelde zich een koningin, en door Jasu's luid-ruchtige gepraat wist ze dat hij ook trots was. Aan het eind van de avond haalde Vijay een stapel bankbiljetten uit zijn zak om te be-talen. Kavita had het ondertussen al vaak gezien, maar elke keer als hij de dikke stapel bankbiljetten uitvouwde en uittelde, greep een koude hand haar hart.

'Ik vind pistache heerlijk, ik kan het elke dag wel eten.' Jasu neemt zijn laatste hap ijs.

'Je eet het al bijna elke dag,' zegt Kavita, en ze port met haar elle-boog in zijn ribben.

'Zullen we de riksja naar huis nemen?' Jasu houdt haar arm vast om haar door de drukte te leiden. Het is zoveel prettiger om 's avonds een riksja te kunnen nemen in plaats van met de volle trein te moeten. Verderop staat een kring mensen om de een of andere straatartiest heen.

'Wat is daar aan de hand?' zegt Kavita. 'Een muzikant of slangenbezweerder? Laten we even gaan kijken.' Het ritmische geklap van de menigte trekt hen aan. Een stel mannen is op het lage stenen muurtje gaan staan om beter te kunnen zien. Als Kavita en Jasu eindelijk dichtbij genoeg zijn, zijn ze allebei geschokt door wat ze zien in het midden van de kring mannen. Het is een vrouw, eigenlijk nog een meisje, niet ouder dan achttien. Ze zit op haar knieën op de grond, huilend, gedesoriënteerd, met haar handen zoekend naar iets. Een man in de kring houdt een hoek van haar sari vast, die bijna helemaal van haar lichaam is gerold. Haar sariblouse is middenvoor gescheurd, waardoor haar borsten te zien zijn.

Jasu dringt zich door de menigte en knielt bij het meisje neer. Hij draait zich om en trekt de sari uit de hand van de man. Hij schreeuwt tegen hem: 'Vuilak! Schaam je je niet?' Hij probeert de sari weer om het meisje te draaien, maar omdat het te lastig is, doet hij zijn eigen overhemd uit en slaat het om haar schouders om haar blote huid tegen de hongerige blikken te beschermen.

'Hé, *bhaiyo*, ga eens opzij. Je bederft ons plezier!' roept een man uit de kring.

De hand van het meisje vindt eindelijk wat ze aan het zoeken was, haar bril, die nu kapot en vuil is. Ze zet hem op, gaat staan en slaat Jasu's overhemd strak om zich heen. Kavita kijkt naar haar gezicht. Haar voorhoofd is te groot, haar ogen staan te ver uit elkaar. Met afschuw beseft ze dat het meisje geestelijk gehandicapt is. Ze ziet dezelfde blik van herkenning in Jasu's ogen, die onmiddellijk verandert in woede.

'Plezier? Vinden jullie dit leuk?' schreeuwt hij tegen de mannen die om hen heen staan, van wie sommige nu beginnen weg te gaan. 'Arre, jullie gedragen je schaamteloos. Ze is een onschuldig meisje! Wat zouden jullie ervan vinden als jullie vrouw zo werd behandeld? Jullie zus? Jullie dochter? Hè?' Jasu, alleen in zijn hemd, gebaart dreigend naar de paar mannen die nog over zijn, niet in staat te accepteren dat hun vermaak voortijdig is beëindigd.

Kavita loopt snel naar het meisje en leidt haar weg van de menigte. 'Gaat het, beti?' fluistert ze als ze tegen een boomstam staan.

Het meisje knikt stom. 'Waar woon je? Heb je geld nodig om thuis te komen?' Het meisje blijft in hetzelfde ritme knikken, er spreekt geen begrip of instemming uit. Ten slotte lost de menigte op en komt Jasu bij hen. 'Ik denk dat we haar naar huis moeten brengen,' zegt Kavita, die eindelijk haar adres te weten is gekomen. Jasu knikt en stapt naar de stoeprand om een taxi aan te houden.

'Gaat het?' vraagt Kavita aan Jasu. Ze hebben in stilte gezeten sinds ze het meisje thuis hebben afgezet. Jasu heeft met de lift-bediende gesproken, die zei dat hij haar veilig boven zou brengen bij het appartement van haar ouders.

'Hahn,' zegt hij met vlakke stem. 'Ik zat net te denken... dat arme meisje was zo hulpeloos, en al die mannen... Als we niet net voorbij waren gekomen, wat zou er dan met haar gebeurd zijn?'

'Het was goed, wat je hebt gedaan. Het was dapper van je.' Kavita legt haar hand op zijn arm.

'Het was niet zozeer dapperheid, gewoon geluk dat we er net waren. Gewoon geluk...' Zijn stem zakt weer weg, dan schudt hij zijn hoofd. 'Nou ja, het is gebeurd. Ik hoop dat het niet je avond heeft verpest.'

'Nai,' zegt ze, naar hem glimlachend. 'Helemaal niet.' Kavita zegt niet wat ze denkt, hoe fijn het was het tengere lichaam van het meisje in haar armen te houden tot ze ophield met beven, om haar tranen af te vegen en haar lange haar te strelen. Om in de auto zachtjes voor haar te zingen, zoals haar eigen moeder voor haar zong. Zoals ze zich heeft voorgesteld voor haar eigen, geheime dochter te zingen.

30

Een deel van haar

Menlo Park, California, 2004
Somer

Somer staat na het avondeten bij het aanrecht, haar onderarmen in strakke gele handschoenen, blij met het rumoer van Asha's aanwezigheid in huis. Het is de eerste avond thuis voor de zomer na haar tweede jaar op Brown. Toch is Somer onzeker, onzeker over hoe het zal zijn om weer een gezin te zijn. Asha heeft duidelijk gemaakt dat ze nu zelfstandig is; ze weigerde alle hulp met de vuile was die uit haar koffer kwam en het installeren van haar laptop in een rustig hoekje van haar kamer.

En Somer en Krishnan hebben eindelijk een balans weten te vinden, gebaseerd op veel ruimte en het vermijden van conflicten. Ze bewegen zich op makkelijk terrein en trekken zich terug zodra ze voelen dat het lastiger wordt. Er was een tijd dat ze openlijk ruziemaakten. Het begon opeens nadat Asha weg was. Zonder haar aanwezigheid in huis was er geen gezamenlijk doel voor hun energie, geen reden om zich netjes te gedragen. Ze maakten ruzie over tientallen dagelijkse beslissingen die ze opeens alleen moesten nemen. Somer was niet voorbereid op de totale stilte die in huis heerste zonder Asha. Er kwam geen muziek uit haar slaapkamer, geen echo van haar gelach als ze uren aan de telefoon zat. Het waren de kleine dingen die Somer miste – gedag zeggen bij de voordeur, even snel haar hoofd om de hoek van Asha's slaapkamerdeur voor ze naar bed ging – de momenten die haar huis en de dag gevuld deden lijken. Na zoveel jaren met Asha als de spil in haar leven voelde Somer zich verloren toen ze weg was. Maar Krishnans leven was niet veel veranderd: hij werd meestal in beslag genomen door zijn werk, 's ochtends in de operatiekamer, 's middags in zijn kantoor.

Kris, die nu met Asha aan tafel zit, bladert met zijn middelvinger en duim door een krant. 'Ik kan die onzin niet geloven. Ze vechten nog steeds over dat probleem in Florida, proberen die arme vrouw aan de kunstmatige voeding te houden. Die vrouw is al meer dan tien jaar hersendood en ze willen haar niet in vrede laten gaan.' Hij zet zijn bril af, ademt hard op de glazen en veegt ze af met een zakdoek.

'Denk je dat ze echt hersendood is?' zegt Asha, en ze pakt de krant van hem over.

'Ja, dat denk ik. Maar dat is niet relevant.' Hij houdt zijn bril tegen het licht en zet hem, eindelijk tevreden, weer op. 'Het is een beslissing van haar familie en hun arts.'

'Maar als ze het nou niet eens kunnen worden?' zegt Asha.

'Haar ouders willen haar in leven houden, maar haar man niet.'

'Nou, haar man is haar voogd,' zegt Kris. 'Op een bepaald moment is de familie die je creëert belangrijker dan die waarin je geboren bent.' Hij schudt zijn hoofd. 'Hoor eens, ik zeg het jullie nu vast, als ik ooit in een blijvend vegetatieve staat kom, dan hebben jullie mijn toestemming om de stekker eruit te trekken.'

'Is er een kans dat ze nog geneest?' zegt Asha.

Hij schudt zijn hoofd. 'Niet tenzij er nieuwe hersenen aangroeien. En nu probeert de politiek zich ook nog te bemoeien met het stamcelonderzoek.'

Somer kijkt vanaf de andere kant van de keuken toe hoe Asha er duidelijk van geniet om met Kris een stevig debat aan te gaan. Ze roept: 'Wat denken jullie van een puzzel vanavond? Ik zal popcorn maken.'

'Cool.' Asha maakt de keukentafel leeg. 'Ik zal de puzzel halen. Halkast?'

'Ja.' Somer pakt de popcornmachine van de bovenste plank. 'Ik hoop dat hij het nog doet,' zegt ze, vol energie door de puzzelavond, een regelmatige gebeurtenis voor Asha wegging.

Somer giet de korrels in de machine, met een luid ratelend geluid. Asha brengt een doos mee waarop Venetiaanse gondels in allerlei kleuren staan die door de kanalen varen. 'Nou, wat denk je van dat voorstel, pap? Om het stamcelonderzoek te financieren?'

'Ik denk dat drie miljard dollar voor onderzoek in California geweldig is. Die stamcelonderzoeken zijn de meest veelbelovende die ik heb gezien in de neurowetenschap.'

'Je zou daar een hoofdartikel over moeten schrijven voor de krant, pap,' zegt Asha terwijl ze door de keuken loopt. 'Ik wed dat de kiezers daar graag iets over horen van een neurochirurg. Ik kan je wel helpen.'

Hij schudt zijn hoofd en rommelt door de stukjes. 'Nee, dank je, ik hou me wel bij geneeskunde.'

Het luide geknal wordt zachter en Somer schudt de donzige witte popcorn in een grote schaal. 'Zout en boter?'

Asha gooit een stukje popcorn in haar mond. 'Lekker, maar er is nog iets nodig.' Asha pakt de schaal van haar over. 'Beginnen jullie maar vast.' Somer gaat naast Krishnan zitten, verbaasd over hoeveel makkelijker het nog steeds voor hem is, hoe Asha gezamenlijke interesses met hem opzoekt. Somer heeft dierbare herinneringen aan de keren dat ze met haar eigen vader kaartte of scrabbelde. Nu vraagt ze zich voor het eerst af hoe haar moeder zich gevoeld heeft toen ze zo overduidelijk haar vader als favoriet koos.

Asha zoekt tussen de kruidenflesjes. 'Ik ga een brouwsel maken dat mijn huisgenoten en ik hebben bedacht.' Ze gaat bij hen aan tafel zitten en houdt Kris de schaal voor. 'Proef eens.'

Geconcentreerd bezig met een paar stukjes van een blauwe gondel steekt hij zijn hand in de schaal zonder op te kijken. 'Mmmm. Lekker,' zegt hij.

Somer pakt een stukje en is geschokt door de helderrode kleur. 'O,' zegt ze terwijl ze het in haar mond steekt. 'Wat heb je...?' Ze begint te hoesten als ze de scherpe kruiden in haar keel krijgt. Somer pakt het dichtstbijzijnde glas water, maar kan niet lang genoeg ophouden met hoesten om een slok te nemen. Haar mond brandt en haar ogen tranen.

'Heet, maar lekker, hè? Rode chili, knoflook, zout en suiker. En normaal gesproken kurkuma, maar dat hebben jullie niet, denk ik.' Asha gaat aan tafel zitten met de schaal tussen haar en Kris in. 'En, ik heb nieuws.' Somer kijkt op en Asha gaat verder: 'Hebben jullie wel eens gehoord van de Watson Foundation? Ze geven beurzen aan studenten om een jaar naar het buitenland te gaan. Ik heb me ingeschreven om een project te doen over kinderen die in armoede leven. In India.' Asha's ogen schieten tussen hen heen en weer.

Somer probeert Asha's woorden te verwerken en weet niet wat ze moet zeggen.

'En ik heb gewonnen.' Asha's gezicht vertoont een brede glimlach. 'Ik heb gewonnen, dus volgend jaar ga ik.'

'Je hebt... wat?' Somer schudt haar hoofd.

'Ik kan niet geloven dat ik echt heb gewonnen. Het comité zei dat ze enthousiast waren over mijn idee om daar met een grote krant te werken om een speciaal verslag gepubliceerd te krijgen, en...'

'En dat zeg je nu pas?' zegt Somer.

'Ik wilde niets zeggen voordat ik had gewonnen, want er is erg veel concurrentie.'

'Waar in India?' vraagt Krishnan, zich niet bewust van Somers geschoktheid.

'Mumbai.' Asha glimlacht naar hem. 'Dan kan ik bij jouw familie logeren. Mijn verhaal zal gaan over kinderen die in stedelijke armoede opgroeien. Weet je wel, in de sloppenwijken, zoiets.' Dan pakt ze Somers hand, die nog steeds een puzzelstukje vasthoudt. 'Mam, ik stop niet of zo. Ik kom weer terug om af te studeren. Het is maar voor een jaar.'

'Je hebt... het al helemaal voor elkaar? Het is al geregeld?' zegt Somer.

'Ik dacht dat je trots zou zijn.' Asha trekt haar hand terug. 'De Watson is een heel prestigieuze beurs. Ik heb alles zelf geregeld, ik vraag jullie niet om geld. Ben je niet blij voor me?' zegt ze met een spoortje woede in haar stem.

Somer wrijft over haar voorhoofd. 'Asha, je kunt dit niet zomaar vertellen en dan verwachten dat we in gejuich uitbarsten. Je kunt zo'n beslissing niet zonder ons nemen.' Ze kijkt naar Kris en verwacht dat haar woede ook op zijn gezicht te zien is. Maar ze ziet niets van de schok die zij voelt, niets van de angst die in haar opborrelt. Hoe kan hij hier zo rustig over zijn? En op dat moment dringt het tot haar door. Hij wist ervan.

De puzzel ligt onafgemaakt op de keukentafel beneden, terwijl Somer haar kleren uitdoet in de duisternis van hun kamer. Ze laat water in de wastafel in de badkamer lopen en luistert of ze de slaapkamerdeur hoort. Ze schrobt haar gezicht op een manier waar de dermatoloog voor heeft gewaarschuwd. Als Kris even later de slaapkamer binnenkomt, is ze woedend.

'Jij hebt er dus helemaal geen problemen mee?'

'Nou.' Hij staat bij het bureau en doet zijn horloge af. 'Ik denk dat het wel eens een goed idee zou kunnen zijn.'

'Een goed idee? Om van school te gaan en in haar eentje naar de andere kant van de wereld te reizen? Vind je dat een goed idee?'

'Ze gaat niet van school. Het is maar een jaar. Ze komt terug en studeert af, wat maakt het uit als het een of twee semesters kost? En ze zal niet alleen zijn, mijn familie is er.' Kris trekt zijn overhemd uit zijn broek en begint het los te knopen. 'Zeg, lieverd, ik denk echt dat het goed voor haar zal zijn. Ze is dan weg bij die liberale kunstleraren, die haar hoofd vullen met ideeën dat journalistiek een geweldig beroep is. Mijn vader kan haar meenemen naar het ziekenhuis.'

'Dus dat is jouw opzet? Je denkt nog steeds dat je een dokter van haar kunt maken?' Somer schudt haar hoofd.

'Ze kan nog steeds van mening veranderen. Ze zal daar een heel andere kant van de geneeskunde zien.'

'Waarom accepteer je haar niet zoals ze is?' zegt Somer.

'Waarom doe jij dat niet?' kaatst hij terug, rustig maar beschuldigend.

Het is even stil, terwijl ze hem aanstaart. 'Wat bedoel je?'

'Ik bedoel, ze wil naar India. Ze is oud genoeg om die beslissing te nemen. Ze kan tijd met mijn familie doorbrengen, haar Indiase achtergrond leren kennen.'

Somer staat op en loopt naar de badkamer. 'Ik begrijp je niet. Je bent zo'n hypocriet. Als ze ergens anders naartoe zou willen dan naar India, zou je net zo van streek zijn als ik.' Ze draait zich om om hem aan te kijken. 'Wist je hiervan?'

Hij wrijft met zijn handen in zijn ogen en zucht diep. 'Kris? Wist je het?' Ze voelt een knoop in haar maag. 'Ja.' Hij steekt zijn handen in de lucht. 'Ja, oké? Ze had een handtekening nodig op het formulier en ze wilde je niet van streek maken voordat ze wist of ze gewonnen had.'

Somer knoopt de ceintuur van haar ochtendjas dicht en slaat haar armen om zich heen; ze heeft het opeens koud. Ze sluit haar ogen en verwerkt dit nieuws, het toegeven van schuld. Ze schudt haar hoofd. 'Ik kan niet geloven dat je dat hebt gedaan. Achter mijn rug om en...' Ze stopt, niet in staat om door te gaan.

Kris gaat op de leunstoel in de hoek zitten en zijn stem wordt zachter. 'Dit is een deel van haar, Somer. Net zoals het een deel van mij is. Dat kun je niet ontkennen.' Het is even stil in de kamer voor hij verdergaat. 'Waar ben je bang voor?'

Ze slikt de brok in haar keel weg en somt de redenen op. 'Ik vind het naar dat ze ophoudt met studeren en in haar eentje naar de andere kant van de wereld reist. Ik vind het akelig dat ze zo ver weg is dat we geen idee hebben wat er met haar gebeurt.' Somer gaat met haar handen over haar gezicht en dan over haar hoofd, en gaat verder met nog een rij zorgen. 'Ik maak me zorgen over haar veiligheid, een meisje in dat land, dat de sloppenwijken in gaat...' Ze gaat op het bed zitten en klemt een kussen tegen haar borst. Kris zegt niets en beweegt niet op de stoel in de hoek, waar hij zijn hoofd in zijn handen houdt.

Na een stilte schraapt ze haar keel en zegt: 'Denk je dat ze op zoek gaat naar... hen?' Ze kan het woord ouders niet uit haar mond krijgen. Het geeft te veel gewicht aan mensen die geen andere relatie met Asha hebben dan een biologische. Door de jaren heen zijn het vage figuren geworden in Somers gedachten: naamloos en gezichtloos, op een afstand maar nooit ver weg. Ze weet dat er geen gevaar bestaat dat ze opeens opduiken en een rol willen in haar dochters leven. Het is eerder Asha over wie ze zich zorgen maakt.

Ze heeft vol angst gewacht op de dag dat haar dochter een punt van ongenoegen met haar of Kris bereikt en op zoek gaat naar meer. Somer heeft haar best gedaan om geen tekortkomingen te hebben als ouder, maar ze maakt zich toch zorgen dat al haar liefde voor haar dochter uiteindelijk het verlies dat ze als baby heeft geleden niet kan goedmaken.

'Wie? O.' Kris wrijft over zijn ogen en kijkt haar aan. 'Dat zou kunnen, denk ik. Het zal moeilijk zijn ze te vinden in een land als India, maar ze zal het misschien proberen. Waarschijnlijk is ze nieuwsgierig. Het doet er niet echt toe, toch? Je maakt je toch niet nog steeds zorgen...'

'Ik weet het niet. Ik snap wel dat we haar niet tegen kunnen houden als ze hen echt wil gaan zoeken, maar...' Haar stem sterft weg en ze draait een tissue om haar wijsvinger. 'Ik maak me gewoon zorgen, dat is nou eenmaal zo. We weten niet wat er zal gebeuren. Ik wil niet dat haar verdriet gedaan wordt.'

'Je kunt haar niet eeuwig beschermen, Somer. Ze is bijna volwassen.'

'Dat weet ik, maar we hebben dat allemaal achter ons gelaten. Ze zit nu lekker in haar vel.' Somer kan haar echte angst niet uitspreken. Dat ze Asha zal verliezen, zelfs maar een klein beetje. Dat de band waar ze zo hard aan heeft gewerkt, zal worden aangetast door dat spook. Dit is tenslotte de uitkomst die ze zo lang heeft proberen te vermijden, waarom ze nooit terug wilde naar India, waarom ze Asha's vragen over de adoptie altijd heeft afgehouden. Het is de kern van bijna elke beslissing die ze heeft genomen sinds Asha in hun leven kwam.

31

Hetzelfde als altijd

Mumbai, India, 2004
Kavita

De taxi rijdt de oprit van hun nieuwe appartementengebouw op. Ze wonen hier nu meer dan een jaar, maar Kavita vindt het nog steeds vreemd dat er iemand staat om de autodeur voor haar open te doen, en een ander hen met de lift naar de derde verdieping brengt. Vijay stond erop dat ze naar een groter appartement zouden verhuizen toen zijn bedrijf winst begon te maken. 'Ik ben negentien, mam. Ik denk dat het tijd wordt dat ik een eigen kamer krijg,' had hij gezegd.

Ze vonden het moeilijk dat te bestrijden, vooral omdat Vijay zei dat ze dezelfde huur konden blijven betalen als in Shivaji Road en dat hij het verschil zou betalen. Kavita weet niet wat deze flat kost, en ze weet niet zeker of Jasu het wel weet. Ze hebben nu hun eigen slaapkamer, en Vijay ook, die op allerlei tijden komt en gaat als hij telefoontjes krijgt op zijn pieper of mobiele telefoon. Kavita vindt de extra ruimte en de moderne keuken met altijd heet stromend water heerlijk. Maar toch mist ze hun oude flat op Shivaji Road, de buren met wie ze goed konden opschieten, de winkels in de buurt waar ze haar kenden.

Hun verhuizing heeft een goede invloed op Jasu. Er lijkt een zware last van zijn schouders te zijn gevallen, en zelfs zijn nachtmerries zijn opgehouden. 'Ik voel me alsof ik eindelijk wat kan ontspannen,' zei hij. 'Ons gezin is stabiel, onze zoon is volwassen. Dat is een goed gevoel, chakli.' Kavita heeft dat gevoel niet. Het is

vreemd om haar zoon als volwassen man te zien, die onafhankelijk onder hetzelfde dak woont, zijn bedrijf leidt als een volwassene die ze nauwelijks herkent. Ze maakt zich nog steeds zorgen
over de hoeveelheid tijd die Vijay doorbrengt met zijn zakenpart-
ner Pulin, de vreemde uren dat hij werkt, de bergen geld, en nog
meer dingen die in haar hoofd opkomen in sombere uren. Als de
lift in beweging komt, vraagt ze zich af of ze ooit zal ophouden
zich zorgen over haar zoon te maken.

Ze vraagt zich ook af hoe het met haar dochter gaat. Usha moet
nu ook volwassen zijn, is misschien zelfs getrouwd. Over de vraag
of haar dochter nu zelf kinderen heeft, staat Kavita zich maar heel
even toe na te denken, alleen maar tijdens het ritje naar boven. Als
de deuren opengaan, dwingt ze zich aan iets anders te denken. Ze
heeft geleerd in haar dagelijkse leven wat ruimte te maken voor
zulke gedachten, die opeens opkomen, zonder toe te staan dat ze
haar volledig gaan beheersen. Kavita heeft lang geleden al geleerd
dat ze een manier moest vinden om in het heden te leven zonder
het verleden te vergeten, om te leven met haar man en zoon zonder hun kwalijk te nemen wat er is geweest.

De liftdeuren gaan open en de liftjongen stapt eruit om Kavita
en Jasu langs te laten. Als ze door de gang lopen, merkt Kavita dat
er iets mis is. 'Hoor je dat?' Ze draait zich naar Jasu en gebaart met
haar kin naar hun appartement aan het eind van de gang.

Jasu loopt door en zwaait met de sleutel aan zijn wijsvinger.
'Wat? Vijay heeft waarschijnlijk de tv aan. Ik begrijp niet dat hij in
slaap kan vallen als hij zo hard staat.'

Kavita gaat langzamer lopen, niet overtuigd. Tegen de tijd dat
ze bij de deur van hun appartement komen, weten ze allebei dat
er iets mis is. De deur staat op een kier en de luide stemmen binnen komen zeker niet van de tv. Jasu houdt zijn arm achter zich
om Kavita tegen te houden en duwt de deur met zijn teen open.
Hij verdwijnt naar binnen, en ze volgt hem snel. Het eerst zien ze
de rommel: de bekende spulletjes uit hun leven liggen in het rond,
alsof Kali, de godin van vernietiging, op bezoek is geweest.

'Bhagwan,' zegt Jasu mompelend als hij over het gebroken glas
stapt van het portret van zijn overleden vader dat aan de halmuur

heeft gehangen. De goudsbloemen die Kavita er elke morgen in een slinger omheen hangt, liggen er vertrapt tussen. De luide stemmen komen uit de slaapkamer aan het eind van de gang. Vijays kamer. Midden in de zitkamer ligt de tafel op zijn kant. De kussens van de bank zijn met een mes opengesneden en de witte, synthetische vulling hangt eruit. In trance loopt Kavita naar de keuken en ziet dat de jutezakken met basmatirijst en linzen hetzelfde lot hebben ondergaan als de kussens; hun inhoud ligt op de betonnen vloer. Alle kasten staan open, en een van de deuren hangt scheef aan zijn scharnieren.

'Kavita, luister,' zegt Jasu fluisterend vanuit de zitkamer. 'Ga naar hiernaast en wacht daar. Ga, snel!' Hij leidt haar het appartement uit voordat ze kan vragen of ze de politie moet bellen. Ze klopt op de deur van de buren, maar niemand doet open. Ze wacht een paar minuten in de hal, gaat dan terug naar hun appartement en loopt de gang door naar de slaapkamer aan het eind. Ze stopt voor de deur. Er staan twee mannen in geelbruine uniformen binnen met een *lathi* in hun hand. *Wie heeft de politie gebeld? Hoe zijn ze hier zo snel gekomen?* Een politieagent ondervraagt Jasu. Ze stapt naar de zijkant van de deuropening zodat ze uit het zicht is.

'Meneer Merchant, ik vraag het u nogmaals, en deze keer vertelt u me de waarheid. Waar bewaart Vijay zijn voorraad?' De politieagent duwt met zijn lathi tegen Jasu's schouder.

'Agent sahib, ik zeg de waarheid. Vijay heeft een koeriersbedrijf. Het is een goede jongen, erg eerlijk. Hij zou nooit doen waar u hem van beschuldigt.' Jasu kijkt ernstig op van het bed waar hij op zit. Pas dan ziet Kavita dat er spiralen uit een grote snee in de matras kronkelen. *Waar zijn ze naar op zoek?*

'Oké, meneer Merchant. Als u, zoals u zegt, niet weet met welk soort zaken uw zoon zich bezighoudt, dan kunt u me op zijn minst toch wel vertellen waar we hem kunnen vinden. Hè? Op dit uur van de avond? Als hij zo'n goede jongen is, waarom is hij dan niet thuis?'

Kavita gluurt om het hoekje. Ze heeft Jasu niet meer zo bang gezien sinds de politie-inval in de sloppenwijk. 'Sahib, het is zaterdagavond, nog niet eens elf uur. Onze zoon is met vrienden uit, net zoals de meeste jonge mannen.'

'Vrienden, hè?' snuift de politieagent. 'U kunt uw zoon en zijn vrienden beter goed in de gaten houden, meneer Merchant.' Hij prikt weer in Jasu's schouder. 'Zeg hem maar dat we hem in de gaten houden.' De politieagent knikt kort naar Kavita als hij weggaat.

Later die nacht schrikt Kavita wakker van Jasu's kreten. Ze draait zich om en ziet dat hij vecht om rechtop te gaan zitten, trekkend aan het laken dat over hem heen ligt. Hij schreeuwt: 'Nai, nai! Geef hem aan mij!'

Ze raakt eerst zachtjes zijn schouder aan – 'Jasu?' – en schudt hem dan. 'Jasu? Wat is er? Jasu?'

Hij stopt met om zich heen slaan en draait zich naar haar toe. Zijn glazige ogen registreren niets, alsof hij niet weet wie ze is. Even later kijkt hij naar zijn open handpalmen. 'Wat heb ik gezegd?'

'Je zei "nee" en "geef het aan mij". Niets, hetzelfde als altijd.'

Hij sluit zijn ogen, haalt diep adem en knikt. 'Achha. Sorry, dat ik je wakker heb gemaakt. Laten we maar weer gaan slapen.' Ze knikt, streelt zijn schouder en gaat dan weer liggen. Ze doet geen moeite hem te vragen naar de droom die hem achtervolgt. Hij weigert altijd om het te vertellen.

32

Verandering van de stroom

Menlo Park, California, 2004
Somer

Asha zit met gekruiste benen op haar bed, met aan alle kanten spullen om in te pakken om haar heen. In de hoek van de kamer staat de grootste koffer die zij en haar vader bij Macy's konden vinden, vijfenzeventig centimeter hoog. In de gang buiten haar kamer staat er nog zo een. Haar vlucht naar India gaat over twee dagen. Normaal zou ze tot de laatste minuut wachten met pakken, maar ze heeft zich een paar uur geleden hier teruggetrokken nadat haar vader naar het ziekenhuis werd geroepen om een aneurysma te behandelen.

Ze is eraan gewend, het abrupte komen en gaan van haar vader als hij dienst heeft. Het gebeurde op de bowlingbaan tijdens het feestje voor haar achtste verjaardag, tijdens de regionale spelwedstrijd in de zesde, en bij ontelbare andere gelegenheden. Toen ze jonger was trok ze het zich persoonlijk aan, barstte ze in huilen uit als haar vader tijdens het avondeten opeens verdween. Ze dacht altijd dat zij iets verkeerd had gedaan. Haar moeder moest uitleggen dat haar vaders werk te maken had met het helpen van mensen in noodgevallen, die elk moment konden voorkomen. Ten slotte werd het een onderdeel van het familiepatroon: Asha leerde om altijd zijn pieper op te nemen, en ze namen twee auto's mee als ze tijdens zijn oproepdienst weggingen. Nu stoort het haar niet langer. De noodzaak van haar vaders werk doet haar denken aan die van haarzelf, werken naar een deadline bij de *Daily Herald*: de druk, het je constant bewust zijn van de tijd die voorbijgaat, de noodzaak op het werk gericht te blijven tot het klaar is. Ze houdt van dat gevoel, en de bijbehorende golf van adrenaline waar ze op werkt.

De afgelopen maanden was haar vaders aanwezigheid in huis echter het enige wat de sluimerende spanning tussen haar en haar moeder op afstand kon houden. Als haar vader er is, hoeft ze haar moeders overduidelijke teleurstelling over haar beslissing en haar constante angsten en zorgen over haar reis naar India niet het hoofd te bieden. Asha kan het niet meer verdragen. Hoe meer haar moeder probeert haar vast te houden, haar te overheersen, hoe meer Asha zich wil terugtrekken. In haar moeders aanwezigheid heeft ze altijd het gevoel dat ze zal ontploffen, dus toen haar vader naar het ziekenhuis ging, vluchtte Asha om te pakken.

Ze bekijkt de verschillende stapels die in haar slaapkamer staan. Op de grond ligt een grote berg kleren, sommige nog vuil. Op haar bureau liggen spullen voor haar project: haar laptop, notitieboek-jes, onderzoeksmappen, videocamera. Op de hoek van haar bed ligt een grote tas met reisbenodigdheden die ze vorige week op een dag in haar kamer vond toen ze thuiskwam. Ook zonder brief-je weet ze dat ze van haar moeder komen: zonnebrandcrème, sterk muggenwerend middel, malariapillen op recept voor haar, plus genoeg medicijnen om een klein dorp te behandelen. De anonieme tas bezorgdheid is een van de weinige blijken van acceptatie van haar moeder wat betreft haar reis. Ten slotte zijn er spullen die ze mee wil nemen in het vliegtuig om iets te doen te hebben tijdens de lange vlucht: een dvd-speler, haar iPod, een boekje met kruis-woordpuzzels en twee paperbacks. Na even nadenken voegt ze nog een derde boek aan de stapel toe, een gedichtenbundel van Mary Oliver, een afscheidscadeau van Jeremy. Binnenin heeft hij iets geschreven en er haar favoriete citaat aan toegevoegd:

'De waarheid is de enig veilige grond om op te staan.'
– Elizabeth Cady Stanton

Voor mijn helderste ster.
Aarzel nooit bij het najagen van de waarheid.
De wereld heeft je nodig. – J.C.

Er wordt op de deur geklopt en haar vader duwt hem open. 'Mag ik binnenkomen?' Zonder op antwoord te wachten stapt hij naar binnen en gaat op het bed zitten.

'Natuurlijk. Ik was alleen maar aan het pakken.'

'Ik vond deze en bedacht dat je ze wel kon gebruiken voor je reis.' Hij houdt twee vreemd uitziende dingen van plastic met metaal omhoog. 'Het zijn adapters. Je stopt eerst dit ding in het stopcontact in India, dan je haardroger of computer in de andere kant. Het verandert de elektrische stroom.'

'Bedankt, pap.'

'En ik dacht dat je hier ook wel wat aan had.' Hij houdt een stapel foto's omhoog. 'Vooral als je iedereen hebt ontmoet. We hebben een behoorlijk uitgebreide familie daar, hoor.' Hij loopt om het bed heen om naast haar te gaan zitten en ze bekijken de foto's samen: grootouders, tantes, ooms, en een paar neven en nichten van haar leeftijd die ze alleen kent via hun sporadische telefoongesprekken en Diwali-kaarten. Daar is ze het meest nerveus over, het vooruitzicht om bijna een jaar bij mensen te wonen die ze nauwelijks kent.

'Ik zal ze meenemen in het vliegtuig, dan kan ik alle namen leren voor ik er ben.'

'En, heb je alles geregeld met *The Times of India*?' vraagt hij.

'Ja, die naam die je me hebt gegeven, die vriend van oom Pankaj, was erg behulpzaam. Toen de redacteur hoorde dat ik met een beurs uit Amerika kwam, was hij erg geïnteresseerd. Ze geven me een bureau en een ervaren journalist om met me mee te gaan naar de sloppenwijk, maar ik mag alle interviews doen. Ze gaan misschien zelfs een speciaal hoofdartikel in de krant zetten. Geweldig, hè?'

'Ja, en het is fijn dat je dan iemand bij je hebt. Je moeder maakt zich daar zorgen over.'

Asha schudt haar hoofd. 'Ja, over dat en over alles. Zal ze hier ooit overheen komen? Of blijft ze voor eeuwig kwaad?'

'Ze is alleen bezorgd over je, lieverd,' zegt hij. 'Ze is je moeder. Het is haar baan. Ik weet zeker dat ze wel bij zal trekken.'

'Komen jullie me opzoeken?' vraagt ze.

Hij kijkt haar een poosje aan en knikt dan. 'We komen. Natuurlijk komen we, lieverd.' Hij klopt op haar knie voordat hij opstaat om weg te gaan. 'Succes met pakken.'

Met de foto's in haar hand loopt Asha naar haar oude bureau en gaat in de stoel zitten. Dit bureau is klein vergeleken met de grote werktafel waar ze in het kantoor van de *Herald* aan gewend is. Ze opent de la om een envelop voor de foto's te zoeken, rommelt rond en ziet een bekende vorm achter in de la. Hij lijkt kleiner dan ze zich kan herinneren. Ze veegt er een laag stof af en laat haar hand daar even liggen, op het koele oppervlak. Ze merkt dat ze haar adem inhoudt, zucht diep en opent het doosje. Ze vouwt de eerste brief open, een klein, langwerpig stukje zachtroze papier. Langzaam leest ze de woorden die met een bekend kinderlijk handschrift zijn opgeschreven:

Lieve mam,

Vandaag vroeg onze leraar ons om een brief te schrijven naar iemand in een ander land. Mijn vader heeft me verteld dat je in India bent, maar hij weet je adres niet. Ik ben negen jaar en zit in de derde klas. Ik wilde je een brief schrijven om je te zeggen dat ik je op een dag zou willen zien. Zou je me willen ontmoeten?

Je dochter Asha

De openhartige uiting van gevoelens doet haar ineenkrimpen. Ze voelt tranen achter haar ogen branden en de langzame golf emoties die ze al lang niet meer zo heeft gevoeld. Ze haalt het stapeltje brieven eruit en vouwt de volgende open. Als ze ze allemaal heeft gelezen, is haar gezicht nat. Haar ogen rusten op het enig overgebleven voorwerp in het doosje: een dunne zilveren armband. Ze pakt hem op en draait hem rond en rond tussen haar vingers.

Op dat moment wordt er op haar deur geklopt en gaat hij weer open. Asha draait zich om in haar stoel en ziet haar moeder in de deuropening staan. Ze kijkt de kamer rond en neemt het bewijs van Asha's ophanden zijnde vertrek in zich op. Dan rusten haar ogen op Asha's betraande gezicht, en ten slotte op de armband in haar handen. Asha laat de armband in haar schoot vallen en veegt haastig haar tranen weg.

'Wat is er? Kon je niet kloppen, mam?'

'Ik heb geklopt.' Haar moeders ogen zijn vastgenageld aan de armband. 'Wat ben je aan het doen?'

'Pakken. Ik ga over twee dagen weg, weet je nog?' Haar toon is uitdagend.

Haar moeder slaat haar ogen neer en zegt niets.

'Doe maar, zeg het maar, mam. Zeg het gewoon.'

'Wat moet ik zeggen?'

'Waarom loop je te mokken alsof het het ergste is wat je kan overkomen? Het overkomt jou niet.' Asha slaat haar armen met een klap op de armleuningen van de stoel. 'Ik ben niet zwanger, ik hoef niet naar een afkickkliniek, ik ben niet gezakt voor mijn eindexamen of zo, mam. Ik heb een beurs gewonnen, verdorie. Kun je niet blij voor me zijn, of gewoon een beetje trots?' Asha kijkt neer op haar handen en haar toon is ijzig. 'Heb je nooit zoiets als dit willen doen toen je zo oud was als ik?' Ze kijkt haar moeder aan en daagt haar uit antwoord te geven. 'Laat maar. Je hebt me nooit begrepen. Waarom nu dan wel?'

'Asha...' Haar moeder loopt naar haar toe en legt een hand op haar schouder.

Asha rukt zich los. 'Het is waar, mam. En dat weet je. Je hebt mijn hele leven al geprobeerd hoogte van me te krijgen, maar dat is nog steeds niet gelukt.' Asha schudt haar hoofd, staat op en draait zich om naar haar bureau. Als ze de brieven en armband teruglegt in het marmeren doosje hoort ze de deur achter zich dichtgaan.

33

Welkom thuis

Mumbai, India, 2004
Asha

Asha wordt wakker uit een lichte slaap als ze de stem van de piloot hoort. Hij kondigt aan dat ze tien minuten eerder landen, maar dat maakt weinig uit na twaalf uur in de lucht. Het is 2.07 uur in Mumbai volgens haar horloge, dat ze vlak na de stop in Singapore heeft aangepast. Dit laatste deel van de reis leek ondraaglijk lang. Het is meer dan zesentwintig uur geleden, een volle dag, dat ze haar ouders gedag heeft gezegd op San Francisco International Airport, en het was nog erger dan ze zich had voorgesteld. Haar moeder begon te huilen zodra ze op het vliegveld waren. Haar ouders kibbelden, zoals ze de laatste tijd vaak doen, over waar ze moesten parkeren en in welke rij ze moest gaan staan om in te checken. Haar vader hield de hele tijd dat ze over het vliegveld liepen een beschermende arm op haar rug. Toen het tijd was om door de beveiliging te gaan, hield haar moeder haar stevig tegen zich aan en streelde haar haar zoals ze deed toen Asha nog een klein meisje was.

Terwijl ze zich omdraaide om te gaan, drukte haar vader haar een envelop in de hand. 'Het is nu waarschijnlijk waardeloos,' zei hij glimlachend, 'maar jij kunt het beter gebruiken dan ik.' Aan de andere kant van de beveiligingspoort opende ze de envelop en zag dat er tientallen Indiase roepiebiljetten van verschillende waarde in zaten. Ze keek achterom door het web van metaaldetectoren, tafels en mensen en zag haar moeder nog steeds op dezelfde plek staan als waar ze afscheid hadden genomen. Haar moeder glimlachte zwakjes en zwaaide. Asha zwaaide terug en liep weg. Toen ze nog een laatste keer over haar schouder keek, stond haar moeder er nog steeds.

Asha raapt haar spullen bij elkaar in de zestig centimeter grote ruimte die de afgelopen dag haar thuis is geweest. Haar nek doet pijn omdat ze in een verkeerde houding heeft geslapen, en haar benen voelen stijf aan als ze haar rugzak pakt. De batterijen van haar dvd-speler en iPod waren onderweg naar Singapore al leeg. De paperbacks zijn bijna niet aangeraakt; ze kon er de aandacht niet voor opbrengen. Ze heeft de tijd doorgebracht zonder na te denken, nam de maaltijden en films in zich op met gelijke desinteresse. Het enige wat steeds weer uit haar rugzak kwam, was de grote envelop met haar vaders familiefoto's, en de inhoud van haar witmarmeren doosje. Terwijl de uren tijdens de vlucht voorbijgingen en de kilometers de afstand tussen Asha en haar ouders vergrootten, begon ze zich anders te voelen. Nerveus. Verlangend.

De twee jonge jongens die naast haar zitten, bergen hun gameboys op, en hun moeder komt terug van het toilet, waar ze haar trainingspak heeft verwisseld voor een sari en wat nieuwe lippenstift heeft opgedaan. Ze hebben zich voorgesteld als de Doshi's, die teruggaan voor hun jaarlijkse zomerbezoek, nadat ze zes jaar geleden van Mumbai naar Seattle zijn verhuisd 'voor meneer Doshi's werk'. Als het vliegtuig met een kleine bons op de grond komt, klappen en juichen de passagiers. Asha schuifelt met de anderen naar buiten en begint weer te wennen aan het op haar benen staan.

Mumbai International Airport is een complete chaos. Het lijkt erop dat er nog wel tien andere vliegtuigen geland zijn op dit onmogelijke uur, en stromen passagiers van al die vluchten verzamelen zich nu tegelijk bij de immigratiecontroleposten. Onzeker over waar ze moet zijn, volgt Asha de Doshi's naar een rij aan de ene kant van de grote ruimte. Als ze eenmaal in de rij staan, zegt mevrouw Doshi tegen Asha: 'Het was vroeger veel makkelijker, toen we nog in die rij mochten staan. Ze wijst naar een veel kortere rij voor een balie met INDIAN CITIZENS erop. 'Maar vorig jaar moesten we ons Indiase staatsburgerschap opgeven. Meneer Doshi's bedrijf bevorderde hem, en nu moeten we in deze rij wachten. Altijd langer, deze rij.' Mevrouw Doshi zegt dat nuchter, alsof het het meest merkbare effect is van hun beslissing om naar een ander land te verhuizen.

Asha kijkt rond naar de zee van bruine gezichten: sommige lichter, sommige donkerder dan die van haar, maar die variaties zijn onbelangrijk in het licht van het besef dat ze nog nooit te midden van zoveel Indiërs is geweest. Voor het eerst in haar leven hoort ze niet bij de minderheid. Als ze het eind van de rij nadert, grijpt ze onder haar shirt om haar paspoort uit het reiszakje te halen. Haar moeder stond erop dat ze het zou gebruiken. De immigratiebeambte is een jonge man, niet veel ouder dan zijzelf, maar zijn strakke snor en uniform geven hem een autoritaire uitstraling waardoor hij ouder lijkt.

'Reden voor bezoek,' zegt hij met vlakke stem. Het is een vraag die hij zo vaak op een dag stelt dat hij niet langer doet alsof hij nieuwsgierig is.

'Ik ben een student met een beurs.' Asha wacht tot hij naar het visum in haar paspoort kijkt.

'Duur van verblijf?'

'Negen maanden.'

'Wat is dit voor adres dat u hebt opgegeven? Waar verblijft u?' vraagt hij, terwijl hij voor de eerste keer naar haar opkijkt.

'Bij... familie?' zegt Asha. Het voelt raar aan om dat te zeggen. Al is het formeel waar, het zweet staat in haar handen, alsof ze net heeft gelogen tegen de beambte.

'Ik zie dat u hier bent geboren,' zegt hij met iets meer interesse.

Asha denkt aan dat afwijkende deel van haar Amerikaanse paspoort, waar 'Mumbai, India' staat als haar geboorteplaats. 'Ja.'

De beambte slaat zijn stempel neer en laat een dieppaarse, rechthoekige plek achter in haar paspoort. Hij geeft het terug met een glimlach onder zijn snor. 'Welkom thuis, mevrouw.'

Onderweg naar de bagageband is het de geur die haar het eerst begroet. Het ruikt zoutig naar de zee, kruidig als in een Indiaas restaurant, en vies als in de ondergrondse in New York. Asha ontdekt haar bagage tussen de andere reuzenkoffers die ronddraaien op de band. Er staan ook enorme kartonnen dozen op die helemaal met plakband zijn omwikkeld, koelers van piepschuim met stevig vastgebonden deksels, en een erg grote kartonnen doos van koelkastformaat. Meneer Doshi helpt Asha haar twee koffers van de band te tillen, en gebaart naar een schriel mannetje met een tulband. Net als ze zich begint af te vragen waarom meneer Doshi iemand zonder bagagekar heeft geroepen om haar te helpen, hurkt de man met de tulband neer en hijst hij vlot de beide koffers boven op zijn hoofd. Terwijl hij de koffers vasthoudt met aan iedere kant een hand, kijkt hij Asha aan en trekt vragend zijn wenkbrauwen op. Ze begrijpt dat ze voorop moet gaan lopen; hij volgt haar door de menigte met de meer dan 50 kilo op zijn hoofd.

Zodra ze naar buiten stapt, voelt Asha een vlaag hete wind. Ze beseft dat ze net uit een gebouw met airco komt, al leek het binnen niet zo. Metalen hekken houden mensenmassa's tegen, ten minste zes rijen dik, die zich allemaal uitrekken om de schuifdeuren te zien waar ze net door is gekomen. De menigte bestaat voornamelijk uit mannen, die met hun keurige snorretjes en geoliede haar allemaal op de immigratiebeambte lijken, alleen zonder uniform. En al staan ze hoogstwaarschijnlijk op een bepaald iemand te wachten die door die schuifdeuren moet komen, Asha voelt heel wat ogen op zich gericht als ze langsloopt.

Om de paar stappen kijkt ze om naar de man met de tulband, half verwachtend dat haar koffers met een bons op de grond zullen vallen nadat hij zijn nek heeft gebroken. Maar elke keer dat ze kijkt, is hij daar nog steeds, zijn magere gezicht uitdrukkingsloos en onbeweeglijk op een licht kauwende beweging van zijn kaak na. Het komt bij Asha op dat ze de man moet betalen, en ze vraagt zich af of de roepies die haar vader haar heeft gegeven voldoende zullen zijn. Haar vader heeft haar gezegd dat een van zijn broers, haar oom, haar op de luchthaven zal ophalen. Dat leek op dat moment genoeg informatie, maar nu ze de honderden mensen in de vliegveldpromenade ziet staan, vraagt ze zich af of ze elkaar zullen vinden. Ze is bijna aan het eind van de promenade en wil net de foto van haar oom uit haar rugzak halen, als ze iemand haar naam hoort roepen.

'Asha! A-sha!' Er zwaait een jonge man naar haar. Hij heeft golvend zwart haar en draagt een witkatoenen overhemd dat zijn borstharen laat zien. Ze loopt naar hem toe. 'Hoi, Asha! Welkom. Ik ben Nimish. Pankaj bhais zoon,' zegt hij met een grijns. 'Je neef! Kom.' Hij leidt haar weg van de menigte. 'Papa wacht in de auto, iets verderop. Mooi, je hebt een koelie gevonden.' Nimish gebaart naar de man met de tulband om hen te volgen.

'Leuk je te ontmoeten, Nimish,' zegt Asha als ze achter hem aan loopt. 'Bedankt dat je me komt ophalen.'

'Natuurlijk. *Dadima* wilde zelf komen om je te halen, maar we hebben haar gezegd dat het geen goed idee was om deze tijd. Het is dan altijd vreselijk druk met intercontinentale vluchten.' Nimish leidt Asha en de koelie door een doolhof van auto's, allemaal met hun koplampen aan en een chauffeur die uit het raampje hangt. Asha herinnert zich dat haar vader de term dadima gebruikte als hij haar de telefoon aangaf tijdens hun wekelijkse telefoontjes naar India; ze weet dat het 'oma' betekent.

'Daar is papa, kom.' Nimish gaat haar voor naar een ouderwetse grijze sedan met de naam AMBASSADOR in metalen letters op de achterkant. Asha is een beetje geschokt als ze de man ziet die Nimish papa noemt. Oom Pankaj lijkt heel wat ouder en heeft duidelijk minder haar dan op de foto die haar vader haar heeft gegeven. Hij is haar vaders jongere broer, maar lijkt wel tien jaar ouder dan hij.

'Hallo, *dhikri*,' zegt hij, en hij houdt zijn armen wijd open om haar te omhelzen. 'Welkom, ik ben blij je te zien. *Bahot khush*, hè? Hoe was je reis?' Hij houdt haar gezicht tussen zijn handen en lacht breeduit. En als hij zijn armen om haar schouders slaat, is het zo'n bekend gevoel dat ze tegen hem aan leunt. Vanuit haar ooghoek ziet Asha dat Nimish de kofferbak opendoet voor de koelie. Ze denkt weer aan de envelop met roepies, maar voor ze iets kan zeggen, heeft Nimish de man al betaald en gaat hij terug naar de terminal. Onderweg bestookt haar oom haar met vragen.

'Hoe was je reis? Vertel eens, hoe gaat het met je vader? Waarom is hij niet met je meegekomen? Hij heeft ons al heel lang niet meer bezocht.'

179

'Papa,' zegt Nimish, 'genoeg gevraagd. Laat haar even. Ze is hier net, ze is moe.'

Asha glimlacht omdat haar neef haar verdedigt. Ze geeuwt en leunt met haar hoofd tegen het autoraampje. Buiten ziet ze de billboards langs de snelweg staan die overal reclame voor maken, van modeboetieks en Bollywoodfilms tot beleggingsmaatschappijen en mobiele telefoons. Op een bepaald moment verandert het landschap buiten de Ambassador van hoogbouw naar sloppenwijken: vervallen hutjes, kleren aan de lijn, overal afval, loslopende dieren. Asha heeft er tijdens haar voorbereidende onderzoek foto's van gezien, maar die hebben haar geen indicatie gegeven van hoe enorm groot de sloppenwijken zijn. Kilometer na kilometer met hetzelfde deprimerende uitzicht, zelfs beschermd door de duisternis, begint Asha een zwaar gevoel in haar maag te geven. Ze herinnert zich haar moeders bezorgde waarschuwingen over het bezoeken van zulke plekken en vraagt zich, voor het eerst, af of ze gelijk had.

34

Broer en zus

Mumbai, India, 2004
Asha

Op haar eerste ochtend in Mumbai wordt Asha eerder wakker dan ze zou willen door de geluiden van het huishouden dat tot leven komt. Ze trekt haar yogabroek uit het vliegtuig aan en sloft naar de woonkamer, waar ze de nacht daarvoor even is geweest. Een oude vrouw in een frisgroene sari zit aan tafel thee te drinken.

'Goedemorgen,' zegt Asha.

'Ah, Asha, beti! Goedemorgen.' De oude vrouw staat op om haar te begroeten. 'Kijk nou eens,' zegt ze, en ze pakt Asha's handen in die van haar. 'Ik herken je nauwelijks, je bent zo gegroeid. Weet je wie ik ben, beti? Je vaders moeder. Je oma. Dadima.'

Dadima is langer dan ze had verwacht, en een onberispelijke verschijning. Haar gezicht is zacht en gerimpeld, en haar grijze haar zit in een grote knot in haar nek. Ze draagt een paar dunne gouden armbanden aan elke pols, die rinkelen als ze beweegt. Asha weet niet goed hoe ze haar moet begroeten, maar voordat ze erover na kan denken, trekt dadima haar in haar armen. Haar omhelzing is warm en geruststellend en duurt een paar seconden.

'Kom, ga zitten, neem wat thee. Wat wil je hebben als ontbijt?' Dadima leidt Asha aan haar arm naar de tafel.

Asha vindt het schaaltje verse mangostukjes dat voor haar staat heerlijk. Ze heeft het gevoel dat ze al dagen niets anders dan vliegtuigeten heeft gehad. Als ze van haar hete, zoete thee nipt, praten ze. Het verbaast haar hoe goed dadima's Engels is, al vervalt ze af en toe in het Gujarati.

'Dadaji, je opa, is nu in het ziekenhuis, maar voor de lunch komt hij naar huis. O, beti, de hele familie wil je zo graag zien. Ik heb iedereen komende zaterdag uitgenodigd voor de lunch. Ik wilde je een paar dagen geven om te wennen en over de jetlag heen te komen en zo.'

'Dat klinkt prima. Ze verwachten me bij het kantoor van The Times pas op maandagmorgen,' zegt Asha. Alleen al die woorden bezorgen haar een gevoel van opwinding: het idee om bij een bekende, internationale krant te werken. Na het ontbijt haalt Asha de envelop met foto's van haar vader en vraagt dadima om haar te helpen iedereen een naam te geven. Dadima bekijkt de foto's en lacht af en toe om hun gedateerdheid. 'O, je nichtje Jeevan is allang niet meer zo mager, al denkt ze zelf dat ze er nog net zo uitziet.'

Dadima laat Asha zien hoe de primitieve douche werkt, waarbij ze eerst de heetwatertank tien minuten aan moet zetten. Douchen kost meer moeite dan Asha gewend is, met de lage waterdruk en de steeds veranderende temperatuur. Als ze eindelijk is aangekleed, is ze uitgeput en valt ze op bed in slaap. Ze slaapt dwars door dadaji's terugkeer voor de lunch heen. Als ze ten slotte haar opa ontmoet, is ze verbaasd dat hij zo rustig is. Ze had iemand als haar eigen vader verwacht, ambitieus en assertief. Haar oma blijkt de sterke persoonlijkheid te zijn; ze vertelt verhalen, lacht en beveelt de bedienden met een knip van haar vingers. Dadaji zit aan het hoofd van de tafel rustig te eten. Als hij glimlacht om een verhaal van zijn vrouw verschijnen er rimpeltjes bij zijn ooghoeken en knikt hij met zijn zilveren hoofd.

Asha probeert de eerste paar dagen in Mumbai te acclimatiseren. Door de jetlag voelt ze zich alsof ze in een mist loopt. Midden op de dag wordt ze opeens slaperig. Het weer is verstikkend, heet en benauwd, waardoor ze de meeste tijd binnenblijft. Als ze naar buiten gaat om dadima ergens naartoe te vergezellen, is ze altijd geschokt door het vuil en de armoede die ze op straat ziet, meteen al buiten de hekken van hun gebouw. Ze houdt haar adem in als ze langs erg vieze plekken komen en probeert de bedelende kinderen die hen volgen niet te zien.

Elke keer als ze weer thuiskomen, gaat ze meteen voor de airco in haar kamer staan tot haar lichaamstemperatuur weer normaal is geworden. Dan is er het Indiase eten dat drie keer per dag wordt opgediend, dat veel heter gekruid is dan ze gewend is, en waar haar maag ook aan moet wennen. Ze voelt zich nog niet op haar gemak, en elk aspect van haar omgeving – het brood dat in kleine vierkantjes wordt ingepakt, de krant die de kleur heeft van bleek-roze nagellak – herinnert haar eraan hoe ver ze van huis is. Ze denkt erover of ze naar huis zal bellen voor wat troost, maar haar trots houdt haar tegen.

Eindelijk is het zaterdag, de dag van de grote familielunch. Asha draagt een blauwlinnen zonnejurk en doet wat rouge en mascara op. Het is de eerste keer dat ze make-up opheeft sinds ze Califor-nia heeft verlaten. In de hitte hier voelt het aan alsof het zo van haar gezicht zal smelten, maar ze wil er leuk uitzien. Dadima is de hele morgen al druk in de weer en geeft de bedienden aanwijzin-gen voor de voorbereidingen.

Als de mensen beginnen te arriveren, lijkt het wel of de stroom nooit meer ophoudt. Familieleden van alle leeftijden begroeten Asha, ze lachen breeduit en dragen mooie sari's. Ze noemen haar naam, omhelzen haar, houden haar gezicht in hun handen. Ze maken opmerkingen over hoe lang ze is, over haar mooie ogen. Sommigen zien er vaag bekend uit, de meesten niet. Ze stellen zichzelf voor op een snelle, omslachtige manier, zoals: 'Je vaders oom en mijn oom waren broers. We speelden vroeger cricket ach-ter het oude huis.'

Asha probeert hun namen te onthouden en hun gezichten te vergelijken met de foto's, maar al snel realiseert ze zich dat dat onmogelijk en onnodig is. Er zijn op zijn minst dertig mensen en hoewel ze hen voor het eerst ontmoet, behandelen ze haar alsof ze haar al jaren kennen.

Als de eerste drukte van de ontmoeting voorbij is, gaat iedereen naar de buffettafel. Nadat ze een bord eten heeft gehaald, ziet Asha enkele jongere vrouwen bij elkaar zitten die zich eerder als nichtjes of zo hebben voorgesteld. Priya, een twintiger met kastanjebruine punten in haar haar en grote gouden oorringen, wenkt Asha om erbij te komen zitten. 'Kom, Asha, kom bij ons zitten,' zegt ze met een brede glimlach, en ze schuift opzij om plaats te maken. 'Laat de ooms en tantes maar bij hun roddels.'

Asha gaat zitten. 'Bedankt.'

'Heb je iedereen ontmoet?' vraagt Priya. 'Dit is Bindu, Meetu, Pushpa, en dit is Jeevan. Ze is ons oudste nichtje, dus we moeten haar met respect behandelen.' Priya knipoogt naar de groep. Asha herinnert zich dadima's opmerking over Jeevans omvang en glimlacht.

'Maak je maar geen zorgen, je hoeft niet alle namen te onthouden. Dat is het mooie van een Indiase familie, je noemt iedereen gewoon oom of tante, bhai of ben.' Priya lacht hartelijk.

'Oké, ik begrijp oom en tante, maar wat betekenen die andere woorden?' vraagt Asha.

'Bhai en ben?' zegt Priya. 'Broer en zus. Dat zijn we allemaal.' Priya knipoogt weer.

Asha kijkt naar de tientallen mensen die lachen, praten, eten, en allemaal voor haar zijn gekomen. Deze familieleden van haar vader, die elkaar hun hele leven al kennen, zijn opgegroeid in deze stad, in dit gebouw. Deze warme, bubbelende rivier van mensen die haar met middelpuntzoekende kracht naar binnen trekt en zich er niet druk om lijkt te maken dat ze hun geschiedenis en hun bloed niet deelt. Ze glimlacht en neemt het eerste hapje van het voedsel dat ter ere van haar is klaargemaakt. Het is heerlijk.

35

The Times of India

Mumbai, India, 2004
Asha

Asha trekt de deur aan zijn koperen handvat open en voelt een golf koele lucht die haar begroet. Binnen klikken haar hakken op marmer als ze naar de lift loopt. In het midden van de muur bevindt zich een grote plaquette met de inscriptie: THE TIMES OF INDIA, ESTABLISHED 1893.

'Lift, mevrouw?' De liftbediende draagt een tweedelig grijs pak van polyester.

'Ja, de zesde verdieping, alstublieft.' Asha is niet langer verbaasd als iemand haar in het Engels aanspreekt. Haar nichtjes hebben haar uitgelegd dat Indiërs haar onmiddellijk als een buitenlandse kunnen herkennen, door haar westerse kledingstijl en schouderlange haar. Zelfs het feit dat ze oogcontact met mensen maakt, verraadt haar. Ondanks dat geniet ze ervan op straat tussen mensen te lopen die er net zo uitzien als zij. Asha staat in de lift met twee andere mensen en de liftbediende. De ruimte tussen hen in is maar een paar centimeter, en die is doordrenkt van de geur van oud zweet. Deze lift, net als de meeste die ze heeft meegemaakt, is niet voorzien van airco en heeft alleen een zwakke ventilator om de vieze lucht in beweging te brengen.

Bij de receptie op de zesde verdieping vraagt Asha naar meneer Neil Kothari, haar contactpersoon bij de krant. Ze gaat zitten en pakt net *The Times* van deze ochtend, als meneer Kothari verschijnt. Het is een lange, slungelige man van ongeveer haar vaders leeftijd, met zijn stropdas losgemaakt en zijn haar in de war. Ze slaat zijn aanbod van een kop thee af en volgt hem naar zijn kantoor. Ze lopen door het kantoor van *The Times*, een grote open ruimte vol bureaus met computers. Het is er lawaaierig met rinkelende telefoons, ratelende printers en overal stemmen. Ze kan de energie voelen kloppen, de grootste nieuwskamer die ze ooit heeft gezien, vol bruine gezichten.

'Ik denk dat ik de laatste ben die nog een typemachine in zijn kantoor heeft staan,' zegt meneer Kothari. 'Natuurlijk gebruik ik hem niet veel meer, maar ik wil hem toch niet kwijt.' Aan de randen van de open ruimte zijn verschillende kantoren met afgesloten glazen muren. Meneer Kothari loopt een daarvan binnen. Op de houten deur hangt een naamplaatje met HOOFDREDACTEUR erop. 'Ga zitten,' zegt hij, en hij gebaart naar de stoelen. 'Weet je zeker dat je geen chai... thee wilt?'

'Nee, dank u.' Asha slaat haar benen over elkaar en pakt haar notitieblok.

'Nai,' zegt hij tegen iemand achter haar. Asha draait zich om en ziet dat er een kleine man met donkere huid stilletjes in de deuropening is verschenen. Zijn teennagels, dik en geel, steken raar boven zijn versleten sandalen uit. Hij knikt nauwelijks waarneembaar naar meneer Kothari en gaat net zo zachtjes weg als hij is gekomen, zonder ook maar één keer naar Asha te kijken. 'Mooi, je bent hier dus, helemaal uit Amerika. Welkom in Mumbai. Hoe vind je het hier?' vraagt meneer Kothari haar.

'Prima, dank u. Ik vind het geweldig om hier te zijn, om voor mijn project samen te werken met zo'n grote krant,' zegt Asha.

'En wij zijn vereerd om zo'n talentvolle jonge vrouw bij ons te hebben. Ik zal je voorstellen aan Meena Devi, een van onze beste veldverslaggevers. Onbevreesd is ze, soms iets te. Ze zal een prima mentor voor je zijn.' Meneer Kothari drukt op een knop op zijn telefoon en meteen verschijnt er een jonge vrouw bij de deur. 'Wil je Meena hiernaartoe roepen?' Een paar minuten later verschijnt er een andere vrouw in de deuropening, maar in plaats van buiten te wachten als de anderen stormt ze naar binnen en gaat zitten.

'Achha, wat is er zo belangrijk, Neil, dat ik net nu moet komen?

186

Ik heb een deadline, weet je nog?' Ze is een kleine vrouw, niet veel groter dan 1,50 meter, maar haar aanwezigheid verandert de rust in het kantoor van meneer Kothari in spanning.

'Meena, dit is Asha Thakkar, de jongedame uit Amerika, die hier is om...'

'Ja, natuurlijk!' Meena springt uit haar stoel om Asha's hand te schudden.

'Je weet misschien nog,' gaat meneer Kothari verder, 'dat ze een project gaat doen over kinderen die opgroeien in de sloppenwijken. We hebben een bureau voor haar neergezet bij jouw kantoor. Het is jouw taak om goed voor haar te zorgen. Laat haar het echte Mumbai zien. Maar zorg ervoor dat het veilig blijft,' voegt hij er snel aan toe.

'Kom mee, Asha.' Meena staat op. 'Ik moet mijn verhaal afmaken en dan gaan we lunchen. Om het echte Mumbai te zien,' zegt ze met een blik over haar schouder naar meneer Kothari als ze weggaan.

Asha brengt de volgende uren door met het lezen van een stapel krantenknipsels die zich op haar bureau bevindt, samen met wat kantoorspullen en een ouderwetse computer. Terwijl ze door een map bladert met eerdere diepteartikelen die The Times heeft gepubliceerd, zit Meena druk te typen in haar kantoor. Asha leest een verhaal over de opkomst van de informatie-industrie, en een ander over de efficiency van het koerierssysteem voor lunchblikken van de stad. Ze begint net te geloven dat Mumbai binnenkort een van de moderne, industriële wereldsteden zal zijn, als ze een hoofdartikel tegenkomt over het verbranden van bruiden.

Vol ongeloof leest ze over jonge bruiden die worden overgoten met benzine en levend worden verbrand als hun bruidsschat niet voldoet. Ze gaat naar een ander artikel over een lid van de kaste van de onaanraakbaren dat expres zijn eigen kinderen invalide heeft gemaakt om sympathie op te wekken en zo hun inkomsten van het bedelen te vergroten. Het volgende hoofdartikel gaat over het enorme succes van Lakshmi Mittal, de mondiale staalindustriegigant. Het daaropvolgende gaat over het nieuwste politieke schandaal, aanklachten van corruptie en omkoperij tegen verschillende regeringsministers. Het laatste artikel in deze map gaat over de Gujarat-rellen in 2002 tussen hindoes en moslims, waarbij duizenden mensen de dood vonden. Nadat ze gelezen heeft over buren die elkaars huis in brand staken en elkaar op straat neersteken, sluit Asha de map, en dan haar ogen. Ze vraagt zich af of een steekproef van artikelen uit *The New York Times* hetzelfde intensieve gevoel van beurtelings schaamte en trots in haar zou oproepen.

'Ben bijna klaar. Trek?' roept Meena vanuit haar kantoor.

'Je kunt daar de beste pau-bhaji eten van heel Mumbai,' zegt Meena boven het lawaai van de trein uit. 'Als ik er niet meer dan tien minuten vandaan ben, moet ik ernaartoe, of het nu etenstijd is of niet.' Asha weet niet wat pau-bhaji is, en of ze het lekker zal vinden, maar Meena schijnt zich daar niet druk over te maken. Als ze de lawaaierige trein uit zijn, kunnen ze weer een normaal gesprek voeren. 'En, wat vond je van de artikelen die je gelezen hebt?' vraagt Meena.

'Goed. Ik bedoel, de kwaliteit van schrijven en rapportage is natuurlijk uitstekend,' zegt Asha.

Meena lacht. 'Ik bedoelde de onderwerpen. Wat vind je van ons geweldige land? Het is een vijfsterrenstapel van tegenstellingen, vind je ook niet? Ik heb die artikelen voor je uitgezocht omdat ze de extremen van India weergeven, de goede en de slechte. Sommige mensen willen India omlaaghalen om zijn zwakke punten, andere alleen zijn sterke ophemelen. De waarheid, zoals altijd, ligt ergens in het midden.'

Asha kan Meena moeilijk bijhouden als ze zich een weg baant over het trottoir, zich tussen al die levende wezens door wurmt: mannen die achteloos op de grond spugen, broodmagere honden zonder eigenaar, kinderen die bedelen om kleingeld. En hoe gevaarlijk het ook is op de trottoirs, de wegen lijken nog veel erger: auto's bewegen zich in en uit rijbanen en besteden nauwelijks aandacht aan de verkeerstekens, dubbeldekkers razen gevaarlijk dicht langs de onverschillige koeien en geiten. 'Er wonen één miljard mensen in India,' zegt Meena, 'en bijna negentig procent van hen woont buiten de grote steden, dus in kleine steden en dorpjes.

Mumbai – zelfs het echte Mumbai, zoals Neil het noemt – is maar een heel klein deel van het land. Maar het is een machtig deel. Deze plek trekt mensen aan als een magneet. Het heeft het beste en slechtste van alles wat India te bieden heeft. Ah, we zijn er.' Meena loopt naar een straatstalletje. '*Doh* pau-bhaji, sahib. Ek extra mild.' Ze draait zich om en lacht naar Asha.

'Dit? Dit is waar we lunchen?' Asha kijkt ongelovig naar het stalletje en dan naar Meena. 'Ik... ik denk niet dat ik dit moet doen. Ik mag geen straatvoedsel eten...'

'Rustig maar, Asha, het is geen probleem. Alles wat niet gedood wordt door de hitte wordt wel door de kruiden gedood. Kom op, je bent nu in India, je moet het echte leven meemaken. Wacht maar tot je dit proeft!' Meena geeft Asha een rechthoekig papieren bord, gevuld met een roodbruine stoofpot met rauwe uiensnippers en een partje citroen erbovenop, en daarnaast twee glanzend witte broodjes. Ze gaan aan de zijkant van de stoep staan als er zich een rij voor het stalletje vormt. Asha doet Meena na, die een stuk van het broodje afscheurt en het in de stoofpot doopt. Ze neemt haar eerste, voorzichtige hapje. Het is lekker. En erg heet gekruid. Ze kijkt koortsachtig om zich heen naar iets te drinken en herinnert zich haar moeders waarschuwingen voor de gevaren van water dat niet uit een fles komt.

'Hoe vind je het? Ik heb voor jou om mild gekruid gevraagd.' Meena lacht. 'Toeristenversie.'

'Het is... nogal heet gekruid. Wat zit erin?'

'Overgebleven groenten vermengd met andere groenten. Het is ontstaan als een snel maaltje voor fabrieksarbeiders. Nu is het een van de gewoonste gerechten die je bij een straatstalletje in Mumbai kunt kopen, maar op geen twee plekken maken ze het hetzelfde. En op geen andere plek in Mumbai' – Meena likt haar vingers af – 'maken ze het zoals hier.' Nadat ze hebben gegeten, zegt Meena: 'Kom op, laten we een wandelingetje maken. Ik wil je iets laten zien.' Asha volgt haar, na de lunch onzeker of ze Meena wel moet vertrouwen. Na een of twee blokken staan ze voor een enorme sloppenwijk.

'Nou, daar zijn we dan. Dit is Dharavi,' zegt Meena, en ze maakt een dramatisch gebaar met haar arm. 'De grootste sloppenwijk in Mumbai, de grootste in India en misschien wel in heel Azië. Een dubieuze eer, maar het is zo.'

Asha kijkt rond, langzaam. Huizen – als je ze zo kunt noemen – half zo groot als haar slaapkamer, tegen elkaar aan geplakt. Mensen die uit de voordeuren komen: een oude, tandeloze man, een vermoeid uitziende vrouw met vlassig haar, kleine kinderen haast zonder kleren. En in alle ruimten ertussen: vuil, rottend voedsel, menselijke uitwerpselen, stapels afval hoger dan zijzelf. De stank is overweldigend. Ze bedekt haar neus, probeert het discreet te doen. En dan ziet Asha iets wat ze nauwelijks kan geloven: recht voor haar, op de stoep, staat een geïmproviseerde hindoetempel. Een beeld van een godin met een roze sari en een kleine bloemenkrans staat tegen een iele boomstam. De godin heeft een vredige glimlach op haar geschilderde gezicht, en er liggen bloemblaadjes en rijstkorrels aan haar voeten gestrooid. Hij lijkt zo weinig op zijn plaats tussen alle ellende, deze kleine goddelijke nis, maar niemand anders schijnt dat te vinden. Inderdaad, een vijfsterrenstapel van tegenstellingen.

'Er wonen hier meer dan een miljoen mensen,' zegt Meena, 'op maar twee vierkante kilometer. Mannen, vrouwen, kinderen, vee. Fabriekjes die van alles produceren, van textiel tot potloden tot sieraden. Veel van wat volgens de labels "Made in India" is, is hier in Dharavi gemaakt.'

'Waar zijn die fabriekjes dan?' Asha kijkt weer naar de kleine hutjes en kookvuren, en probeert zich een fabriek vol machines voor te stellen.

'Huizen op dit niveau, fabrieken daarboven. Het meeste wordt met de hand gemaakt, of met primitieve gereedschappen,' zegt Meena. 'Weet je nog wat ik zei over de extremen van India? Nou, hier vind je het allemaal: het goede en het slechte, naast elkaar. Aan de ene kant,' zegt ze als ze langs de sloppenwijk lopen, 'armoede, vuil, criminaliteit, de slechtste aspecten van menselijk gedrag. Aan de andere kant zie je hier de meest verbazingwekkende vindingrijkheid. Mensen maken dingen letterlijk uit niets. Jij en ik zullen in één jaar meer verdienen dan zij in hun hele leven, en toch

vinden ze een manier om te overleven. Ze hebben hier een hele gemeenschap gevormd: bendeleiders, geldschieters natuurlijk, maar
ook genezers, leraren, geestelijken. Dus je ziet, Asha, er zijn twee
India's. Er is de wereld die je bij de familie van je vader ziet, met
ruime flats, bedienden en buitensporige trouwerijen. En dan heb
je nog dit India. Het is een goede plek om met je onderzoek te
beginnen.'

36

In Gods handen

Mumbai, India, 2004
Kavita

'Komt Vijay naar de tempel?' roept Jasu vanaf het balkon, waar hij zijn schoenen zit te poetsen.

Kavita wacht even met antwoorden. De kleine balletjes deeg sissen als ze ze voorzichtig in de gietijzeren pot laat vallen. Als de borrelende olie weer tot rust komt tot een veilig niveau draait ze haar hoofd om naar de deur en zegt: 'Ik weet het niet. Dat heeft hij niet gezegd.'

'Dan hoeven we dus niet op hem te wachten.' Jasu's opmerking kan net zo goed slaan op de afgelopen drie maanden als op het uitje van vandaag. Na het incident met de politie hebben ze geprobeerd met Vijay te praten. Hij hield vol dat ze alleen maar achter hem aan zaten omdat hij weigerde steekpenningen te betalen voor zijn koeriersbedrijf. Sindsdien heeft hij zich teruggetrokken en brengt hij de meeste tijd door met Pulin en anderen.

Kavita haalt de laatste van de gefrituurde deegballetjes uit de pot en legt ze bij de andere op een met papier belegd blad. Ze veegt haar handen af aan de theedoek die ze in haar sari heeft gestopt. 'Ik kan deze in de siroop leggen als we terug zijn. Ik ga me omkleden.' Ze heeft besloten *gulab jamun* te maken voor Diwali, al is het nogal veel moeite voor hun drietjes. Zij en Jasu voelen zich extra emotioneel over Diwali dit jaar; ze wilden voor een bezoek teruggaan naar Dahanu, maar Jasu kon geen vrij krijgen van zijn werk. Ze dacht dat dit extra aandenken aan thuis hen zou helpen, en ze kan er ook iets van meenemen naar Bhaya's lunch vanmiddag. Ze haast zich naar de slaapkamer om een andere sari aan te trekken. Ze proberen bij de tempel te zijn voor het druk wordt. Het is de drukste tijd van het jaar bij de Mahalaxmi Tempel en anders dan sahib en memsahib, die haar en Bhaya een zeldzame vrije dag hebben gegeven, hebben ze geen chauffeur die hen bij de ingang afzet.

'Kavita ben, je had niet zoveel moeite hoeven doen!' zegt Bhaya als ze de deur opendoet en haar ziet staan met de grote schaal gulab jamun. 'Maar natuurlijk zullen we graag proeven van de vruchten van je harde werk. Kom binnen!' Bhaya glimlacht en gaat hun voor naar binnen. Kavita is verbaasd hoe klein de ruimte voelt, deze twee kamers die bijna identiek zijn aan hun oude chawl-appartement. Het is er vol met oude buren en Bhaya's familie. Iedereen begroet hen warm.

'Jasu, bhai, je hebt een buikje gekregen, hè? Wat geeft je vrouw je daar in dat luxe Sion te eten?' grinnikt Bhaya's man.

'Wat een mooie sari,' zegt een van de buren tegen Kavita, de diepe, bordeauxrode glans bewonderend.

'Dank je.' Kavita kijkt weg, niet op haar gemak bij die aandacht. Gelukkig zitten ze al snel met volle borden eten op schoot. Ze praten over het weer (slecht), de kwaliteit van de tomaten dit jaar (goed) en de prijs van brood (hoog). Ze praten over hun kinderen en kleinkinderen, hun schoolprestaties en hun avonturen op het cricketveld. Onvermijdelijk gaat de discussie op een gegeven moment over de nieuwste hindifilms.

'Heb je *Dhoom* gezien, Jasu bhai? Je moet hem zien.'

'Geweldige film,' zegt een ander knikkend.

'Hahn, we hebben hem vorige week gezien,' zegt Bhaya's man. 'Hij is prachtig. Eersteklas film. Niet die standaard Bollywood-nonsens. Hij gaat over die bende criminelen die op motoren rond-rijdt. Niet de scooters die je overal ziet, maar echt snelle motoren. Ze rijden door heel Mumbai, beroven huizen en richten onheil aan. Maar de politie kan hen niet pakken, omdat ze steeds zo snel wegrijden. Elke keer!' Hij slaat zijn handen op zijn dijen en laat zich achterovervallen.

'Abhishek Bachchan is zo slim en knap, nai?' zegt Bhaya tegen haar zus.

'Hahn, maar ik vind John Abraham leuker, zo ondeugend!' Ze barsten uit in een meisjesachtig gelach dat hun gezamenlijke eeuw van leven tegenspreekt.

'Over benden gesproken,' zegt Bhaya's man, 'hebben jullie gehoord dat Chandi Bajans criminelen weer bij elkaar zijn? Hahn! Hij heeft een heel nieuwe ploeg die hier in Mumbai voor hem werkt, weet je. Verkopen drugs. Heel grote drugshandel. Heroïne, zeggen ze.' Hij trekt een wenkbrauw op en knikt wijs, als een van de weinigen in de kamer die de krant kan lezen.

Kavita neemt een hap van de groente-*biryani* en kijkt naar Jasu om zijn reactie te zien, maar hij heeft een nietszeggende uitdrukking op zijn gezicht. Ze besluit zich in het gesprek te mengen.

'Waar opereren ze? Die bende. Welk deel van Mumbai?' Ze probeert het zo achteloos mogelijk te zeggen.

'Overal. Zelfs hier, in onze eigen buurt. Ken je die jongen nog waar Vijay en Chetan op school mee omgingen? Patel... eh, Pulin Patel? Ze wonen op M.G. Road, twee blokken verderop? Ik heb gehoord dat hij in die bende zit. De politie houdt hem in de gaten.' Bhaya's man schudt zijn hoofd en stopt een grote hap rijst in zijn mond.

Kavita krijgt een rauw gevoel in haar borst, alsof een vreselijke waarheid zich van binnenuit naar buiten probeert te werken. Ze probeert zich op het eten te richten, maar het smaakt naar niets. Het gesprek gaat nu over het laatste regeringsschandaal, komt dan weer terug op films. Ten slotte verzamelen de vrouwen zich bij de keuken en prijzen Bhaya's eten, terwijl de mannen in de kamer achterblijven.

'Kavita, wanneer ga je een vrouw voor Vijay zoeken? Hij is bijna twintig, toch?' zegt Bhaya.

'Hahn, weet ik.' Kavita is opgelucht om over gewonere dingen te praten die haar zoon aangaan. 'Ik denk ook dat het tijd is, maar hij lijkt nog geen interesse te hebben. "Te jong, te jong, mama," zegt hij.' Ze schudt haar hoofd en glimlacht voor wat voelt als de eerste keer sinds ze er zijn.

'Wacht niet te lang, ben. Het wordt steeds moeilijker met zoveel jongens en te weinig meisjes.' Bhaya fluistert samenzweerderig: 'Sommige families betalen er zelfs voor om een bruid uit het buitenland te halen, Bangladesh en zo.'

Kavita's glimlach zakt weg als het rauwe gevoel in haar borst weer terugkomt. *Zoveel jongens. Te weinig meisjes.* Het rauwe gevoel verlaat haar lichaam en omgeeft haar. Ze ruikt de aardelucht van de moessontijd, al is het november. Ze voelt het zware rommelen van de donder, al is de lucht buiten helder. Ze sluit haar ogen, wetend dat ze vervolgens de hoge kreet zal horen die als een echo in haar oren zal klinken. Als ze haar ogen weer opendoet, lachen Bhaya en haar zus, ze plagen hun mannen, die de keuken binnenkomen op zoek naar zoetigheden.

De rest van de middag gaat in een waas voorbij. Kavita proeft niet eens de heerlijke zoetheid van de gulab jamun die iemand haar serveert, het dessert waar ze de hele ochtend aan gewerkt heeft. Ze heeft het gevoel dat ze buiten op het balkon staat en haar vrienden door het raam bekijkt. Ze wil wanhopig graag naar huis rennen. Maar diep vanbinnen, in die rauwe plek, weet ze dat ze nergens naartoe kan rennen waar ze zich beter zal voelen. Zelfs Jasu kan niets doen om dat gevoel weg te laten gaan.

Als iedereen begint op te breken, zeggen Jasu en Kavita hun vrienden gedag. Ze lopen een poosje in stilte. 'Jasu? Denk je dat het waar is wat de politie zei? Denk je dat Vijay bij die bende van Chandi Bajan zit?' zegt Kavita.

Het duurt te lang voor hij antwoordt, en als hij dat doet geeft hij een onbevredigend antwoord. 'We hebben ons best gedaan, Kavi. Het is nu in Gods handen.'

Thuis steekt Kavita de diya's aan en zet ze in de vensterbanken. Als kind was ze gek op Diwali om het snoep en de voetzoekers. Pas later, als volwassene, begreep ze de betekenis van het feest, de herdenking van de slag van prins Rama, het vieren van de overwinning van het goede op het slechte. Ze stapt het balkon op en ziet de duizenden kleine lichtjes die in de vensterbanken van de huizen door heel Mumbai staan. Ze denkt over wat Jasu zei over

Gods handen en vraagt zich af of ze Vijay deze avond vasthouden. *Wat had ik meer voor hem kunnen doen? Hoe had ik hem af kunnen houden van dit lot?*

In de verte ziet ze de eerste heldere lichtflits net voor het geluid van het vuurwerk. Ze kijkt een poosje toe, zo diep in gedachten dat ze nauwelijks worden onderbroken door de luide knallen die de lucht doorklieven. Ze hoort ook niet het geluid van het open- en dichtgaan van de voordeur. Pas als ze water hoort lopen in de keuken schrikt ze op. Ze draait zich om en ziet Vijay gebogen over het aanrecht staan. 'Vijay?' Ze loopt naar hem toe, stopt dan en houdt haar adem in als ze het bloed ziet dat van zijn schouder druppelt. Ze rent naar hem toe. 'Arre! Wat is er gebeurd, beta?'

'Het is oké, ma. Het is geen diepe snee,' zegt hij.

Ze staat erop dat hij zijn overhemd uitdoet en aan tafel gaat zitten, terwijl zij een bak met warm water vult en verband haalt. 'Beta, wat hebben ze met je gedaan? Ik wist dat het een kwestie van tijd was voordat er zoiets zou gebeuren. Ze zijn niets waard, die jongens met wie je omgaat... Pulin en de anderen. Ze zijn gevaarlijk, Vijay. Kijk maar wat ze je aangedaan hebben!' Ze drukt een doek stevig tegen zijn schouder totdat het bloeden ophoudt, en begint de wond dan met water schoon te maken. 'Alsjeblieft, beta, ik smeek je. Ga niet meer met ze om.'

'Ma, zij hebben me niets gedaan,' zegt Vijay met een uitdagende hoofdbeweging. 'Ze hebben me geholpen. Mijn broers passen op me, verdedigen me.' Kavita trekt een gezicht bij het woord broers, echt of denkbeeldig. Ze bijt op haar onderlip om de tranen die willen komen terug te dringen. De telefoon gaat. *Iemand die ons gelukkig Diwali wil wensen?* 'We zorgen voor elkaar, ma. Wie anders kun je vertrouwen, hè? De politie? Niemand helpt iemand anders dan zichzelf, ma.'

De telefoon stopt met rinkelen, en het vuurwerk buiten gaat verder. Jasu komt binnen. 'Kavita...' zegt hij zachtjes.

Jasu gebruikt haar volledige naam nooit. Ze kijkt op.

Hij lijkt niet van streek bij het zien van zijn zoon, zonder overhemd en bebloed. Hij kijkt haar recht aan. 'Het is je moeder.'

37

Een echte Indiase schoonheid

Mumbai, India, 2004
Asha

'Asha, beti,' zegt haar oma aan de ontbijttafel. 'We gaan dit weekend naar een grote bruiloft. Het meisje van Rajaj gaat trouwen. Heb je over de familie Rajaj gehoord? Ze maken bijna elke autoriksja en scooter in heel India. In elk geval, het zal leuk worden, en ik heb Priya gevraagd om je vanmiddag mee te nemen naar Kala Niketan om iets uit te kiezen wat je kunt dragen. Een mooie salwar khameez of misschien een *lengha*?'

'O, dat hoeft niet,' zegt Asha, 'ik wil me niet opdringen, want ik ken ze helemaal niet. Gaan jullie maar. Ik vind het niet erg om thuis te blijven.'

'Opdringen? Onzin!' zegt dadima. 'De hele familie is uitgenodigd en jij bent familie, toch? Of we nou met twaalf mensen komen of met dertig, dat maakt niets uit. Er zullen duizenden gasten zijn. Trouwens, ik wil dat je zoiets meemaakt. Een echte Mumbaise bruiloft. Heel bijzonder. Dus zoek iets moois uit, achha? Iets... kleurigs,' zegt ze met een blik op Asha's geelbruine vrijetijdsbroek en grijze T-shirt. 'Priya komt je na de lunch halen.'

'Oké, dadima.' Na een paar weken heeft Asha al geleerd wanneer ze haar oma niet moet tegenspreken. Ze is een ontzagwekkende vrouw en straalt kracht uit in alles wat ze doet, toch is ze heel zachtaardig tegenover Asha. Ze ziet haar vader nu met heel andere ogen, als de jongen die is opgevoed en gevormd door deze vrouw. Ze kan zelfs echo's van haar vader zien in dadima's glimlach. Ze hoopt echt dat haar ouders haar komen bezoeken, al heeft haar vader daar niets over gezegd tijdens hun laatste telefoongesprek. Haar moeder zei pas aan het eind iets, ze vroeg of Asha haar malariapil wel elke week nam.

'Hallo, Asha? Waar ben je?' roept Priya als ze door de hoofdgang van de flat loopt. Ze stopt bij de deur van Asha's kamer. Ze is gekleed in een mouwloze chiffonnen salwar khameez in de kleur van mangoijs en heeft een zonnebril in haar hand. Haar zwarte haar hangt dik en recht op haar schouders, de hennatint glanst roodachtig in het zonlicht. 'O, daar ben je! Klaar?' Priya glimlacht vol vertrouwen en steekt haar arm door die van Asha. 'We zullen iets prachtigs voor je vinden voor de bruiloft. Strikte instructies van dadima.'

Als ze een halfuur later de sariwinkel binnenstappen, is Asha dankbaar dat ze Priya bij zich heeft. Toen haar nichtje de chauffeur wegstuurde met instructies om over twee uur terug te komen, was Asha verbijsterd, maar nu ziet ze waarom dit wel wat tijd zal kosten. Alle muren van de winkel zijn van vloer tot plafond bedekt met planken met duizenden sari's in elke kleur en stof die maar mogelijk is, een regenboogsprookjesland. Hoewel de winkel alleen vrouwenkleding verkoopt, werken er alleen mannen. Een van hen spreekt Priya aan, hij heeft meteen door wie de leiding heeft over deze expeditie. Hij wijst naar rollen stof in felle kleuren die op de planken liggen en praat als een veilingmeester zonder pauzes, tot Priya haar hand opheft om hem tot zwijgen te brengen. Dan, na een paar beknopte aanwijzingen, begint ze haar weg te zoeken door het overweldigende aanbod.

'*Kanjeevaram bathau! Nai, chiffon nai. Tissue silk layavo!* Pistachegroen, pastelkleuren?' Terwijl Priya haar bevelen snel achter elkaar geeft, vouwt de man achter de toonbank stapels zijde voor hen uit, wijzend op de fijn afgewerkte zomen die geborduurd zijn met goud- of zilverdraad in gedetailleerde patronen van paisley en pauwen. Asha ziet elke sari maar een paar seconden voordat hij wordt begraven onder de volgende. Ze vangt af en toe een woord op en hoort vol verbazing het snelle woordensalvo tussen haar nichtje, de man achter de toonbank en zijn twee bedienden, die heen en weer vliegen naar andere delen van de winkel om armen vol nieuwe sari's te halen.

Niemand vraagt Asha naar haar mening, en ze krijgt ook geen gelegenheid er een te geven. Een andere bediende geeft hun roestvrijstalen bekers met hete, geurige chai. Asha, die haar ondergeschikte rol maar accepteert, houdt zich bezig met thee nippen en erin blazen om te voorkomen dat er een vlies op komt. Af en toe kijkt ze de winkel rond, waar om de meter een elegante etalagepop met een donkere huid en kattenogen in een perfecte houding staat, terwijl ze met een sierlijk uitgestrekte arm haar sari ophoudt. Dit is de typische kleding voor vrouwen in heel India. Uit Asha's onderzoek blijkt dat het een zeven meter lange rechthoek van stof die om het lichaam wordt gedraaid en wordt vastgehouden met één enkele knoop, haak of rits. Hij kan op een aantal manieren om het lichaam worden gewikkeld, wat afhangt van de streek, en er is maar één maat die alle vrouwen past, lang of kort, dik of dun. Het klonk allemaal erg gewoon toen Asha erover las, maar de glimlachende etalagepoppen zien er nu intimiderend uit.

Uiteindelijk draait Priya zich om en zegt: 'Oké, Asha, ik heb er een paar uitgekozen. Kijk eens of er iets bij zit wat je bevalt.' Als Asha naar de glazen toonbank kijkt, ziet ze dat de meeste sari's op een grote hoop naar de zijkant zijn geschoven en dat er twee voor haar liggen. 'Deze is van tissuezijde,' zegt Priya, en ze wijst haar een papierdunne bleekgroene sari aan met fijne gouden pareltjes. 'Tissue is het nieuwste. Erg modern. Voor tissuezijde moet je niet te dik zijn, het is te donzig. Je moet zo mager zijn als een lat,' zegt ze, en ze houdt een pink omhoog. 'Deze kleur staat je geweldig.' Ze houdt hem tegen Asha omhoog.

'Hij is prachtig.' Asha vraagt zich af of ze mager genoeg is om de tissue sari te kunnen dragen.

'En deze is wat traditioneler, erg elegant,' zegt Priya, en ze streelt met haar hand over een diep goudkleurige, glanzende sari met een donkerrood met gouden zoom. 'Er zit iets van een schittering in. Mooi voor 's avonds. De zijde is erg glad, maar we kunnen de stof vastspelden. Je zou hem kunnen dragen met een gouden choker met robijnen. Dadima heeft precies de goede.'

Asha stelt zich voor hoe de gladde, zeven meter lange, gouden zijde van haar af glijdt en in een berg aan haar voeten komt te liggen. 'Ik weet het niet, Priya. Ze zijn prachtig, maar... Ik heb eigenlijk nog nooit een sari gedragen,' biecht Asha zachtjes op. 'Ik weet niet of ik het kan.' Ze gebaart hulpeloos naar de dichtstbijzijnde etalagepop. 'Is er ook iets wat minder ingewikkeld is om te dragen?'

Priya bekijkt haar even, met haar hoofd schuin, een onleesbare uitdrukking op haar gezicht. Asha voelt een blos opkomen, ze schaamt zich dat ze dit niet kan.

Opeens gaat Priya rechtop staan, zwaait met haar zonnebril, en zegt tegen de man achter de toonbank: 'Achha, challo, we gaan naar boven. Laat ons wat lengha's zien, alstublieft. Trouwlengha's. Alleen uw beste spullen. *Jaldi.*' Priya loopt naar de trap, en Asha volgt haar naar boven. Een lengha, ontdekt Asha, is een tweedelige jurk die bestaat uit een enkellange rok met een trekkoord en een bijpassend bovenstukje. Er schijnt geen risico te zijn dat hij van haar af glijdt, maar ze zou kunnen struikelen over de lange rok. Priya pakt er een van dieproze satijn met een laag pure organza, waarvan het mouwloze bovenstukje is versierd met glanzend zilveren kraaltjes. Asha stemt erin toe hem te passen.

Als ze alleen voor een smalle spiegel achter een flinterdun gordijn staat, is Asha onthutst over de buitensporigheid van het kledingstuk. De lengha lijkt op iets wat je bij de Oscars zou zien of bij een schoonheidswedstrijd. Ze voelt zich er ongemakkelijk in, alsof ze een halloweenkostuum draagt op de verkeerde dag. Hij voelt vreemd aan haar lichaam. Hij hangt zwaar van haar af, de trekkoorden van de rok snijden in haar buik. Hij kriebelt bij haar hals, het metaaldraad en de kraaltjes irriteren haar huid.

'Hij is perfect!' zegt Priya als ze haar hoofd door het gordijn steekt. 'Kijk toch eens, een echte Indiase schoonheid! Wat vind je ervan?'

'Prima,' zegt Asha, opgelucht dat ze haar vrijetijdsbroek weer mag aantrekken. 'Laten we gaan.'

'We gaan nu naar Tham. Kom ook, dan gaan we daarna eten,' zegt Priya in haar mobiel als ze de sariwinkel uit gaan. 'Dat was Bindu,' legt ze Asha uit als ze achter in de auto stappen. Ze geeft de chauffeur aanwijzingen en zet haar zonnebril weer op.

'Wie is Tham?' Asha heeft een rode doos met linten op haar schoot, waar haar nieuwe lengha in zit.

'Niet wie, bena, maar wat. Tham is de beste schoonheidssalon aan deze kant van Mumbai. Ik neem je mee voor een waxbehandeling, Asha.'

'Waxbehandeling?'

'Hahn, bena, waxbehandeling. Je armen?' zegt ze, en ze trekt een wenkbrauw op boven de rand van haar zonnebril. 'Je lengha is mouwloos, *yaar*, je kunt dit allemaal niet laten zien.' Priya wijst op het haar op Asha's armen.

'En dus wax je je armen? Doe jij dat?' vraagt Asha, ongelovig dat haar nichtje de oplossing heeft voor dat gênante probleem waar ze haar hele leven al mee worstelt.

Priya gooit haar hoofd achterover en lacht. 'Meen je dat nou? Ik laat alles waxen: armen, benen, gezicht. Ik ga elke drie weken naar Tham, en laat ik je dit zeggen: ze waxen me bijna van top tot teen. Heb je het nog nooit gedaan?' Nu is het Priya's beurt voor ongeloof. 'Ik kan het niet geloven. Iedereen hier doet het, bena, het is zo gewoon als kokosnoten op een puja,' zegt ze.

'Doet het geen pijn?' vraagt Asha.

Priya haalt haar schouders op. 'Niet echt. Een beetje, denk ik, maar je went eraan,' zegt ze, alsof dat er helemaal niets toe doet.

Een uur later is Asha er niet zo zeker van dat ze zo onverschillig kan zijn voor de pijn bij het waxen. Maar ze is wel erg blij met haar gladde armen die geuren naar rozenblaadjeslotion. Tham zit vol Indiase vrouwen, de meeste net zo jong als Asha en haar nichtjes, maar er zijn ook wel oudere vrouwen. Precies zoals Priya heeft beschreven, brengen veel van hen hier de dag door, met de ene behandeling na de andere: waxen, threading, bleken, epileren. Iedereen is hier helemaal op zijn gemak bij het bespreken van de lichaamsproblemen die Asha sinds haar puberteit al stilletjes hebben dwarsgezeten. Borstelige wenkbrauwen, harige armen en een vlekkerige huid zijn heel gewone ergernissen, die hier bij Tham worden behandeld. Bindu en Priya hebben niet veel overredingskracht nodig om Asha ervan te overtuigen dat ze haar wenkbrauwen moet laten behandelen met threading. Omdat er bij deze methode geen naalden, scheermesjes of hete was nodig zijn, denkt Asha dat de pijn wel te verwaarlozen zal zijn.

Dat is maar gedeeltelijk waar. Er wordt haar gezegd om op een behandelstoel te schuiven tot de achterkant van haar hoofd op de hoofdsteun rust. De styliste, met een naamplaatje met KITTY op haar witte schort, zegt Asha dat ze één oog dicht moet doen en de huid erboven en eronder met haar vingers strak moet houden. Kitty heeft een lange draad tussen haar vingers en haar mond en begint met haar hoofd ongemakkelijk dicht bij dat van Asha heen en weer te bewegen. De trillende draad brandt tegen Asha's wenkbrauw en geeft een kietelende sensatie in haar neus. Kitty stopt een paar keer als de draad breekt, en nog een paar keer als Asha moet niezen. Gelukkig is alles binnen tien minuten voorbij. Asha gaat met tranende ogen weer rechtop zitten als Kitty haar een spiegel geeft om haar mooi gevormde wenkbrauwen te bekijken. Kitty zegt iets in het Hindi tegen Priya, waar haar nichtje het mee eens lijkt te zijn.

'Wat zei ze?' vraagt Asha.

'Ze zei dat je veel haar had. Als je de volgende keer niet zo lang wacht, dan doet het minder pijn.'

Ze zitten bij elkaar – Asha, Priya en Bindu – in een met vinyl bekleed hokje in China Garden, beroemd om het Chinese eten in Indiase stijl. Bindu geeft een schaal met zoetzure kip door aan Asha als zij en Priya de aanstaande bruiloft bespreken. Asha heeft gemerkt dat al haar nichtjes en zelfs enkelen van hun ouders niet vegetarisch eten als ze buiten de deur eten, al houden ze in dadima's huis de schijn op dat ze vegetariër zijn.

'Ik heb gehoord dat de *jamai* zes witte paarden heeft, één voor iedere neef, en de bruidegom zelf komt in een witte Rolls-Royce,' fluistert Bindu over tafel. Asha neemt een hap van de kip, die veel eerder heet gekruid dan zoet of zuur smaakt.

Priya knikt en bijt in een loempia. 'Arre, iemand heeft me verteld dat ze bijna een *crore* uitgeven. Ze gaan tienduizend mensen

te eten geven!' legt Priya aan Asha uit. 'Een crore is honderd *lakh*.'
En dan fluistert ze: 'Tien miljoen roepie.'

'De bruid draagt alleen al in haar ketting achtkaraats diamanten, en dan nog haar oorbellen en neuspiercing. Ze gaat wisselen tussen drie verschillende sets: diamanten, smaragden en robijnen. En dertig armbanden van tweeëntwintig karaat goud aan elke arm. Ze hebben alleen voor haar sieraden al een bewaker nodig.' Bindu grijnst en schenkt voor hen allemaal nog wat groene thee in.

'Je bent precies op tijd gekomen, Asha,' zegt Priya. 'Dit wordt de bruiloft van het jaar. Er zullen heel wat begerenswaardige vrijgezellen zijn.' Priya knipoogt naar haar boven haar gebakken rijst, en alle drie giechelen ze als oude vriendinnen. Asha lacht zo hard dat de groene thee uit haar neus komt, en de tranen uit haar ooghoeken.

Voordat ze gaat slapen, schrijft Asha de belevenissen van de dag in haar dagboek. Ze is verbaasd als ze ontdekt dat al is het eten heet gekruid, de kleren ongemakkelijk en de schoonheidsbehandelingen pijnlijk, deze plek toch als thuis begint aan te voelen, en deze mensen als familie.

38

Alles glipt weg

Menlo Park, Californië, 2004
Somer

Somer geeft zich in gedachten een compliment voor het heerlijke kipgerecht dat ze gemaakt heeft, want ze weet dat het compliment niet van Kris zal komen. Sinds Asha vorige maand naar India is vertrokken, zijn alle conflicten die ze jarenlang hebben onderdrukt naar buiten gekomen, uitbundig wonend onder hun dak, duizend verstorende gasten. Somer heeft geworsteld om te begrijpen waarom Asha die keus heeft gemaakt. Ze heeft geprobeerd de woede die ze tegenover Kris voelt los te laten, maar zijn medeplichtigheid blijft in haar gedachten ronddwalen.

Kris neemt zonder commentaar een paar happen en zegt dan met zijn mond vol: 'We moeten beslissen over India. Asha blijft het vragen tot we een datum noemen.' Als ze opkijkt, ziet ze de tabascofles naast zijn bord staan. Hij heeft de gewoonte om alles wat ze kookt onder te dompelen in een of andere hete saus, een van het uitgebreide assortiment dat in de koelkast staat. Het is alsof hij elke verfijnde smaak die ze probeert aan te brengen in haar gerechten – een beetje gesneden salie op de kip, rijst met citroen – wil uitwissen, alles onder zijn rode deken van hitte. Ze prikt met haar vork in de wegschietende bonen op haar bord. 'Ik kan niet zomaar alles achterlaten en op stel en sprong naar India gaan, ik heb maar een week vrij met de feestdagen...'

'Probeer iemand te krijgen die voor je kan invallen, Somer. Ze kunnen heus wel zonder je.'

Ze voelt zich nijdig om die opmerking, al zou ze er zo langzamerhand wel aan gewend moeten zijn dat hij haar werk kleineert, alsof al het andere dan de hersenchirurgie waar hij zich mee bezighoudt, onwaardige geneeskunde is. Kris zet zijn bril af en begint zijn glazen te poetsen met zijn zakdoek. 'Ik snap het probleem niet. Het is het perfecte tijdstip om te gaan. Asha is daar, haar eerste bezoek, mijn hele familie is daar. Ik ben er al bijna tien jaar niet meer geweest. Jij bent al... god weet hoe lang niet. Waarom zouden we nu niet gaan, Somer? Ik dacht dat je je zorgen om haar maakte, ik dacht dat je een oogje op haar wilde houden.'

Natuurlijk wil Somer haar dochter zien, maar ze is er niet zeker van dat Asha hetzelfde voelt. Ze denkt aan de ruzie die ze hadden vlak voor Asha vertrok, en het ongemakkelijke gevoel op het vliegveld. Haar dochter heeft haar al weggeduwd sinds ze de beslissing had genomen naar India te gaan. Het idee haar daar te zien, in dat land waaraan ze alleen maar moeilijke herinneringen heeft, is lastig. Ze voelt zich al een buitenstaander in haar eigen gezin, dit gezin waaraan ze haar hele leven heeft gewijd. Ze heeft niet de kracht om nu naar India te gaan en zich niet op haar plaats te voelen in een land vol vreemdelingen.

'Ik heb mijn familie al acht jaar niet gezien,' zegt Kris, zijn stem luider. 'Acht jaar, Somer. Mijn ouders worden ouder, mijn neefjes groeien op. Ik had al eerder moeten gaan, maar nu is ook goed.' Kris schenkt zich nog een glas cabernet in en leunt achterover in zijn stoel.

'Laat het nou niet klinken alsof het mijn fout is,' zegt ze. 'Je bent altijd gekomen en gegaan zoals het jou uitkwam. Ik heb je nooit tegengehouden om te gaan. Het is je eigen schuld.' Hij snuift en neemt een grote slok wijn. 'Het is moeilijker voor mij, Kris. Dat weet je toch,' zegt ze. 'Ik heb geen banden zoals jij, dat is het verschil. Je weet niet hoe het voelt.'

'Wat bedoel je met "ik heb geen banden"?' zegt Krishnan. 'Je man is Indiaas, en je dochter is Indiaas, misschien ben je dat vergeten?'

'Je weet best wat ik bedoel,' zegt ze, en ze knijpt haar ogen dicht en wrijft over haar voorhoofd.

'Nee, dat doe ik niet. Waarom leg je het me niet even uit? Zoals ik het zie, zijn er maar twee verklaringen. Of je hebt er een probleem mee dat Asha mijn familie leert kennen, en laat ik je er even aan herinneren dat die ook haar familie is. Of je hebt er een probleem mee dat ze een klein beetje Indiaas wordt. In beide gevallen, Somer, is het alleen jouw probleem en niet dat van haar. We hebben haar heel goed opgevoed. Maar nu is ze volwassen, en je kunt geen invloed meer uitoefenen op alles wat ze doet. Jij zegt altijd dat we haar moeten accepteren zoals ze is, dat we haar moeten steunen in haar interesses. Verdorie, toen ik haar leeftijd had, ben ik naar het andere eind van de wereld verhuisd, en dat hebben mijn ouders ook overleefd.'

'Dat is niet helemaal hetzelfde,' zegt Somer, terwijl er tranen in haar ooghoeken verschijnen.

'O nee? En waarom niet?' Zijn spottende glimlach kan de wreedheid in zijn ogen niet verdoezelen.

Omdat zij je enige ouders waren. Ze hoefden zich er geen zorgen over te maken dat ze je zouden verliezen. 'Het is gewoon zo,' zegt ze, de enige woorden die ze hardop kan uitspreken.

'Het is zeker anders omdat ik naar dit geweldige land kwam vol melk en honing, waar niemand ooit meer weg wil? Is dat het?'

Ze schudt haar hoofd en de tranen rollen over haar wangen. Ze kan de woorden niet vinden om het hem te laten begrijpen, om in die gevoelloze blik in zijn ogen door te dringen.

Als hij ten slotte weer spreekt, is zijn stem rustig. 'Ik vertrek op achtentwintig december, als je ook mee wilt.' Elk woord uit zijn mond snijdt net zo scherp als een scalpel. Ze kijkt hem vol ongeloof aan als hij verdergaat. 'Ja, ik heb tickets gekocht. Het is altijd gauw vol rond die tijd. Ik wilde geen risico nemen.'

Ze krijgt een hol gevoel in haar maag. 'Wanneer... heb je dat gedaan?'

'Wat maakt het uit?' snauwt hij, en hij neemt een slok. 'September. Nadat Asha was vertrokken.'

'Dus dat is het? Het is allemaal al geregeld?' Het is nu duidelijk. Ze heeft geen stem in deze beslissing, net zoals ze er geen had in die van Asha.

'Dat is het.' Hij staat op en brengt zijn bord naar het aanrecht, waar zijn bestek in de gootsteen klettert. 'Ga mee als je wilt. Of blijf thuis. Misschien is dat beter.'

De volgende dag voelt onwerkelijk aan. Somer ziet haar patiënten, bekijkt hun statussen, schrijft recepten. Ze voert dezelfde handelingen uit als op andere dagen, maar er is iets veranderd. Het voelt alsof iemand haar wereld heeft opgepakt en hem laat overhellen. Alles wat vertrouwd is, glipt weg. Niet alleen hebben Kris en Asha haar niet nodig, ze lijken haar ook niet langer in hun leven te willen hebben en verraden haar door eigen plannen te maken.

In haar middagpauze loopt ze naar de supermarkt om haar dagelijkse salade en een flesje limonade te halen. Op weg naar buiten blijft ze voor het advertentiebord staan. Ze bekijkt de aanbiedingen van hondenuitlaters en garageverkopen tot ze een advertentie ziet voor onderhuur in Palo Alto. Ze scheurt er een van de papiertjes met het telefoonnummer af en stopt het in haar portemonnee. Ze belt op en regelt het snel, voor ze zich kan bedenken.

Die avond zegt ze Kris dat ze niet met hem mee zal gaan. Dat het een goed idee lijkt om een tijdje niet bij elkaar te zijn, een paar maanden of zo. Ze zijn het erover eens dat Asha het niet hoeft te weten. Somer is bereid meer uit te leggen, maar ze is er verbaasd over hoe weinig verbaasd hij is.

'Ik hoop dat je een manier kunt vinden om gelukkig te zijn, Somer,' is alles wat hij zegt. Nadat hij naar boven is gegaan, blijft Somer achter op de bank en huilt. De volgende morgen begint ze te pakken.

39

Een belofte

Mumbai, India, 2004
Asha

Dadima staat erop dat Asha met haar nichtjes de *mehndi*-ceremonie van de bruid bijwoont, al gaat ze zelf niet. 'Ik ben een oude vrouw, dat is niks meer voor mij. Gaan jullie maar, en veel plezier.' Priya brengt voor Asha een bleekblauwe chiffonnen salwar khameez mee, gelukkig minder opzichtig dan de lengha die ze voor de bruiloft hebben gekocht. Onderweg naar het feest legt Priya uit dat een mehndi alleen voor vrouwen is, familie en vriendinnen van de bruid die voor de bruiloft bij elkaar komen om de handen en voeten van de bruid met henna te versieren. De Thakkars zijn uitgenodigd omdat dadima's moeder een goede vriendin was van de moeder van mevrouw Rajaj toen ze in Santa Cruz woonden, al zijn beide vrouwen al lang geleden overleden.

Als ze bij het paleisachtige huis van de Rajajs aankomen, ontdekt Asha dat het intieme karakter van de mehndi betekent dat er slechts enkele honderden gasten zijn in plaats van de duizenden die bij de bruiloft aanwezig zullen zijn. In de marmeren hal spelen musici levendige Indiase muziek op harmonium en tabla. In de verte ziet Asha een eettafel gedekt met een prachtig buffet van zilveren schalen en ze begint die kant uit te lopen. Priya grijpt haar bij haar arm en fluistert: 'We moeten eerst gedag zeggen.' Ze knikt vaagjes met haar kin in de richting van de grote woonkamer. De bruid zit op een troonachtige stoel boven op een podium. Er zit een vrouw bij haar voeten en een andere werkt aan haar handen.

Ze hebben allebei een plastic kegeltje met olijfgroene pasta in hun hand. Als ze dichterbij komt, ziet Asha dat de vrouwen patronen op de huid van de bruid aanbrengen die vreselijk ingewikkeld zijn: een bloesemtak die over de rug van haar hand naar de palm klimt met allerlei krullen en spiralen. Wat nog indrukwekkender is: beide mehndikunstenaressen lijken het uit hun hoofd te tekenen, zonder ergens naar te kijken. Ze praten zelfs ondertussen met elkaar en met de gasten.

'Kom op, maak het mooi donker,' plaagt een van de vriendinnen van de bruid de handkunstenares. 'We willen dat de mehndi lang blijft zitten!'

'En maak de initialen zo klein mogelijk. We willen dat hij goed moet kijken,' lacht een andere vriendin, en ze kust de bruid op haar voorhoofd.

Priya leidt Asha naar een groepje oudere vrouwen, terwijl ze uitlegt: 'Het is traditie dat in de huwelijksnacht de bruidegom eerst de initialen moet ontdekken die in het ontwerp verborgen zitten, voordat de bruid hem laat... je weet wel.' Priya lacht en knipoogt. 'Kom, hier is ze.'

'Tante Manjula!' Priya drukt haar handpalmen tegen elkaar en buigt lichtjes naar een van de oudere vrouwen, die gewikkeld is in een bordeauxrode zijden sari en haar geverfde, pikzwarte haar netjes in een knot heeft gedraaid. 'Dadima doet u de groeten, ze kon niet komen vanavond. Dit is mijn nichtje uit Amerika,' zegt ze, en ze draait zich snel om om Asha voor te stellen. 'Ze is pas aangekomen. Ze heeft een speciale beurs. Uit Amerika. Erg prestigieus.'

'Hallo, namaste.' Asha probeert de makkelijke manier van doen van haar nichtje te imiteren. 'Leuk u te ontmoeten.'

'Welkom, beti's. Fijn dat jullie er zijn,' zegt tante Manjula, en ze pakt Asha's handen in haar eigen plompe handen. 'Geniet je van je verblijf hier? Ik hoop dat je morgen kunt komen, we gaan met een boot door de haven varen. Ik zeg altijd maar, dat is de beste manier om de lichten van Mumbai bij nacht te zien, ver weg van de luchtvervuiling!' Ze lacht hartelijk om haar eigen grapje, wat de vetrollen doet deinen die door de sari worden omhuld. 'Neem wat te eten, alsjeblieft. Er is genoeg,' zegt ze voordat ze zich excuseert om een andere gast te begroeten.

'Oké, dat is gebeurd,' zegt Priya, en ze gaan op weg naar de buffettafel. Onderweg ziet Asha nog twee mehndikunstenaressen, die minder uitvoerige maar toch mooie patronen op de handen en voeten van gasten maken. Asha vult haar porseleinen bord met *samosa's*, *kachori* en pakora, maar laat de verschillende chutneys staan, omdat ze gemerkt heeft dat die meestal te heet voor haar zijn. Ze peinst over tante Manjula's opmerking over het tochtje door de haven en Mumbais luchtvervuiling. Ze heeft gemerkt dat er op de meeste dagen een dikke smog over de stad ligt, waardoor ze buiten vaak loopt te hoesten, maar het lijkt ook dat de meeste uitlaatgassen komen van de riksja's en scooters waar de naam Rajaj op staat. Tante Manjula, oude vriendin van de familie, is behoorlijk hypocriet. Terwijl ze door het uitgestrekte huis drentelen, bekijkt Asha discreet de grote marmeren standbeelden van Indiase goden en de zwaar geborduurde tapijten die aan de muren hangen. Priya stelt haar voor aan verschillende andere vrouwen, maar Asha mist veel van het snelle gebabbel in het Gujarati.

Asha eet en kijkt toe hoe de mehndikunstenaressen hun handwerk demonstreren. Als een van de kunstenaressen vrij is, duwt Priya haar naar voren. 'Iets eenvoudigs,' zegt Asha, 'zoiets als dat misschien.' Ze wijst naar een zonnepatroon dat een ander meisje draagt. In minder dan vijf minuten zijn Asha's handpalmen versierd met stralende bollen. Als het ontwerp droog is, brengt de mehndikunstenares een laagje citroensap aan en daarna olie en zegt haar het er zo lang mogelijk op te laten zitten voor een donkere kleur. De volgende morgen is ze gefascineerd door de prachtig rode patronen die zijn achtergebleven nadat ze het opgedroogde modderachtige spul eraf heeft geschraapt, en ze kan de hele dag niet ophouden naar haar eigen handen te kijken.

De bruiloft is twee avonden later. Als Asha door de poort van de Cricket Club of India loopt, blijft ze verbluft staan. Het hele terrein, ongeveer de grootte van twee voetbalvelden, staat vol met luxe meubels die daar voor de gelegenheid zijn neergezet: sierlijke chaises longues, tafels met houtsnijwerk, zijden kussens, en tentachtige doeken over alles heen. Het lijkt op een enorm openluchtpaleis. Er krioelen duizenden gasten, en bijna net zoveel bedienden met zilveren dienbladen met voedsel en drankjes. Asha's bezorgdheid dat ze er in haar nieuwe lengha te opzichtig uitziet, wordt verdrongen door het besef dat ze bijna eenvoudig gekleed is vergeleken met sommige andere vrouwen, die zijn gewikkeld in luisterrijke sari's en behangen met juwelen.

'Kom op, yaar,' zegt Priya, en ze grijpt haar bij haar elleboog. 'Doe je mond dicht, je ziet eruit alsof je nog nooit naar een Indiase bruiloft bent geweest!' Asha volgt haar nichtjes een tijdje in stilte, zich verbazend over de transformatie van het cricketveld. Ze vraagt zich af of de bruiloft van haar ouders ook zo was, maar denkt dan aan de trouwfoto die in hun slaapkamer hangt. Haar moeder in een eenvoudige zonnejurk en haar vader in een pak in het Golden Gate Park.

'... en dit is Asha, mijn Amerikaanse nichtje. Ze is niet alleen mooi, maar ook geniaal,' zegt Priya, terwijl ze in haar ribben prikt. Asha richt haar aandacht op een hand die voor haar is uitgestoken en volgt hem omhoog naar zijn eigenaar. Haar ogen gaan wijd open als ze hem ziet.

'Leuk je te ontmoeten. Ik ben Sanjay,' zegt hij met een Brits accent.

'Ja, van hetzelfde. Ik ben Asha.'

'Ja, dat weet ik, dat zei Priya net tegen me. Wat een mooie naam, weet je wat hij betekent?'

Ja, natuurlijk weet ik dat. Dat hebben mijn ouders me pas duizend keer verteld. Maar ze schudt haar hoofd, hopend dat hij blijft praten met die bedwelmende stem.

'Hoop. Je ouders moeten grote dromen voor je gehad hebben.' Hij glimlacht en Asha voelt haar benen slap worden.

'Ja.' *Shit.* Waarom kan ze niks anders zeggen? Ze ontdekt dat zijn ogen de kleur van zachte karamel hebben. Vanuit haar ooghoeken ziet ze dat Priya en Bindu weglopen.

'Ga alleen wat te eten halen... ben zo terug,' zegt Priya met een knipoog.

'Zo, uit Amerika? Kom je hier vaak om je familie te bezoeken?' vraagt Sanjay.

'Nou, eigenlijk is dit de eerste keer,' zegt Asha, die eindelijk haar spraakvermogen terug heeft gevonden. 'En jij? Kom je uit... Engeland?'

'Nee, nee. Ik kom uit Mumbai, geboren en getogen een paar blokken hiervandaan. Maar ik ben de afgelopen zes jaar in Engeland geweest, op de universiteit en voor mijn master.'

'Master... in wat?' Ze vindt dat ze net klinkt als een verslaggeefster, maar zijn ongedwongen glimlach stelt haar gerust.

'London School of Economics. Ik ben bijna klaar voor m'n master en dan hoop ik werk te krijgen bij iets als de Wereldbank. Tenminste, als mijn vader me niet eerst strikt voor het familiebedrijf. En jij?'

'Ik studeer nog, op Brown University in Amerika. Ik ben hier met een beurs om een project te doen.'

'En wat voor project?'

'Ik ga een artikel schrijven over kinderen die in armoede leven, in sloppenwijken, zoals Dharavi.' Zijn ogen verwijden zich. 'Wat, ga je me vertellen dat ik voorzichtig moet zijn, net als iedereen?' zegt ze.

'Nee.' Hij neemt een slok van zijn drankje. 'Ik weet zeker dat een intelligente vrouw als jij zich bewust is van de gevaren.' Zijn glimlach straalt zo'n warmte uit dat ze het gevoel krijgt te zullen smelten. 'En, wat ben je tot nu toe te weten gekomen?' Vanaf dat punt kabbelt hun gesprek rustig verder. Op een gegeven moment lopen ze naar de buffettafel, waar ten minste vijftig gerechten staan. Hij draagt haar bord naar een van de fluwelen sofa's, waar ze gaan zitten. Hij eet met zijn handen en moedigt haar aan dat ook te doen. Ze praten over de aanstaande verkiezingen in de Verenigde Staten, de overgang naar de euro en de wereldkampioenschappen. Hij lacht vaak om haar grapjes, en hij zorgt ervoor dat haar glas steeds gevuld is. De avond gaat snel voorbij, en ze begint rond te kijken naar haar nichtjes.

'En, vertel eens. Je zei dat dit je eerste bezoek aan India is. Waarom ben je niet eerder geweest?' vraagt Sanjay, met zijn arm losjes op de bankleuning achter haar.

Zijn ontspannen zelfvertrouwen is de hele avond al aanstekelijk en onderdrukt de verslaggeefster in haar. Het voelt aan alsof hij haar al kent en niets van wat ze zegt hem kan verbazen. Maar toch is ze er nog niet klaar voor om daarover te praten. Ze slikt en duwt een lok haar achter haar oren. 'Dat is een lang verhaal, te lang voor vanavond. Ik vertel het je een andere keer wel.'

'Beloofd?' vraagt hij.

Er zitten vlinders in haar maag. 'Beloofd.' Ze steekt haar hand uit, maar in plaats van hem te schudden, tilt hij hem naar zijn lippen en drukt er lichtjes een kus op, waarna hij hem met zijn andere hand bedekt. Als ze haar hand terugtrekt, ziet ze dat hij er een kaartje in heeft achtergelaten met zijn naam en telefoonnummer.

Bindu en Priya verschijnen naast haar, precies op het juiste moment. 'O, daar ben je. We hebben je gezocht. Absoluut onmogelijk om hier iemand te vinden. Waanzin.' Priya heeft een sluwe glimlach op haar gezicht.

Ze zeggen gedag en als Asha zich omdraait om weg te gaan, raakt Sanjay haar arm aan. 'Denk erom,' glimlacht hij, 'beloofd is beloofd.'

Op weg naar huis, terwijl haar nichtjes haar plagen met Sanjay, denkt Asha na over zijn vraag, die ze niet kan beantwoorden omdat ze het zelf niet weet.

40

Gescheiden

Palo Alto, Californië, 2004
Somer

Op een vrijdagmiddag in november wordt Somer uitgenodigd door Liza, een andere arts in de kliniek, om met een paar collega's na het werk iets te gaan drinken. Omdat ze toch geen haast heeft om naar haar appartement terug te gaan, dat ze tot het eind van het jaar heeft ondergehuurd van een student die in Madrid zit, gaat ze mee. Het schaars gemeubileerde eenkamerappartement aan een rustige straat met bomen op een paar blokken afstand van de campus is niets bijzonders, met de beige vloerbedekking en neutraal geverfde muren die karakteristiek zijn voor zulke appartementen. Somer had verwacht dat de plek haar een gevoel van vrijheid zou geven, zonder de voortdurende aanwezigheid van Krishnan en zijn dingen. Maar elke dag als ze er terugkomt, voelt het slechts leeg aan.

Ze gaan naar een wijnbar in Palo Alto, een van de hippe, nieuwe bars die hier gebouwd zijn sinds Somer haar geneeskundeopleiding deed, vijfentwintig jaar geleden. Liza bestelt een glas shiraz en Somer, overweldigd door de keus, doet hetzelfde. Somer kent Liza niet goed, ze weet dat ze alleenstaand is en een vurig yogabeoefenaar, die vaak met een paarse mat onder haar arm op het werk verschijnt. De artsen van de kliniek komen eens per maand bij elkaar voor een stafvergadering, maar verder haasten ze zich in de gangen langs elkaar heen. Met haar tweeënvijftig jaar is Somer een van de oudere artsen in de groep en degene die er al het langst werkt, meer dan vijftien jaar. De meedogenloze drukte van de kliniek, gecombineerd met de onvoorspelbare clientèle en de slechte betaling, leiden tot een snelle wisseling van de jongere, meer ambitieuze artsen.

Somer nipt aan haar wijn en merkt dat haar collega's makkelijk overschakelen van werk naar ontspanning; ze hebben hun witte jas uitgedaan en draaien de wijn rond in hun glas. Liza, die haar haar normaal in een lage paardenstaart draagt, heeft het nu los rond haar gezicht hangen. De paar grijze haren tussen haar donkere krullen en de lijntjes om haar ogen verraden dat ze eind veertig moet zijn, een paar jaar jonger dan Somer. Het gesprek draait om voorspelbare onderwerpen als excentrieke ouders, chagrijnige verpleegkundigen en het recente verkiezingsdebacle. Na het eerste glas wijn gaan de meesten van de groep naar huis, naar hun wachtende gezin.

'Nou, ik heb geen haast.' Liza glijdt langs de nu lege bank naar Somer toe. 'Ik heb vanochtend genoeg eten voor de kat achtergelaten. En jij?'

'Nee, ik hoef ook nergens naartoe,' zegt Somer terwijl ze haar laatste restje wijn opdrinkt. Ze kan zichzelf er niet toe brengen toe te geven dat zij en Kris gescheiden leven. Het is pas een paar weken, en ze is nog niet aan het idee gewend dat ze alleen woont: ze zet 's morgens nog te veel koffie voor één persoon en houdt de hele avond de tv aan om de stilte te doorbreken. Al hun vrienden van de universiteit en uit de buurt zijn eigenlijk hun vrienden als stel, en Somer heeft het hun ook nog niet verteld.

'Mooi, nog een glas dan,' zegt Liza tegen de ober.

Somer kijkt toe, gebiologeerd, als de mooie, bordeauxrode vloeistof hun glas vult. Haar hoofd begint lekker licht aan te voelen.

'Zeg,' zegt Liza, en ze dempt haar stem, 'ik vond het jammer voor je van de vacature voor directeur. Ik was er zeker van dat jij de baan zou krijgen. Jij bent er het langst van ons allemaal en de staf mag je graag.'

'Ja, nou, ze hebben iemand gevonden met meer administratieve ervaring, iemand die al twintig jaar fulltime ervaring heeft, en niet zo half als ik.' Somer weet dat ze dit niet zou moeten zeggen, maar ze was er teleurgesteld over en het voelt goed er eens met iemand over te praten.

'Weet je iets over de kerel die ze hebben aangenomen?'

Somer schudt haar hoofd. 'Alleen dat hij van Berkeley komt.' Ze had zich gevleid gevoeld toen haar baas, die met pensioen gaat, had gezegd dat ze het moest proberen. Voor een tijdje was ze vol van het idee dat ze zich weer op haar werk zou richten, zou investeren in iets nieuws.

'Wat zijn je plannen voor de feestdagen, Somer?'

'Ik ga naar San Diego, naar mijn ouders.' Ze vraagt zich af of het mogelijk is dat dit glas wijn nog beter smaakt dan het eerste.

'Leuk. Gaan jullie daar elk jaar naartoe?'

'Mijn... nee, eigenlijk niet.' Somer voelt zich warm worden en de rest komt er vanzelf uit rollen. 'Ik ga alleen. Mijn man gaat naar zijn familie in India. En naar onze dochter, die nu ook daar is.' Somer neemt nog een flinke slok wijn en vervolgt: 'Ik wilde niet gaan, maar mijn man was er erg koppig over, dus...' Ze schudt haar hoofd. 'Het is goed een poosje zonder hem te zijn. Je hebt geluk dat je niet getrouwd bent, het is niet allemaal rozengeur en maneschijn.' Somers lach is een beetje te luid voor de kleine, houten ruimte, zelfs in haar eigen oren.

'Nou, ik was ooit getrouwd,' zegt Liza, 'zes jaar lang. Ik ben tien jaar geleden gescheiden. Geen kinderen, gelukkig. Dat maakte de breuk makkelijker. En hoe is het met het kindergedeelte? Is dat wel rozengeur en maneschijn?'

'Hmm.' Somer peinst even. 'Normaal zou ik ja zeggen, maar nu is het een nogal ingewikkelde vraag.'

'Oké. Ik voel me altijd gedwongen het te vragen, want dat was de reden... nou ja, de belangrijkste reden... dat mijn man en ik uit elkaar gingen.'

'Wilde hij geen kinderen?' vraagt Somer.

'Jawel, graag zelfs. Maar ik niet,' zegt Liza. 'Ik heb nooit die allesoverheersende wens gehad om moeder te worden, en ik zag wat er met mijn vriendinnen gebeurde. Het veranderde hun huwelijk, hun carrière. Het veranderde... hen. Ze waren dezelfde mensen niet meer, ze waren net de lege schelpen van hun eerdere zelf.' Liza draait met haar wijsvinger langs de rand van haar glas. 'Misschien ben ik egoïstisch, maar ik ben blij met mezelf, en ik wilde zo blijven. Ik vind het fijn om in vorm en conditie te blijven. Mijn carrière is belangrijk voor me. Ik wilde niet tien jaar lang niet kunnen reizen. Ik keek vooruit naar een leven met kinderen en ik dacht niet dat ik er gelukkig mee zou zijn.' Liza haalt haar schouders op. 'Ik denk dat het niet iets voor iedereen is.'

'Vind je nog steeds dat het de juiste keus was?' vraagt Somer voor ze zich kan inhouden.

'Soms vraag ik me dat af,' zegt Liza. 'Maar meestal ben ik heel gelukkig met mijn leven. Ik hou van mijn werk, mijn weekenden zijn van mij, ik reis veel... Trouwens, ik ga in het voorjaar naar Italië met een paar vriendinnen, en mijn zus heeft net afgezegd omdat ze een knieoperatie moet ondergaan. Als je zin hebt om mee te gaan, het zal een geweldige reis worden: fietsen in Toscane, heerlijk eten, geweldige wijn. Alleen de meisjes.' Liza glimlacht als ze het glas naar haar lippen brengt.

'Hmmm. Het klinkt verleidelijk. Vooral dat ik mijn man thuislaat.' Somer drinkt de rest van haar wijn op, de warmte verspreidt zich nu door haar hele lichaam.

'Weet je, ik ga straks met mijn Italië-vriendinnen eten bij dat nieuwe Singaporese restaurant. Waarom ga je niet mee als je geen andere plannen hebt?'

Later, bij borden vol brosse inktvisringen en satéspiezen leert Somer Liza's vriendinnen kennen, allebei alleenstaande vrouwen van in de veertig. 'Ik ben Sundari,' zegt een van hen. Ze draagt haar zongebleekte haar in twee vlechtjes die op haar schouders rusten. 'Dat is mijn spirituele naam,' legt ze uit. 'Het betekent "mooi" in het Sanskriet. En in het Hindi. En mijn kat heet Boeddha. Dus ik heb alles gedekt.' Sundari glimlacht als ze de menukaart oppakt. 'Ik vergeet steeds hoe moeilijk het hier voor me is om iets te bestellen. Zijn er geen vegetariërs in Singapore?'

'Weet je,' zegt Liza, 'Somers man komt uit India.'

'Echt?' Sundari legt haar menukaart weg. 'Wat cool. Ik ben gek op India. Ik ben een paar jaar geleden naar New Delhi geweest voor de bruiloft van een vriendin. Gearrangeerd huwelijk, het hele gedoe. Ze trokken me een sari aan en deden henna op mijn handen. Geweldig. Heb jij dat wel eens gedaan? Toen ben ik naar Agra gereisd en heb de Taj Mahal gezien. Zo'n verbazingwekkend land. Ik zou dolgraag teruggaan om er meer van te zien. Ik heb gehoord dat het zuiden erg mooi is. Ben jij er wel eens geweest? Waar komt je man vandaan?'

Somer wacht of Sundari deze keer een antwoord verwacht, en zegt dan alleen: 'Mumbai.'

'Jij hebt zo'n geluk. Ik zou het geweldig vinden in een sari te trouwen. Voor een blank meisje uit Kansas zoals ik is het allemaal erg opwindend.' Sundari giechelt.

Een vrouw in een blauw broekpak komt naar hun tafel en trekt een stoel bij. Ze ziet er gekweld uit. 'Kan ik een cosmo krijgen?' zegt ze tegen een langslopende ober, niet die van hen. 'Sorry dat ik zo laat ben, meisjes. Ik had om vijf uur nog een voordracht, en toen moest ik Justin per se drie boekjes voorlezen. Ik kon alleen wegkomen omdat ik de oppas heb gezegd dat hij tekenfilms mocht kijken. Geweldig, hè, een zesjarige omkopen, ben ik geen geweldige moeder?'

'Ja, Gail, dat ben je,' zegt Sundari terwijl ze haar martiniglas omhooghoudt om te klinken. 'Vooral als je bedenkt dat je meestal moeder en vader moet zijn.'

'Gail, dit is mijn vriendin Somer,' zegt Liza. 'Ze werkt bij mij in de kliniek. Ik probeer haar over te halen om in het voorjaar met ons mee te gaan naar Italië.'

Gail tikt over de tafel met haar glas tegen dat van Somer. 'Geweldig, hoe meer zielen hoe meer vreugd. Ik ben nog steeds bezig Tom zover te krijgen dat hij Justin die week neemt. Mijn ex,' zegt ze tegen Somer. 'Hij doet altijd zo moeilijk als ik een week met hem wil omruilen, hij moet het altijd eerst overleggen met zijn vriendin. Toen ik ging scheiden, had ik nooit gedacht dat mijn programma af zou hangen van die andere vrouw.'

'Het is beter om lief te hebben gehad en te hebben verloren...' zegt Sundari met een dromerige blik.

'Sundari is onze hopeloze romanticus.' Liza schudt glimlachend haar hoofd.

'Nog steeds op zoek naar de ware, dus als je iemand weet,' zegt Sundari. 'Hé, misschien is het tijd dat ik een gearrangeerd huwelijk sluit.'

'Geloof me, lieverd,' zegt Gail nadat ze een grote slok heeft genomen, 'er is geen ware meer over op onze leeftijd. De vraag is alleen, hoeveel foutheid kun je accepteren?' Ze gooit haar hoofd achterover en lacht voluit, zodat de ober die net is aangekomen een stap achteruit moet doet.

De volgende morgen wordt Somer wakker met een zware hoofdpijn en een droge mond. Ze draait zich langzaam op haar zij, kijkt met één oog op de wekker en ziet dat het 10.21 uur is. De aspirine ligt in het medicijnkastje in de badkamer, ondraaglijk ver weg. Ze draait haar hoofd langzaam terug en kijkt naar het witte plafond, waarvan de verf in de hoeken is gebarsten. Ze denkt terug aan de vorige avond – twee glazen wijn in de bar, nog een paar in het restaurant – meer dan ze sinds lang gedronken heeft. Het was leuk met Liza en haar vriendinnen: ze waren gezellig en hielpen voor een tijdje haar gedachten af te leiden. Toch zou Somer niet met hen willen ruilen. Liza, die er perfect gelukkig mee is dat ze kindvrij is, zoals ze het zelf noemt. Gail, die worstelt om geld te verdienen, een kind op te voeden en het met een ex-man te redden. En Sundari, die in haar vijfde decennium nog steeds op zoek is naar een relatie, maar alleen een kat heeft die Boeddha heet.

Somer draait de andere kant op om aan het zonlicht te ontsnappen dat over haar kussen stroomt. *Te oud voor een kater.* Tweeënvijftig. Gescheiden van haar man. Wonend in een studentenappartement. Al zo lang op dezelfde plek werkend dat ze een soort meubelstuk is geworden, hoewel ze er nog steeds de leiding niet mag hebben. *Niet hoe ik me mijn leven had voorgesteld.* Het lijkt wel of alles waar ze de laatste vijfentwintig jaar om heeft gegeven uit elkaar is gevallen, onverschillig voor de tijd en energie die ze erin heeft gestopt. Ze mag zichzelf arts noemen, maar kan er niet dezelfde trots over voelen als vroeger. Ze is niet echt een echtgenote op het moment, ook geen echte moeder. Ergens onderweg, beseft Somer, is ze zichzelf verloren.

Ze kan er niet precies haar vinger op leggen wanneer haar huwelijk uit elkaar begon te vallen. Als ze nu aan Kris denkt, is hij nauwelijks dezelfde man die ze zich van Stanford kan herinneren. Deze Krishnan is ongeduldig en minachtend, als het stereotype van de egoïstische neurochirurg waar ze tijdens hun studie grapjes over maakten. Hij heeft niet meer die zachtheid en onschuld die hij had toen hij net uit India kwam. Hij heeft Somer niet meer nodig, zoals toen ze hem leerde autorijden en een magnetron te bedienen. Hij heeft al lange tijd niet meer trots haar hand vastgehouden als ze over straat lopen of zich in haar ogen verloren tijdens het diner.

Ze probeert zich de laatste keer te herinneren dat ze echt gelukkig waren. Asha's diploma-uitreiking van de middelbare school? Hawaii, hun laatste gezinsvakantie? Op een bepaald moment nadat Asha ging studeren, groeide de afstand tussen haar en Krishnan. Tegen de tijd dat hun dochter naar India vertrok, waren ze al te ver uit elkaar. Het was alsof ze aan verschillende kanten van een meer stonden en geen van beiden het vermogen had om de afstand te overbruggen. De boze woorden die ze elkaar toeslingerden, vielen als stenen op de bodem van het meer, en maakten rimpels van droefheid.

Somer gaat langzaam rechtop zitten en wacht tot het gebons in haar hoofd afzakt voor ze uit bed stapt. In de badkamer gooit ze koud water in haar gezicht en houdt zich vast aan de wastafel terwijl ze aspirine van achter de spiegel pakt. Nadat ze het deurtje heeft dichtgedaan, ziet ze zichzelf in de spiegel, het beeld van een vrouw van middelbare leeftijd. *Tweeënvijftig.* Over een paar weken zal Krishnan naar Asha in India gaan en zal Somer hier alleen achterblijven. En al is het haar man die in het vliegtuig zal stappen om weg te vliegen, net zoals hun dochter een paar maanden geleden heeft gedaan, Somer vraagt zich af of zij degene is die hen ertoe heeft gedreven. Of zij, in feite, hen het eerst heeft verlaten.

41

Twee India's

Mumbai, India, 2004
Asha

'Parag spreekt zes van de eenentwintig belangrijkste talen in India, en Engels. Je hebt hem nodig, Asha.' Meena staat erop dat ze vandaag een tolk meenemen als ze voor de interviews naar Dharavi gaan. 'Op die manier kun je je richten op je vragen en krijg je alles wat je nodig hebt. Maak je maar geen zorgen, hij zal niet in de weg lopen.'

Asha haalt diep adem. 'Oké.' Ze is zenuwachtig, al weet ze niet precies waarom. Ze heeft haar huiswerk gedaan. Ze heeft de archieven van *The Times* doorgespit en verschillende stadsplanologen en overheidsambtenaren geïnterviewd. De meesten zijn het erover eens hoe deze enorme sloppenwijk is ontstaan. Dharavi was vroeger een mangrovemoeras, totdat de kreek opdroogde en de vissers wegtrokken. Tegen die tijd verhuisden mensen van het omringende platteland naar Mumbai, op zoek naar een betere economische toekomst. De infrastructuur van de stad was niet berekend op die grote instroom van mensen, en dus kwam Dharavi op, de grote sloppenwijk die vibreert van het gezoem van ellende en menselijke vindingrijkheid. Asha kent de geschiedenis, ze heeft de statistieken en feiten verzameld. Ze heeft het raamwerk van haar verhaal al klaar, maar nu moet ze het menselijke element nog toevoegen. De persoonlijke verhalen die ze via interviews zal verzamelen, zullen het verschil uitmaken tussen een meeslepend verhaal en weer een nieuwsrapportage.

'Je wilt het toch opnemen?' vraagt Meena.

'Ja, laten we deze meenemen.' Asha pakt haar videocamera. 'Als jij het niet erg vindt hem vast te houden. Op die manier kan ik er later wat stille beelden uit halen als ik dat wil.'

'Ik zal deze ook meenemen,' zegt Meena, en ze grijpt een tas vol *Times*-prullaria: blocnotes, pennen, canvas tassen. 'Voor het geval we iemand moeten overhalen.'

Het blijkt dat drie vreemdelingen genoeg is om een menigte mensen aan te trekken, en Asha moet snel beslissen met wie ze eerst wil praten. Ze voelt zich meteen aangetrokken tot een klein meisje met doordringende ogen, en wijst haar aan. Meena zet de camera aan en Parag begint tegen haar te praten. Het meisje lijkt ongeveer twee jaar te zijn, draagt een eenvoudige beige katoenen jurk en een veter om haar nek. Ze is op blote voeten, en haar haar is maar een paar millimeter lang. Ze houdt de hand vast van een ouder meisje met vlechtjes, bij wie een dofgouden neusring sterk contrasteert met haar donkere huid.

'Dit is Bina, en haar jongere zusje Yashoda,' begint Parag voor Asha te vertalen. Asha glimlacht en zakt door haar knieën naar hun niveau. 'Bina is twaalf en Yashoda is drie.'

'Hoe lang zijn ze hier al en waar komen ze vandaan?' Asha steekt haar hand uit naar het kleine meisje. Parag vertaalt, en Bina geeft meteen antwoord met een krachtige, hoge stem.

'Ze zegt dat ze hier vlak voor de laatste moessontijd zijn gekomen, dat is dus ongeveer acht of negen maanden geleden. Ze hebben twee nachten gereisd vanaf hun dorp,' zegt Parag.

Yashoda speelt nu met de ringen aan Asha's vingers, ze draait ze steeds maar rond. 'Vraag eens naar haar familie. Wat doen haar ouders?' zegt Asha.

'Hun moeder is huisbediende, hun vader werkt in een kledingfabriek. Ze hebben drie broers; de oudste werkt met zijn vader en de twee jongere zitten op school.'

Asha kijkt op van haar aantekenboekje. 'Waarom zit zij ook niet op school? Bina?' Parag staart Asha zwijgend aan. 'Vraag het haar. Vraag haar waarom ze niet op school zit.' Asha ziet dat

Parag nog even aarzelt, dan naar Meena kijkt en zich vervolgens eindelijk tot Bina wendt. Als hij de vraag stelt, kijkt Bina naar Asha en dan naar haar voeten. Ze antwoordt kort en Parag vertaalt. 'Ze moet voor haar zusje zorgen, eten koken en kleren wassen.' Asha is niet echt tevreden met dit antwoord, maar merkt aan de blik die Parag en Bina wisselen dat ze niet veel meer zal krijgen.

'Vraag haar waarom het haar van haar zusje zo kort is.' Asha streelt over het hoofd van het kleine meisje.

'Dat komt waarschijnlijk...' begint Parag.

'Ik wil dat je het haar vraagt. Ik wil haar antwoord horen.'

Hij wendt zich naar Bina, praat tegen haar, luistert en wendt zich dan weer naar Asha. 'Ze zegt dat het om een probleem met ongedierte ging,' zegt Parag zachtjes. Bina kijkt weer naar haar voeten, schopt in het zand. Asha slikt. Yashoda kijkt nog steeds met lieve ogen naar Asha en beweegt een van haar handen.

'Hier,' zegt Asha. Ze probeert een van de ringen van haar vingers te halen, die dik zijn van de hitte. Ten slotte lukt het haar om er een van haar pink los te krijgen, een dunne zilveren ring met een paars steentje. Ze houdt hem Yashoda voor. Het kleine meisje kijkt eerst naar haar zus, dan weer naar Asha. Ze pakt hem opgetogen aan en slaat haar armen om Asha's nek.

'Bedankt dat je met ons wilde praten,' zegt Asha tegen Bina terwijl ze gaat staan. Parag vertaalt het en Bina knikt met een verlegen glimlach. Dan laat Asha Yashoda's handje los.

Asha gebaart naar Parag en Meena en ze lopen verder. Een vermoeid uitziende vrouw die voor haar hut staat en hard iets roept, trekt hun aandacht.

'Wat zegt ze?' vraagt Asha.

'Ze roept iemand, zegt dat ze moet opschieten,' zegt Parag.

Dan draait de vrouw zich om, ziet de camera en loopt naar hen toe om hen te begroeten. Zij en Parag wisselen een paar beleefde woorden en hij draait zich om naar Asha. 'Ze gaat haar kind naar school brengen. Het meisje is altijd laat.'

'O, mooi. Kan ze even met ons praten? Hoe oud is haar dochter?'

'Ze heeft vier kinderen, maar er wonen er hier maar twee bij haar... van wie er een vanochtend al naar school is gegaan; hij is dertien. Degene die binnen is, haar dochter, is tien.'

'Haar tienjarige dochter gaat naar school? Dat is geweldig.'

'Ja, ze zegt dat school erg belangrijk is,' vertaalt Parag. 'Ze brengt en haalt haar dochter elke dag. Anders zou ze niet kunnen gaan.'

'Wat doet haar man?' vraagt Asha.

De vrouw antwoordt met één enkel woord, dat Parag vertaalt. 'Hij is dood.'

Asha schrijft dat in haar aantekenboekje, onzeker welke vraag ze na zo'n antwoord kan stellen. Op dat moment ziet ze dat Meena's aandacht wordt getrokken door iets achter haar, en Asha draait zich om. Het eerste moment denkt Asha dat er een kind uit de hut komt kruipen, maar de volgende, vreselijke seconde beseft ze dat het meisje invalide is. Haar beide benen zijn stompjes en ze beweegt zich met haar armen over de grond, haar romp ertussen zwaaiend. Asha ademt geschokt in en kijkt weg van het groteske beeld. Als ze opkijkt, staart Meena haar aan en knikt ze dat ze door moet gaan. Asha wendt zich weer tot het onderwerp van haar interview, net op tijd om te zien hoe de vrouw neerknielt en haar beenloze dochter op de een of andere manier op haar rug klimt. Voor Asha weer een vraag kan stellen, zegt Parag: 'Ze moet nu weg, anders komen ze te laat. Het is twee kilometer naar school.' Parag bedankt de vrouw door zijn handpalmen tegen elkaar te leggen, en Asha doet hetzelfde. Ze kijken toe hoe de vrouw met het kind op haar rug in de menigte verdwijnt.

Asha voelt zich duizelig. *Komt het door de hitte?* Ze probeert diep in te ademen, maar haar neusgaten vullen zich met de benauwde stank van het riool en menselijke uitwerpselen. Ze schudt haar hoofd en zegt tegen Meena: 'Ik ben zo terug.' Ze steekt de straat over naar een stalletje, dankbaar even weg te kunnen. Ze had niet verwacht dat ze zo geraakt zou zijn door wat ze hier vandaag ziet, ze dacht dat ze erop voorbereid was. Maar alle foto's en filmpjes die ze heeft gezien, waren alleen maar foto's en filmpjes. Hier is het echt, hier in Dharavi gaat de ellende maar door, is overal om haar heen te zien, zo ver ze kan kijken. Het cumulatieve effect van de doordringende stank, zware leefomstandigheden en wanhoop in het leven van deze kinderen heeft een diep gevoel van mede-lijden in haar wakker gemaakt. Asha koopt een Limca, de citroen-limoenlimonade die ze erg lekker vindt. Nadat ze de rand van de fles heeft afgeveegd, drinkt ze met één grote slok de halve fles leeg. Er passeert een dubbeldekker, en ze ziet Meena en Parag aan de overkant van de straat ongeduldig staan wachten. Ze moet zich beheersen. Nadat ze de fles heeft leeggedronken, steekt ze de straat weer over.

'Oké, ik moest even afkoelen. Ik ben klaar. Kom mee,' zegt ze, en ze probeert vol zelfvertrouwen te klinken. Ze lopen naast elkaar, tot Asha bij een hut stopt waar een vrouw in een dofgroene sari voor staat. Ze heeft een baby op haar heup, en twee andere kleine kinderen hangen aan haar benen. Haar linkerarm, tussen de rand van haar sari en haar elleboog, zit vol donkerblauwe plekken. De vrouw roert in iets op het vuur en voert ondertussen haar baby rijst met haar vingers. 'Zou ze met ons willen praten?' vraagt Asha aan Parag. Ze kijkt toe als ze met elkaar praten, en de vrouw maakt een gebaar met haar hand en mond.

'Ze vraagt of je haar iets wilt geven... iets om eten te kopen,' zegt Parag. Asha haalt een biljet van vijftig roepie uit haar zak en steekt het naar voren. De vrouw stopt het in een plooi van haar sari. Ze lacht met een scheve mond, waardoor te zien is dat ze twee tanden mist.

Asha haalt diep adem. 'Vraag haar wanneer ze hier is gekomen en waar ze vandaan komt.' Parag en de vrouw voeren een heel gesprek, waarbij ze met haar vrije arm gebaart naar de hut achter haar en naar een plek in de verte.

'Ze woont hier in dit huis sinds ze twee jaar geleden is ge-trouwd. Ze woonde daar...' Parag wijst naar ergens diep in de sloppenwijk. '... bij haar ouders.'

'Hier, in Dharavi? Hoe lang heeft ze hier met haar ouders ge-woond?' Asha had niet gedacht dat mensen al hele generaties op deze plek zouden wonen. De overheidsambtenaren hadden het laten klinken alsof dit maar een tijdelijke verblijfplaats was.

'Sinds ze een kind was, zo lang ze zich kan herinneren,' zegt Parag. 'Ze zegt dat dit huis beter is dan dat van haar ouders. Hier woont ze alleen met haar man en kinderen. Daar woonde ze met acht of tien mensen.' Parag geeft deze informatie alsof hij over het weer praat, alsof de inhoud niet schokkend is. Asha vraagt zich af of hij het expres doet, om haar te ergeren.

'Vindt ze het leuk... is ze hier gelukkig?' vraagt Asha. Ze weet dat het een absurde vraag is aan een vrouw die haar hele leven in een sloppenwijk heeft gewoond, maar ze kan geen betere bedenken.

'Ze zegt dat het prima is. Ze zou graag ooit in een echt huis wonen, maar daar is nu niet genoeg geld voor.'

Asha denkt aan het biljet van vijftig roepie dat nu tussen de plooien van de sari van de vrouw zit, en de tientallen die nog in haar eigen zak zitten, in totaal tien Amerikaanse dollar. 'Wat doet haar man?'

'Hij werkte als riksjachauffeur,' zegt Parag, en hij wacht dan om de rest te horen van wat de vrouw zegt. Hij gaat verder: 'Hij deed het samen met een andere man, maar hij raakte twee maanden geleden zijn baan kwijt omdat hij steeds dronken was en te laat kwam.'

'Hoe komen ze dan aan geld?'

Als Parag die vraag vertaalt, kijkt de vrouw naar de pot op het vuur. Ze zet de baby op de grond, die er meteen met de andere kinderen vandoor gaat. Haar stem is gedempt als ze antwoord geeft. 'Ze gaat 's avonds naar het bordeel,' zegt Parag. 'Er is er een verderop langs de straat. Ze kan vijftig roepie per avond verdienen voor een paar uur werk, dan komt ze weer naar huis. Ze zegt dat ze haar kinderen niet meeneemt, ze laat ze achter bij een van de buren. Ze wil niet dat ze die plek zien, zien wat daar gebeurt. Ze wil niet dat ze het weten.'

Asha slikt als ze dit in zich opneemt. 'Is dat genoeg? Vijftig roepie? Ik bedoel...'

'Ze zegt dat het genoeg is voor eten voor haar gezin. Als haar man weer een baan krijgt, hoeft ze er niet meer naartoe.'

Asha voelt zich weer duizelig, onzeker wat ze nu moet vragen. Ze weet niet of ze nog meer kan hebben. Ze kijkt naar Meena, die naar haar knikt. Ze kijkt naar de lijst met vragen in haar aantekenboekje en knippert met haar ogen, probeert zich te concentreren.

'Hoe oud is ze?' vraagt ze, tijdrekkend. Hij wendt zich weer tot de vrouw; haar kinderen zijn terug en trekken aan haar sari. De vrouw bukt zich om de baby op te pakken. 'Twintig,' is het antwoord. Asha rilt onwillekeurig als ze naar de vrouw kijkt die in deze ellendige omstandigheden leeft en zichzelf prostitueert om te overleven. Ze heeft haar hele leven hier gewoond. Ze heeft drie jonge kinderen, een man die voortdurend dronken is, en weinig hoop op een andere toekomst. Zij en Asha zijn even oud.

Ze rijden in stilte terug naar het kantoor. Asha's gedachten tollen rond, de gezichten die ze net heeft gezien en de onvoorstelbare verhalen die ze heeft gehoord laten haar niet los. Ze voelt Meena's ogen op zich gericht. 'Wat vind je ervan?' vraagt Meena. De vraag is welwillender dan ze had verwacht.

Kan ze zeggen dat ze ontzet is dat er in dit land mensen onder deze omstandigheden leven? Dat sommige meisjes niet eens de kans krijgen om naar school te gaan, omdat ze al op twaalfjarige leeftijd het huishouden moeten runnen? Dat alle anderen een kind zonder benen niet ongewoon vinden? 'Ik denk dat het een goed begin was,' zegt Asha. 'Wat vind jij?'

'Ik denk dat je het er prima hebt afgebracht, al met al. We hebben een paar goede verhalen gevonden, kenmerkend voor het leven in Dharavi. Is er iets wat je nog mist, wat je de volgende keer nog wilt doen?' vraagt Meena.

'We hebben geen jongens gesproken. Of mannen. Ik heb er eigenlijk geen gezien.' Asha kijkt uit het raam naar de volle trottoirs. 'Hoe komt het dat als ik buiten loop de straten vol mannen zijn, maar dat we vandaag in Dharavi alleen vrouwen zagen?'

'Asha,' zegt Meena, 'net zoals er twee India's zijn voor de rijken en de armen, zijn er twee India's voor mannen en vrouwen. Het domein van de vrouw is thuis: ze zorgt voor het gezin en geeft leiding aan de bedienden. Het domein van de man is de wereld: werken, eten in restaurants. Dat is waarom je je als je hier als vrouw op straat loopt, een minderheid kunt voelen. Het zijn de mannen die in de weer zijn. En soms proberen ze degenen van ons die zich op straat wagen te beschimpen.'

Asha denkt aan het gefluit en de mannen met wellustige blikken die ze soms op straat tegenkomt, waardoor ze de neiging krijgt de zelfverdedigingstechnieken te gebruiken die ze op een cursus geleerd heeft.

'Maar het is niet alleen ons beeld, het is ook een feit. We zijn een minderheid in dit land. Je weet toch dat de geboortecijfers in India helemaal in de war zijn? We hebben iets van negenhonderdvijftig meisjes tegenover iedere duizend jongens.' Meena staart voor zich uit. 'Het lijkt erop dat Moeder India niet van al haar kinderen evenveel houdt.'

42

Maar van één ding spijt

Mumbai, India, 2004
Jasu

Jasu wordt 's morgens wakker, al uitgeput terwijl de dag nog moet beginnen. Vannacht werd hij weer paniekerig wakker, schoot overeind in bed en probeerde met zijn armen de ongrijpbare schep te pakken die altijd verdwijnt als hij zijn ogen opendoet. Hij werd hijgend wakker, met bonzend hart, zijn gezicht en borst nat van het zweet. Kavita legde een koude doek op zijn voorhoofd en probeerde hem weer in slaap te sussen. Niets van wat zij doet of hij zichzelf probeert te vertellen is genoeg. Hij moet vandaag een bezoek aan de tempel brengen, voordat hij naar de fabriek gaat.

Hij rent en springt op de trein op het moment dat hij begint te rijden. Deze ochtend voelt hij zijn leeftijd, en even is hij bang dat hij ervanaf zal glijden. Het is haast niet te geloven dat hij bijna elke dag deze trein heeft genomen sinds ze veertien jaar geleden naar Mumbai zijn gekomen. Hij krimpt in elkaar bij de gedachte hoe weinig hij toen wist van deze stad, en van de problemen die hij zou tegenkomen. Soms ziet hij zichzelf in de gezichten van de mensen die nieuw zijn aangekomen: de mannen in plattelandskleren die elke dag bij de fabriek komen om een baan te zoeken. Als voorman is hij nu degene die zovelen van hen moet afwijzen, wetend dat zijn beslissing betekent dat hun gezinnen die avond niets te eten zullen hebben. Als hij in de ogen van die mannen kijkt, herkent Jasu de druk waaronder ze leven en de angsten die ze hebben. Ze zijn allemaal, net als hij, hierheen gekomen in de verwachting dat deze stad hun rijkdom en overvloed zou brengen, maar ze hebben iets heel anders gevonden.

Vorige week kwam er een jonge man bij de achterdeur in een versleten shirt en op blote voeten. Achter hem stonden zijn vier kinderen en zwangere vrouw. Ze hadden geen plek om te blijven, vertelde hij Jasu. Hij stortte bijna in toen Jasu hem vertelde dat er geen banen vrij waren in de fabriek. 'Alstublieft, sahib, alstublieft,' smeekte hij met zachte stem, zodat zijn gezin zijn wanhoop niet zou horen. 'Ik zal alles doen wat u maar wilt, alles. Vloeren vegen? Toiletten schoonmaken?' Hij hield zijn handpalmen voor zijn gezicht tegen elkaar alsof hij stond te bidden. Jasu had hem een baan gegeven als hij had gekund, maar zelfs als voorman heeft hij weinig speelruimte in die zaken. Hij had de man een biljet van vijftig roepie gegeven en gezegd dat hij over een maand terug moest komen. Hij voelt zich rot als hij dat soort mensen ziet, maar hij prijst zich gelukkig dat hij hun lot heeft kunnen vermijden. Bijna vijftien jaar nadat hij zijn thuis heeft verlaten en naar deze vreemde stad is gekomen, heeft hij een goede baan, een vast inkomen en een fatsoenlijke woning. Hij heeft er hard voor gewerkt, maar hij weet dat het uiteindelijk vooral aan geluk heeft gelegen.

Er zijn zo vaak momenten geweest dat het mis had kunnen gaan. De verwonding die hij jaren geleden heeft opgelopen had zoveel erger kunnen zijn. Hij had een hand of voet kunnen verliezen zoals zoveel anderen, en zou dan gedwongen zijn geweest om op straat te bedelen met de andere invaliden. Die ene keer dat hij niet kon werken, was hij zichzelf bijna in de drank verloren. Hij zou het inkomen van zijn gezin en zijn eigen leven hebben verkwanseld als Kavita er niet was geweest. Door de jaren heen is het hem steeds duidelijker geworden dat het grootste deel van hun voorspoed aan haar te danken is, aan haar kracht, haar liefde, haar vertrouwen in hem. Als ze meer kinderen hadden gehad, zou hij geëindigd kunnen zijn als die man in dat versleten shirt, wanhopig om alles te doen voor een paar roepie. Natuurlijk, als ze meer kinderen hadden gehad, zou hij niet al zijn hoop hebben gevestigd op Vijay, die nu voorbeschikt is om het leven van een crimineel te leiden. Hij denkt aan alle keuzes die ze hebben gemaakt sinds de geboorte van Vijay, de meeste speciaal voor hun zoon, en kan er geen één bedenken die hij anders had willen doen. Hij heeft alles gedaan wat hij dacht dat hij moest doen als vader, en toch is Vijay een teleurstelling geworden. Hij dacht altijd dat hij wist wat het beste was voor zijn gezin, maar leeftijd en ervaring hebben hem nederig gemaakt.

Jasu stapt op het Vikhrolistation van de trein en loopt in de richting van de kleine tempel, een paar blokken verderop. Hij gaat hier vaak naartoe na een nachtmerrie; de laatste tijd komt hij er om de paar dagen. Het is een bescheiden tempel; aan de buitenkant lijkt hij op de andere gebouwen in de buurt. Hij laat zijn slippers voor de deur staan en loopt langs de marmeren fontein bij de ingang. Als hij op de grond neerknielt en zijn ogen sluit, gaan zijn gedachten terug naar het enige besluit dat hij betreurt: die vreselijke nacht dat Kavita beviel van hun eerste kind. Het was maar even, een beslissing in een onderdeel van een seconde, maar twintig jaar later wordt hij er nog steeds door achtervolgd. Hij herinnert zich het wriemelende kind in zijn armen en Kavita's gillen toen hij wegliep. Hij had de baby aan zijn neef gegeven, die, zoals was afgesproken, zich er zo snel mogelijk van zou ontdoen. Jasu zat op zijn hurken voor de hut, rookte een beedi en wachtte.

Toen hij zijn neef uit het bos zag komen met een schep in zijn hand wist hij dat het voorbij was. Ze wisselden even een vreselijke blik van verstandhouding. Jasu heeft nooit gehoord waar de baby is begraven. Hij wist dat zijn neef het hem niet had verteld omdat hij dacht dat het Jasu niets kon schelen. De waarheid was dat Jasu het niet had gevraagd omdat hij het niet kon verdragen het te weten. Hij deed wat er van hem werd verwacht, wat zijn andere neven hadden gedaan, wat zijn broers zouden doen. Hij had er nooit over nagedacht dat hij een keus had, totdat hij zijn neef terug zag komen met die schep, toen drong het tot hem door.

Hij had vele jaren niet aan zichzelf toegegeven dat wat hij had gedaan fout was geweest, maar het duurde heel lang voor hij weer in Kavita's gewonde ogen kon kijken. Alleen God had hem behoed voor het maken van dezelfde fout bij het tweede kind. Toen de vroedvrouw hem vertelde dat de baby in haar slaap was overleden, te zwak om de eerste nacht te overleven, was hij opgelucht. Zelfs die genade kon de diepte van Kavita's rouw niet verminderen. Toch had hij niet de kracht om haar tegen de constante kritiek van zijn familie te beschermen. *Twee dochters betekent dat ze in haar vorige leven een zonde heeft begaan,* zeiden zijn ouders. Ze wilden dat hij haar eruit zou gooien, een nieuwe vrouw zou nemen. Ze dwongen hem bij de derde zwangerschap de echo te laten maken, en gaven hem het geld om ter plekke een abortus te laten uitvoeren als het nodig mocht zijn. Toen wist hij dat ze op een dag het huis van zijn ouders zouden verlaten, zelfs als dat betekende dat ze Dahanu moesten verlaten, welke risico's dat ook met zich mee zou brengen. Hij had nooit willen kiezen tussen de loyaliteit aan zijn ouders en het beschermen van zijn vrouw, maar ze lieten hem geen keus. Al trokken ze bij na de geboorte van Vijay, Jasu kon hen nooit meer op dezelfde manier zien. Zelfs nu nog, als ze naar het dorp teruggaan voor een bezoek, kan hij niet naar zijn neef kijken zonder hem met de schep in zijn hand te zien terugkomen.

Hij en Kavita hebben nooit over die nacht gesproken, nooit. Hij was er te trots en te beschaamd voor. Maar Jasu weet dat hij in de ogen van zijn vrouw, en waarschijnlijk ook in die van God, een monster is om wat hij heeft gedaan. Hij heeft het grootste deel van zijn leven besteed aan het goedmaken van die ene nacht, Kavita laten zien dat hij een goede man is, om God te bewijzen dat hij zijn gezin waardig is. Hij weet dat hij de zonde die hij heeft begaan niet meer ongedaan kan maken. Maar hij heeft wanhopig geprobeerd om het een deel van zijn verleden te maken en een nieuwe toekomst op te bouwen: een nieuwe stad, een nieuw thuis, nieuw werk. Die dingen hebben hem tot op zekere hoogte trots gemaakt, hoewel ze de schuld die op zijn geweten drukt niet hebben uitgewist. De nachtmerries zijn een tijdje opgehouden, een paar jaar, toen alles eindelijk goed begon te gaan. Tot die vreselijke nacht dat ze thuiskwamen en de politie hun huis doorzocht.

De nachtmerries zijn weer begonnen en zijn erger geworden sinds de problemen met Vijay, met het besef dat wat ooit Jasu's grootste trots was, nu de teleurstelling van zijn leven gaat worden.

43

Marine drive

Mumbai, India, 2004
Asha

Asha hoort het gekoer van de duiven buiten haar raam en draait zich om om het ochtendlicht achter de donkere katoenen gordijnen te zien stralen. Ze rolt terug en rekt zich uit met een gekromde rug en bijbehorend gekreun. Ondanks het gezoem van de airco kan ze horen dat dadima vogelzaad op het balkon strooit, iets wat ze elke ochtend doet. Dadima zegt dat duiven niet alleen heilige wezens zijn, maar ook haar loyaalste bezoekers, dat ze haar al elke ochtend van de ruim vijftig jaar dat ze in deze flat woont gezelschap houden, al sinds ze met dadaji is getrouwd en hier bij zijn ouders is komen wonen.

Dadima heeft haar schoonmoeder beschreven als een lieve ziel, een godsdienstige vrouw die de tempel om de hoek elke morgen bezocht. Haar nederigheid en zachtaardige natuur zorgden ervoor dat ze heel wat makkelijker in de omgang was dan de meeste sassu's, en dadima zegt dat ze daardoor het geluk had dat de eerste jaren van haar huwelijk gladjes verliepen. Nadat haar schoonouders waren overleden, erfde dadima de titel van matriarch van de Thakkar-clan. Asha hoorde dat deel van de familiegeschiedenis van haar oma op de vierde dag dat ze samen een vroege ochtendwandeling maakten. Het is de belofte van zo'n gesprek die Asha nu motiveert om zo vroeg uit bed te komen.

De eerste dag, bijna twee weken geleden, was Asha toevallig vroeg wakker dankzij vuurwerk dat haar die nacht in haar slaap had gestoord. Toen ze 's morgens slaperig de woonkamer binnenkwam, was ze verbaasd dat dadima daar aan tafel thee zat te drinken. 'Goedemorgen, beti. Heb je zin om me vandaag op mijn wandeling te vergezellen? Er waait een heerlijk windje vanmorgen.' En dus, omdat ze zo vroeg toch niets beters te doen had, trok ze haar hardloopschoenen aan, zette haar baseballpet op en wandelde met haar oma langs Marine Drive, de promenade die langs de haven van Mumbai loopt. Het was geen stevige wandeling, omdat dadima een sari droeg en op haar chappals voortslofte, en dus kostte het hun een uur om naar Nariman Point en terug te lopen.

Op de eerste dag wees dadima naar een kleine winkel met een witte gevel en een groene luifel. 'Zie je die, die ijswinkel? Daar nam dadaji je vader en zijn broers op zondag mee naartoe. Het was hun ritueel, de enige dag dat dadaji niet naar het ziekenhuis ging.' *Slof, slof.* Dadima's versleten chappals maakten een sloffend geluid onder het lopen. Om de paar stappen hield ze haar hand boven haar ogen om ze te beschermen tegen het zonlicht dat op het water weerkaatste. 'En daar, daar was de kleuterschool waar de jongens op hebben gezeten. Hij werd geleid door een aardige non, zuster Carmine.' Terwijl ze liepen, negeerden ze de mensen die langs de strandmuur hun behoeften deden en de halfnaakte kinderen die hun handen ophielden voor een muntstuk.

De tweede dag had Asha dadima overgehaald haar reservepaar hardloopschoenen te passen, en wonder boven wonder hadden ze dezelfde maat. Toen ze eenmaal gewend was aan het gevoel dat haar voeten helemaal ingesloten waren, zei dadima dat ze ze heerlijk vond zitten en wilde ze ze graag houden. Maar ze weigerde de baseballpet die Asha haar aanbood te dragen. In plaats daarvan drapeerde ze haar sari over haar hoofd, al gaf dat maar erg weinig bescherming tegen de zon. De schoenen, zei dadima, konden tenminste verstopt worden onder haar lange sari. Als mensen haar met zo'n pet zouden zien, zouden ze zeker denken dat ze haar verstand verloren had. Op haar leeftijd, legde dadima uit, zochten mensen altijd naar tekenen daarvan, en ze hoefde hun geen bewijzen te leveren. Op die dag en de keer daarop stelde dadima Asha vragen over haar leven in Amerika. Asha vertelde uitgebreid over haar school, haar lessen, de krant en haar vriendinnen. Ze wist niet zeker hoeveel dadima ervan begreep, gezien het verschil in taal, cultuur en generatie, en omdat ze wel steeds knikte maar geen vragen stelde. Maar later, toen haar oma terugkwam op een klein detail dat ze had genoemd, besefte Asha dat ze het allemaal in zich had opgenomen.

De vierde dag, ergens tussen straatverkopers die geroosterde mais verkochten en andere die verse kokosnoten opensloegen met hun machetes, vertelde dadima het verhaal over haar schoonmoeder. Ze beschreef hoe de oude vrouw haar als nieuwe bruid meenam naar de keuken om haar te laten zien hoe ze gegrilde auberginecurry moest maken op de manier die haar zoon lekker vond. 'Het was te veel voor me,' zei dadima. 'Ik had net mijn familie gedag gezegd en toen kwam ze me vertellen hoe ik *bengan bhartha* moest klaarmaken. Alsof ik dat niet wist! Ik maakte het al jaren samen met mijn moeder. Ze maakte de beste bengan bhartha van de hele buurt.'

'Wat gebeurde er toen?' vroeg Asha.

'Ik liep de keuken uit en ging in onze kamer zitten. Vier uur lang. Ik kon in die tijd erg koppig zijn.' Ze grinnikte. 'In elk geval, na een poosje kwam ze achter me aan. Ze vroeg me naar de keuken te komen en haar te laten zien hoe ik bengan bhartha maakte. Ze zei dat het nu mijn keuken was en dat het me vrijstond te koken zoals ik wilde. Zo'n vrouw was ze. Zo edelmoedig. Helemaal geen ego.' Het verbaasde Asha dat ze met zoveel genegenheid en respect over haar schoonmoeder praatte, nadat ze zoveel mensen had horen klagen over die relatie.

'Dit is de tempel waar ze elke dag naartoe ging,' zei dadima toen ze langs een gebouw met een onopvallende, witte voorkant liepen, een paar blokken van hun flat. 'Kom, ik zal hem je laten zien.' Asha was nog nooit eerder in een tempel geweest, en deed net als dadima haar sportschoenen voor de ingang uit. Binnen was een eenvoudige ruimte met een paar beelden van verschillende hindoegoden. Voor een beeld met het hoofd van een olifant bleef dadima even staan, haar ogen dicht en haar handpalmen tegen elkaar. 'Ganesh,' fluisterde dadima tegen haar, 'ruimt hindernissen uit de weg.' Toen stapte ze naar voren, bewoog haar open rechterhand over een stalen plaatje waar een klein vlammetje brandde, nam een handjevol pinda's en kristalsuiker, en gaf Asha ook een portie.

Buiten legde dadima verder uit. 'In mijn familie deden we onze dagelijkse godsdienstoefening thuis en gingen we alleen voor de grote gelegenheden naar de tempel. De Mahalaxmi Tempel. Je moet hem bezichtigen als je hier bent: prachtige tempel, erg groot, mensen uit heel Mumbai gaan ernaartoe. Maar nadat ik trouwde en hiernaartoe verhuisde, ging ik met mijn sassu naar deze kleine mandir. Er is er zo een in elke buurt. Mensen komen hier 's morgens even naar binnen of als ze op weg naar huis zijn. Het brengt een beetje vrede in mijn dag.'

'Dadima? Ik hoop dat het niet te onwetend van me is,' vroeg Asha op de vijfde dag. 'Hoe hebt u Engels geleerd? De meeste mensen van uw leeftijd in het gebouw kennen niet meer dan een paar woorden.'

Dadima grinnikte zachtjes. 'Dat heb ik aan mijn vader te danken. Hij was een echte anglofiel. Toen iedereen de Britten de schuld gaf van de problemen in India stond mijn vader erop dat ik Engelse les nam. Hij was een progressieve man, mijn vader. Hij wilde dat ik mijn studie af zou maken voordat hij jongens naar me liet kijken voor een huwelijk. Hij was zijn tijd vooruit, mijn bapu,' zei ze met een weemoedige glimlach. 'Hij begreep de waarde van een vrouw. Hij behandelde mijn moeder altijd alsof ze van goud was.'

En zo ging het door. Dadima deelde haar verhalen uit in kleine doses, ging verder terug in haar geheugen toen de dagen voorbijgingen. Asha leerde om een goede luisteraar te zijn, precies genoeg vragen te stellen om dadima aan de gang te houden zonder de stroom van herinneringen te verstoren. Na een week ochtendwandelingen begon dadima te vertellen over de migratie van haar familie tijdens de Partition, de verdeling van het land in India en Pakistan toen ze in 1947 onafhankelijk werden van het Britse Rijk. Dadima's familie had in Karachi gewoond, de hoofdstad van de Noord-Indiase staat Sindh. Haar vader was eigenaar van een bloeiend graanexportbedrijf en reisde vaak naar het Midden-Oosten en Oost-Afrika. Ze hadden een prachtig huis, twee auto's, en meer dan honderd hectare land, waarop dadima en haar broertjes en zusje vrij konden spelen. Ze moesten alles achterlaten toen ze werden gedwongen te verhuizen.

Karachi werd de hoofdstad van Pakistan, de nieuwe moslimstaat. De Britten trokken nieuwe grenzen op de kaart van Zuid-Azië zonder rekening te houden met de mensen die aan de verkeerde kant terechtkwamen. En dus werden mensen gedwongen hun huis te verlaten, hun bedrijf te sluiten, hun gezin uit de vertrouwde omgeving weg te rukken en de reis naar de goede kant van de grens te maken. Dadima's familie, als zoveel hindoes in Karachi, verhuisde naar Bombay. Haar vader bleef achter om zijn zaken te regelen en zo veel mogelijk van hun bezittingen te redden, terwijl dadima met haar moeder en broertjes en zusje over zee naar Bombay reisde. Ze hadden geluk dat ze de zeereis konden betalen, vertelde ze, want degenen die met de bus en de trein reisden, kregen te maken met gevechten met reizigers van een ander geloof die de andere kant op gingen.

'Mijn broertje was toen pas veertien, vijf jaar jonger dan ik,' legde dadima uit, 'maar hij was de oudste jongen en daarom moest hij mijn vader vervangen. Hij zorgde voor ons tijdens de reis. Toen het schip bij de haven aankwam, zetten ze ons in een kleine rubberboot om aan land te komen. Daar zaten we dan, mijn moeder en de vier kinderen, drijvend naar de lichten van die stad waar we niemand kenden. Opeens stond mijn broertje op en begon te schreeuwen en te zwaaien naar het schip achter ons. Hij had onze hutkoffers geteld; we hadden er tien meegebracht en er waren er maar negen op de rubberboot. Mijn broertje wilde naar het schip terug om die laatste te halen. Hij moest hem zelf gaan halen.

'Dat was alles op de wereld wat we nog hadden, die hutkoffers.' Dadima schudde haar hoofd bij de herinnering. 'Mijn moeder was zo bang. Ze wilde niet dat hij terugging. Het was donker, het was zo'n groot schip. Het was helemaal niet zeker of hij die koffer zou vinden, of naar ons terug zou kunnen komen. Toch ging hij. Hij was pas veertien, maar hij wist dat onze vader erop vertrouwde dat hij de man van het gezin zou zijn. Mijn moeder huilde en bad de hele tijd dat hij weg was. Ik begon me af te vragen wat er zou gebeuren als hij niet terugkwam. We hadden mijn bapu al in Karachi achtergelaten, en...'

'Wat gebeurde er?' vroeg Asha.

'O, hij kwam terug, een beetje bevend, maar hij had de laatste hutkoffer gevonden. En we kwamen natuurlijk veilig in de haven aan,' zei ze, en ze gebaarde naar het water.

'En uw vader?'

'Bapu kwam na een paar weken bij ons. We waren allemaal weer bij elkaar na de Partition. We hadden meer geluk dan anderen,' zei ze zacht. 'Mijn vader was echter nooit meer dezelfde man nadat we Karachi hadden verlaten. Ik denk dat zijn hart bloedde dat hij de stad waar hij van hield had moeten achterlaten, en het bedrijf waar hij zo hard voor had gewerkt om het op te bouwen. Hij was nooit meer helemaal dezelfde.' Ze liepen de rest van de weg in stilte.

Deze morgen, terwijl ze haar veters dichtknoopt, hoopt Asha iets van haar eigen geschiedenis te horen. Haar ouders spreken nauwelijks over haar geboorte of haar adoptie in India, en als ze het al doen, dan zijn het steeds dezelfde details. Ze is na haar geboorte aan het weeshuis gegeven, een plek die Shanti heette. Daar is ze gebleven tot ze ongeveer één jaar oud was. Toen kwamen haar ouders naar India, adopteerden haar en namen haar mee naar California. Dat is alles wat Asha weet over waar ze vandaan komt. Ze weet niet zeker of dadima haar iets meer kan vertellen, maar ze probeert moed te verzamelen om het haar vandaag te vragen.

'Goedemorgen, beti,' begroet dadima haar als ze naar de woonkamer loopt. 'Ik ben klaar en kan je vandaag weer bijhouden,' zegt ze glimlachend. 'Die vervelende pijn in mijn knie is helemaal weg.'

Asha ziet dat haar oma er jonger uitziet als ze glimlacht. Soms vergeet ze dat ze een oude vrouw is, maar dan zegt dadima bijvoorbeeld dat haar familie de eerste koelkast in het gebouw kreeg, en dan beseft Asha weer hoeveel deze vrouw in haar leven heeft meegemaakt.

'Mooi, ik ben ook klaar. Is dit voor mij?' vraagt Asha terwijl ze het schoteltje van het kopje hete chai haalt. Ze hield nooit van Indiase thee, vond het te zwaar en te zoet. Maar iets aan dadima's chai, met een vleugje kardemom en verse muntblaadjes, maakt het perfect om de dag mee te beginnen.

Het is een prachtige ochtend. De lucht is ongewoon fris, met een licht briesje dat over zee naar de promenade waait.

'Je ziet India voor het eerst op twintigjarige leeftijd, beti,' zegt dadima. 'Wat vind je ervan?' Zonder op antwoord te wachten, gaat ze verder: 'Weet je, je vader was niet veel ouder toen hij naar Amerika ging. O, hij was nog zo jong. Hij wist niet welke moeilijkheden hij tegen zou komen.'

'Ik weet het. Hij praat altijd over hoe hard hij studeerde. Hij vindt dat ik niet genoeg studeer,' zegt Asha.

'Studeren was niet moeilijk voor hem. Hij is altijd al slim geweest. Beste van de klas op school, captain van het cricketteam, altijd de beste cijfers. Nee, over dat deel maakte ik me nooit zorgen. Ik wist dat hij het goed zou doen met zijn studie. Het was de rest. Hij kende niemand. Hij had heimwee. Hij kon geen goed Indiaas eten vinden. Mensen konden zijn accent eerst niet verstaan. Zijn professoren vroegen hem twee, drie keer om zijn antwoord te herhalen. Hij vond dat erg vervelend. Hij begon naar cassettebandjes te luisteren om te leren als een Amerikaan te klinken.'

'Echt?' Asha probeert zich haar vader voor te stellen die naar bandjes luistert en hardop woorden herhaalt.

'Hahn, ja. Het was erg moeilijk voor hem. In het begin vertelde hij ons die dingen als hij belde, maar later zei hij steeds minder. Ik denk dat hij niet wilde dat wij ons zorgen maakten.'

'En deden jullie dat? Maakten jullie je zorgen?'

'Hahn, natuurlijk! Dat is de last die een moeder haar hele leven moet dragen. Ik zal me elke dag zorgen maken over mijn kinderen en kleinkinderen, tot mijn dood, dat weet ik zeker. Dat hoort erbij als je moeder bent. Dat is mijn karma.'

Asha peinst daar een poosje in stilte over.

'Is er iets, beti?' vraagt dadima.

'Ik dacht aan mijn moeder. Mijn, u weet wel, biologische moeder. Ik vroeg me af of ze ooit aan me denkt, of ze zich zorgen over me maakt.'

Dadima pakt haar hand en houdt hem stevig vast terwijl ze verder lopen. 'Beti,' zegt ze, 'ik kan je verzekeren dat er in het leven van je moeder geen dag voorbijgaat dat ze niet aan je denkt.'

Asha krijgt tranen in haar ogen. 'Dadima? Weet u nog toen ik een baby was?'

'Of ik dat nog weet? Wat dacht je dan, dat ik al een oude vrouw ben die haar geheugen kwijt is? Natuurlijk weet ik het nog. Je had een kleine moedervlek op je enkel, en nog een op de brug van je neus... ja, die, hij is er nog.' Dadima raakt hem zachtjes aan met haar vinger. 'Weet je, in onze cultuur betekent een moedervlek op je voorhoofd dat je voorbestemd bent voor grootheid.'

Asha lacht. 'Echt? In Amerika betekent het dat je voorbestemd bent voor camouflagecrème.'

'En je was gek op rijstpudding met saffraan. We aten het op de dag dat je voor het eerst bij ons kwam, en we moesten om de dag nieuwe maken, alleen voor jou!' zegt ze. 'Je vader moest zich aanpassen. Hij was eraan gewend dat al het eten speciaal voor hem werd gemaakt. Maar toen jij er eenmaal was, werd jij het middelpunt.' Dadima glimlacht. 'O ja, en zodra we je in bed hadden gelegd, draaide je je op je buik, rolde je op tot een balletje en bleef zo liggen tot de ochtend.'

'Dadima?' zegt Asha zacht, met bonzend hart.

'Hahn, beti?'

'Ik... ik denk eraan om mijn biologische ouders te gaan zoeken.'

Asha ziet de oude vrouw bijna onmerkbaar verstijven en er trekt een flits van iets over haar gezicht. 'Ik hou heel erg veel van mijn vader en moeder, en ik wil hun geen pijn doen, maar... Ik wil dit al zo lang, zo lang ik me kan herinneren. Ik wil gewoon weten wie ze zijn. Ik wil meer over mezelf te weten komen. Ik heb het gevoel dat er een doosje vol geheimen over mijn leven is, en niemand anders kan het voor me openen.' Asha ademt uit en kijkt naar de zee.

Na een van haar lange stiltes zegt dadima: 'Ik begrijp het, beti.'

Er slaat een golf tegen de zeewering terwijl ze praat. 'Heb je er al met je ouders over gesproken?'

Asha schudt haar hoofd. 'Het is een gevoelig onderwerp voor mijn moeder. Ze begrijpt het niet echt, en... ik wilde eerst zien of het eigenlijk wel mogelijk was. Er zijn een miljard mensen in India, als ze nou eens niet willen dat ik hen vind? Ze hebben me weggegeven. Ze wilden toen geen kinderen, dus waarom zouden ze me nu willen ontmoeten? Misschien is het beter als ik niet ga zoeken.'

Dadima staat stil, draait zich naar haar toe en legt haar gerimpelde handen om Asha's gezicht. 'Als je het gevoel hebt dat het belangrijk is, dan moet je het doen. Die ogen van jou zijn heel bijzonder, net als jijzelf. Je bent voorbestemd om dingen te zien die anderen niet zien. Dat is je gave. Dat, beti, is je karma.'

44

Chowpatty Beach

Mumbai, India, 2004
Asha

'Waar gaan we naartoe?' Asha probeert nonchalant te klinken als ze de vraag stelt die haar gedachten al beheerst sinds Sanjay drie dagen geleden belde. Nu ze op de achterbank van de taxi naar hem kijkt, bedenkt ze dat ze de avond van de bruiloft zijn aantrekkelijkheid niet heeft overschat. Zijn haar is nog vochtig en hij ruikt vaag naar zeep.

'Verrassing,' zegt hij met een glimlach, zijn ogen verstopt achter een zonnebril. Na een paar minuten zegt hij iets tegen de taxichauffeur en die stopt aan de kant.

'Oké,' zegt ze nadat hij haar uit de taxi heeft geholpen. 'Ik ben verrast, waar zijn we?'

'Chowpatty Beach. Dit is mijn favoriete tijd om hier te zijn, als de zon ondergaat. Nu zie je strand en speeltuinen, maar over een halfuur zie je lichten en kermisattracties. Ik weet dat het een beetje goedkoop is, maar ik beschouw het als een van de hoogtepunten van Mumbai. Je kunt niet in de stad geweest zijn zonder Chowpatty gezien te hebben.' Ze lopen samen naar de rand van het water, hun sandalen zinken weg in het zand.

'En, hoe gaat het met je project?' vraagt Sanjay.

'Goed, denk ik. Ik heb vorige week mijn eerste interviews gedaan.'

'En?' Hij gaat op een bank zitten en schuift naar een kant.

Asha gaat naast hem zitten en kijkt naar het water. 'Het was nogal moeilijk.'

'Waarom?'

Haar haar waait in het rond en ze trekt het naar één kant. 'Ik weet het niet, ik vond het gewoon zo... deprimerend.' Ze heeft hier met niemand over gesproken, zelfs niet met Meena. 'Als je die mensen ziet, de condities waarin ze moeten leven, hun verhalen hoort... Ik voelde me er vreselijk door. Schuldig.'

'Waarom?'

'Omdat ik een ander soort leven heb. Een beter leven. Die kinderen worden er gewoon in geboren, weet je. Ze vragen er niet om. Het is moeilijk om hoop te vinden.'

Sanjay knikt. 'Ja. Maar er is nog steeds een verhaal voor jou om te vertellen, toch?'

'Ik weet het niet. Ik geloof niet dat mijn vragen erg goed waren. Ik verloor mijn zelfbeheersing na de eerste interviews. Overal waar ik keek was ellende het enige wat ik zag. De mensen van *The Times* moeten wel denken dat ik een amateur ben. Journalisten zouden zich moeten kunnen beheersen. En ik kon dat niet.'

'Misschien. Maar dat is niet het enige wat je bent, toch? Een journalist?'

'Nee, maar...'

'Dus,' valt hij haar in de rede, 'moet je er misschien anders naar kijken.'

Hij zet zijn zonnebril af en kijkt haar aan. Ze voelt een gefladder in haar maag als hij haar wang aanraakt. Hij buigt zich naar voren en ze sluit haar ogen voordat ze zijn lippen zachtjes tegen haar oor voelt. 'Prachtig,' fluistert hij. Als ze haar ogen weer opendoet, staart Sanjay over het water naar de oranjerode gloed van de zon die onder de horizon zakt.

Prachtig? De zonsondergang? Haar ogen? Zij? De manier waarop hij het zei, doet haar geloven dat het misschien waar is. Haar hoofd zit vol met wel een miljoen vragen, maar zijn vraag komt er het eerst uit.

'Honger?'

Ze knikt, niet in staat iets te zeggen.

Ze lopen naar een van de voedselstalletjes aan de rand van het strand, die tot leven zijn gekomen nu de lucht donkerder wordt, en Sanjay haalt twee porties *bhel-puri*. Terwijl ze eten, staand, zien ze Chowpatty veranderen. De lichten van het reuzenrad gaan aan en het begint te draaien. Een slangenbezweerder trekt een menigte aan met zijn fluitmuziek, en een andere man gebaart een aangekleed aapje dat hij moet dansen. Sanjay houdt zijn arm om haar rug als ze langs de verschillende attracties lopen. Als ze bij het reuzenrad aankomen, kijkt hij haar aan en zegt: 'En?'

'Leuk, waarom niet?' Ze klimmen in het wiebelige bakje. Het rad begint te draaien en ze ziet de verspreide lichtjes en de bezienswaardigheden van Mumbai onder zich.

Als ze de top bereiken, zegt Sanjay: 'En, wat vind je van Mumbai? Wat vind je van je eerste bezoek hier? Het moet wel heel anders zijn, als je geboren en getogen bent in Amerika.'

'Nou, eigenlijk ben ik hier geboren,' zegt Asha. Ze weet dat ze dit niet hoeft te vertellen, maar toch wil ze het kwijt.

'Echt?' vraagt hij. 'In Mumbai?'

'Nou, dat weet ik eigenlijk niet. Mijn ouders hebben me geadopteerd uit een weeshuis hier in Mumbai. Ik weet niet waar ik ben geboren. Ik weet niet wie mijn... biologische ouders zijn.' Ze wacht op zijn reactie.

'Ben je niet nieuwsgierig?'

'Jawel. Nee. Ik weet het niet.' Ze kijkt weg van zijn doordringende ogen en ziet de kinderen beneden op versierde pony's rijden. 'Toen ik jonger was, was ik nieuwsgierig, en daarna heb ik geprobeerd het uit mijn gedachten te zetten. Ik dacht dat het een kinderachtige droom was waar ik wel overheen zou groeien. Maar nu ik hier in India ben, komt het allemaal weer terug. Ik heb zoveel vragen. Hoe ziet mijn moeder eruit? Wie is mijn vader? Waarom hebben ze me afgestaan? Denken ze nog wel eens aan me?' Asha stopt, ze beseft dat ze een beetje warrig klinkt. 'In elk geval...' Ze schudt haar hoofd en kijkt naar een witte pony die versierd is met felroze bloemenslingers.

Sanjay legt een hand op die van haar. 'Ik vind het niet kinderachtig. Ik denk dat het een heel natuurlijk instinct is, te willen weten waar je vandaan komt.'

Ze zwijgt, ze heeft het gevoel dat ze al te veel heeft gezegd. Als

het rad stilstaat, voelt ze zich tegelijkertijd teleurgesteld en opgelucht dat hun gesprek tot een vanzelfsprekende conclusie is
gekomen.

'Zullen we wat gaan eten?' vraagt Sanjay. 'Er is een erg goed
pizzarestaurant vlakbij.'

'Pizza?' lacht Asha. 'Denk je dat Amerikaanse meisjes alleen
pizza eten?'

'Nou, eh, nee, ik dacht alleen...' Sanjay ziet er voor het eerst onzeker uit.

'Waar zou je met je vrienden gaan eten?' vraagt ze. 'Laten we
daar naartoe gaan.'

'Oké dan.' Hij zwaait naar een taxi op Marine Drive. 'Iets
authentieks.'

45

Nog één leugen

Mumbai, India, 2004
Krishnan

Krishnan verschuift zijn schoudertas en glipt zijdelings door de glazen schuifdeuren die de laatste barrière vormen tussen hem en zijn geboortestad. Als hij naar buiten stapt, sluit hij zijn ogen en neemt een diepe teug van de Mumbaise lucht. Precies zoals hij zich herinnert. Achter de metalen hekken ziet hij Asha, de enige jonge vrouw in westerse kleding, omringd door mannen.

'Pap!' Asha zwaait naar hem met al het enthousiasme dat ze als klein meisje ook liet zien als ze bij de voordeur op hem stond te wachten.

'Hallo, lieverd!' Hij laat zijn tas vallen om haar te omhelzen.

'Hallo, oom,' zegt de jonge man die naast haar staat.

'Pap, herinner je je Nimish nog? De zoon van oom Pankaj.'

'Hahn, ja, natuurlijk. Fijn je weer te zien,' zegt Krishnan, al ziet zijn neef er maar vaag bekend uit, net zoals bijna iedereen in de menigte. Hij is blij dat Asha er is om hem voor te stellen.

'Hoe was je vlucht?' Ze steekt haar arm door die van hem als ze naar de auto lopen.

'Goed. Lang,' antwoordt Krishnan. In de acht jaar sinds zijn laatste reis naar India zijn de stoelen kleiner geworden en de vliegtuigen voller, maar het vooruitzicht Asha weer te zien heeft hem door de lange vlucht heen geholpen.

De volgende morgen tijdens het ontbijt zegt Asha: 'Zullen we vandaag samen lunchen, pap? Ik wil je meenemen naar een plek die ik erg leuk vind.'

Krishnan glimlacht naar haar over zijn dampende kop chai, die nergens zo goed smaakt als bij zijn moeder thuis. 'Wat is dat nou? Je bent hier pas een paar maanden en je bent nu al een kenner van mijn geboortestad?'

'Nou, misschien nog geen kenner, maar er is veel veranderd sinds de laatste keer dat je hier was. Ik kan je wel het een en ander laten zien.' Ze glimlacht terug.

Ze heeft gelijk wat betreft de veranderingen. Onderweg van het vliegveld werd hij overweldigd door de ontwikkelingen die overal in de stad hebben plaatsgevonden. Complete blokken met gebouwen zijn opgerezen op plekken waar niets was, en Amerikaanse merken zijn overal: Coca-Cola-flessen, restaurants van McDonald's, reclameborden van Merrill Lynch. De positieve tekenen van de modernisering zijn onmiskenbaar, net als de negatieve effecten. Toen hij vanmorgen op zijn balkon stond, was het bekende uitzicht over zee bijna onzichtbaar door de luchtvervuiling.

'Goed, ik ben helemaal aan je overgeleverd.' Krishnan grinnikt.

'Heel verstandig,' zegt zijn moeder terwijl ze binnenkomt. 'Je dochter heeft net zo'n sterke wil als jij, misschien zelfs nog sterker.' Ze staat achter Asha met haar handen op de schouders van het meisje.

Door dat beeld, zijn moeder met zijn dochter, krijgt Krishnan een brok in zijn keel. 'Ja, dat weet ik. Waarom denk je dat ze nog niet is ingeschreven voor de studie geneeskunde?'

'O, beta, dat idee moet je echt opgeven. Ze heeft al een carrière. Je moet het geweldige werk dat ze bij de krant doet eens zien,' zegt zijn moeder.

'Ik zal je er na de lunch mee naartoe nemen, pap.'

Het restaurant dat Asha heeft uitgekozen, serveert klassiek Zuid-Indiaas straatvoedsel: gigantische, papierdunne *masala dosa's* die knapperig en heet worden opgediend, vochtige *idli's* geserveerd met een hete *sambar* als saus. Deze plek is het equivalent van een goedkoop buurtrestaurant. Als ze in het met vinyl beklede hokje zitten, ziet Krishnan dat ze de enige klanten zijn die niet uit de buurt komen. Hij is verbaasd en blij dat zijn dochter zich hier op haar gemak voelt.

'Dat spul is heerlijk, maar zo heet,' zegt Asha, wijzend naar het schaaltje sambar. 'Je hebt er yoghurt bij nodig.' Ze bestelt het in gebroken Hindi bij de ober die langskomt.

'En, ben je al in de gelegenheid geweest om met je opa naar het ziekenhuis te gaan?' Hij merkt dat hij vanzelf terugvalt in het bekende taaltje van Mumbai, een mengelmoes van Hindi, Gujarati en Engels.

'Nog niet. Hij is meestal al weg als ik terugkom met dadima. Heb ik je al verteld dat we samen wandelen 's morgens? Het is geweldig. Ze is een verbazingwekkende vrouw, pap. Jammer dat ik haar nu pas leer kennen.'

Krishnan voelt de beschuldiging in die laatste opmerking, al betwijfelt hij of ze het zo bedoelt. 'Ja, ze is een opmerkelijke vrouw, hè? Ze is niet veel zachter geworden nu ze ouder is.' Tijdens de lunch praten ze over de familieleden die Asha heeft ontmoet, de grootse bruiloft die ze heeft meegemaakt, de mensen met wie ze samenwerkt bij The Times of India, de plekken die ze heeft bezocht in Mumbai.

'Mmm. Deze sambar is heerlijk. Hoe heb je dit restaurant gevonden, Asha?'

'Iemand... een vriend, Sanjay, heeft me hier mee naartoe genomen. Hij daagde me uit om ergens te gaan eten waar ze geen rekening houden met buitenlanders. Hij dacht dat ik het niet vol zou houden, maar dat deed ik wel, met mijn geheime wapen.' Ze glimlacht en wijst naar haar schaaltje yoghurt.

Hij trekt een wenkbrauw op. 'Sanjay, hè? En hoe heb je hem ontmoet?'

Asha neemt haar laatste hap. 'Op die bruiloft waar ik je over heb verteld. Iemand in zijn familie is bevriend met iemand in die van ons, ik weet het niet precies.'

'Wat doet Sanjay?'

'Hij studeert voor zijn master op de London School of Economics.' Ze glimlacht en trekt een gezicht. 'Sorry, pap, het is me niet gelukt een geschikte Indiase arts te vinden.'

'Ach, twee van de drie is niet verkeerd.' Krishnan glimlacht ondanks zichzelf.

'En, hoe gaat het met mam?' vraagt Asha. 'Is ze naar San Diego gegaan voor de feestdagen?'

'Ja, dat wilde ze graag. Ze maakte zich zorgen over het laatste mammogram van oma en ze wilde met de artsen praten. Ze kon niet eerder gaan, omdat het zo druk was in de kliniek...' Krishnan maakt zich zorgen dat hij het te veel probeert uit te leggen. Hij en Somer vonden dat ze Asha nog niets over hun scheiding moesten zeggen, niet voordat ze weer naar huis zal komen. Diep in zijn hart hoopt Krishnan dat het dan weer goed zal zijn tussen hen. Gescheiden zijn van Somer is moeilijker dan hij had verwacht. De afgelopen maanden heeft hij niets anders gedaan dan werken. Hij heeft weekenddiensten van collega's overgenomen en is vaak laat op kantoor gebleven om papierwerk af te maken. Thuis voelt hij ondraaglijk eenzaam zonder Somer.

Nu, vanuit een diepgeworteld gevoel van loyaliteit tegenover hen beiden, perst Krishnan er nog één leugen uit. 'Ze wilde graag komen, Asha.'

'Eigenlijk ben ik blij dat jij er alleen bent, pap. Ik wil iets met je bespreken.' Voor het eerst sinds hij er is, klinkt Asha onzeker. Ze veegt haar handen en mond af met een klein papieren servetje en haalt diep adem. Krishnan laat zijn eten even staan omdat hij voelt dat er iets belangrijks aan komt. 'Het zit zo, pap. Je weet dat ik erg veel van jou en mam hou. Jullie zijn geweldige ouders voor me. Ik weet hoeveel jullie voor me hebben gedaan...' Haar stem sterft weg, ze is nu zichtbaar nerveus en wriemelt met het servetje.

'Asha, schat, wat is er?' zegt Krishnan.

Ze kijkt op en gooit het er dan uit. 'Ik wil mijn biologische ouders gaan zoeken.' Een seconde later gaat ze verder, wanhopig nu om de rest van de woorden eruit te laten. 'Ik wil weten wie ze zijn, en kijken of ik ze kan ontmoeten. Ik weet dat het een gok is, pap. Ik heb geen idee waar ik moet beginnen of hoe ik ze moet zoeken, dus ik heb echt je hulp nodig.'

Hij kijkt naar zijn dochter, haar prachtige ogen opengesperd en vragend. 'Oké,' zegt hij.

'Oké... wat?' vraagt Asha.

'Oké, ik begrijp... hoe je je voelt. Ik zal je helpen waar ik kan.' Hij heeft dit gesprek al vaak voorzien. Hij is ook blij dat Somer nu niet hier is.

'Denk je dat mam het zal begrijpen?' vraagt Asha.

'Het zal moeilijk voor haar zijn, lieverd,' zegt Krishnan. 'Maar ze houdt van je. Dat doen we allebei, en dat zal nooit veranderen.' Hij reikt over het formica tafelblad en legt zijn hand op die van zijn dochter. 'Je kunt je verleden niet verloochenen, Asha. Het is een deel van je. Geloof me maar.' Ze knikt, en hij knijpt in haar hand als ze beiden de implicaties van deze beslissing erkennen.

Krishnan kwam naar India in de wetenschap dat hij Asha moest beschermen tegen de keuzes van haar moeder. Nu zal hij terug-gaan in de wetenschap dat hij Somer ook moet beschermen tegen de keuzes van haar dochter.

Deel 4

46

Een vader vergeet nooit

Mumbai, India, 2005
Kavita

Kavita staat geduldig in de rij op het postkantoor, wachtend op haar beurt. Als ze bij de balie komt, glimlacht de beambte naar haar. 'Hallo, mevrouw Merchant. Geld overmaken naar Dahanu?' Al drie maanden komt ze hier elke week, maar ze weet nog steeds de naam van de man niet, de man die haar helpt de papieren in te vullen, de man aan wie ze de envelop met contant geld geeft. Hij kent natuurlijk haar naam van de reçu's die hij haar elke week geeft, die ze thuis zorgvuldig opbergt bij de andere in de kast. Als ze van haar zus gehoord heeft dat het geld is aangekomen, zet ze een kruisje op het reçu.

De honderd roepie die ze elke week stuurt, zijn voor de zieken-verzorgster en de medicijnen voor haar moeder, die ze nodig heeft sinds haar beroerte afgelopen herfst. Kavita hoopt dat ze er bin-nenkort heen kan gaan, maar ze krijgt maar één vakantie per jaar, laat in de zomer, die de vakanties van de andere bedienden niet mag overlappen. Uitzonderingen worden alleen gemaakt bij de dood van een naast familielid. Jasu heeft haar gezegd dat ze ge-woon vrij moet vragen aan sahib en memsahib, maar dat wil ze niet. Ze zijn altijd eerlijk geweest en hebben haar goed behandeld, en ze wil haar baan wel houden. Het is niet om het schamele loon; het is de zekerheid dat ze wat inkomsten heeft, los van Jasu's on-zekere inkomen en Vijays onwettige fortuin.

'Ik heb het geld vanmiddag gestuurd, bena,' zegt Kavita in de telefoon.

'Dank je, Kavi. Ik zal je bellen als het er is,' zegt Rupa.

Niemand thuis vraagt Kavita ooit waar het geld vandaan komt, een hoeveelheid die niemand van hen ooit zou kunnen betalen. Eigenlijk zouden Kavita en Jasu het zich ook niet kunnen veroorloven als Vijay er niet was. Ze weet dat haar familie aanneemt dat ze sinds ze weg zijn gegaan, rijk zijn geworden in Mumbai. Daar had Jasu immers over opgeschept. In de vroege jaren had ze uit loyaliteit met Jasu niet gezegd dat ze het financieel zo moeilijk hadden. Nu ze eindelijk wel genoeg geld hebben, is het uit schaamte over Vijay dat ze haar mond houdt.

'Rupa, hoe gaat het met ba?'

Er klinkt een diepe zucht aan het andere eind van de lijn. 'Goed. De dokter was er gisteren en hij zei dat ze het naar omstandigheden goed maakt. Hij verwacht geen volledig herstel, bena. Ze zal nooit meer goed kunnen praten, en ook niet meer met haar rechteroog kunnen zien. Maar ze voelt zich goed, en de verzorgster zorgt goed voor haar, dankzij jou, bena.'

Elke keer als Rupa haar bedankt voor het geld voelt Kavita een slang in haar maag kronkelen, niet alleen om waar het geld vandaan komt, maar ook omdat het alles is wat ze kan geven. Ze weet dat ze zelf in Dahanu zou moeten zijn. Het is beschamend dat ze in plaats van voor haar eigen moeder te zorgen, haar dagen vult met de afwas van sahib en het opvouwen van memsahibs sari's. Dat besef maakt haar dagelijkse taak nog zwaarder. 'En hoe gaat het met bapu?' Kavita laat haar stem sterk klinken, ze wil niet dat haar zwakte en angst door de lijn het oor van haar zus bereiken.

'Niet goed. Hij herkent zijn kleinkinderen helemaal niet meer, en op sommige dagen kent hij mij niet eens. Het is goed dat je hier niet bent om het te zien, bena, het is niet makkelijk om hem te zien wegzakken.'

Dit nieuws is niet anders dan wat Rupa haar de andere keren vertelde. Hun vaders gezondheid wordt al jaren langzaam minder. Maar hij is als de oude chickoofruitboom achter hun ouderlijk huis; al worden zijn takken elk jaar dunner en het aantal bladeren

254

minder, zijn trotse stam staat rechtop. Toch blijven haar volgende woorden bijna in haar keel steken.

'Kent hij mij nog? Denk je dat hij mij herkent als ik kom?' Het is lang stil voor Rupa antwoord geeft. 'Vast wel, Kavi. Kan een vader ooit zijn dochter vergeten?'

Kavita duwt met haar vingers op de schil van de mango om te voelen of het vlees stevig is, en houdt hem dan voor haar neus. 'Een pond van deze, alstublieft.' Memsahib werd vanochtend wakker en wilde verse mango in het zuur, dus werd Kavita er na de lunch door Bhaya op uitgestuurd om de beste groene mango's te halen die ze kon vinden. Ze is op drie verschillende markten geweest en nu is ze wel een halfuur van de flat van memsahib vandaan, maar dat maakt niet uit; iedereen zal nog rusten als ze terugkomt. Kavita loopt stevig door tot ze bij het metalen hek komt, dan stopt ze en zet het stoffen tasje met mango's bij haar voeten. Ze kijkt door de roestende spijlen van het hek, gaat zelfs op haar tenen staan om beter te kunnen zien. Ze weet natuurlijk dat het zinloos is. Zelfs als Usha het heeft overleefd, dan zal ze nu een volwassen vrouw zijn, zelfs ouder dan Vijay. Ze zal zeker niet meer in dit weeshuis zijn. *Wat zoek ik hier dan nog, waarom word ik nog steeds door deze plek aangetrokken?*

Is het om de pijn op te roepen van die dag dat ze haar dochter heeft afgestaan, om zichzelf te straffen dat ze haar eigen vlees en bloed heeft weggegeven? Wat voor leven kon dat meisje hebben? Geen familie, opgevoed door vreemden, geen thuis om naartoe te gaan als ze deze plek eenmaal heeft verlaten. *Was het beter? Beter voor mij dat ik haar alleen het leven heb gegeven en niets anders van wat een moeder haar kind zou moeten geven?* Of komt ze hier uit gewoonte, net als een litteken op haar lichaam waar ze steeds aan moet denken, aan peutert en krabt, hopend dat het op een dag op een wonderbaarlijke manier zal genezen?

47

Eén keer eerder

Mumbai, India, 2005
Asha

Asha voelt haar hart sneller kloppen als de trein Churchgate Station binnenrijdt. De aankomende trein woelt de stoffige lucht om en laat de doordringende stank van urine van de grond vrijkomen. De geur is overweldigend, maar ze kan er alleen maar aan denken waar deze trein haar zal brengen. Ze loopt verder het perron op, met een dik pak roepies in haar geldbuidel. Haar rugzak, ongebruikt sinds de vlucht hiernaartoe, bevat nu haar aantekenboekje, plattegronden van de stad, en eersteklastreinkaartjes – de enige veilige manier om als vrouw alleen in India te reizen, had dadima volgehouden.

Voordat hij wegging, heeft haar vader haar de enige informatie gegeven die hij had, de naam van het adoptiebureau en van de vertegenwoordigster die hen had geholpen. Toen Asha het bureau belde, hebben ze haar doorverwezen naar het weeshuis. Dadima heeft haar het adres van het weeshuis gegeven en de naam van de directeur, Arun Deshpande. Ze heeft het in Asha's aantekenboekje geschreven in het Hindi, het Engels en het Marathi, voor het geval dat. Dadima had aangeboden met haar mee te gaan, maar Asha wilde dit alleen doen. Ze gaat in de trein zitten, haalt de zilveren armband uit haar tas en houdt hem de hele rit vast. Als ze uit de trein stapt, loopt ze naar de voorste van de riksja's en laat de chauffeur haar aantekenboekje met het adres van het weeshuis zien. Hij knikt, spuugt betelnootsap op de weg en begint met onmogelijk dunne, pezige benen te fietsen. Het weeshuis ziet er anders uit dan Asha had verwacht, een vormeloos gebouw van twee verdiepingen met buitenterreinen waar kinderen spelen. Ze blijft staan voor de plaquette waar in het Engels op staat:

SHANTI HOME FOR CHILDREN
EST. 1980
KIND THANKS TO THAKKAR FAMILY
FOR GENEROSITY IN PROVIDING OUR NEW HOME

Thakkar? Sinds ze hier is, heeft ze gemerkt dat er duizenden Thakkars in Mumbai zijn. Het is fijn om het voor de verandering eens niet voor iedereen te hoeven spellen. Ze belt aan bij het hek en een oude vrouw met een samengeknepen mond sloft naar buiten. 'Ik zou graag Arun Deshpande willen spreken.' Asha praat langzaam, ze neemt aan dat de vrouw geen Engels spreekt. Als ze de naam hoort, opent ze het hek en wijst naar een kantoortje aan het eind van de gang. Asha legt haar handpalmen tegen elkaar om haar te bedanken en stapt aarzelend het gebouw in. Ze was zo vol vertrouwen toen ze op weg was hiernaartoe, maar nu voelen haar benen slap en bonst haar hart. Hoewel de deur van het kantoor open is, klopt ze toch. Een man met peper-en-zoutkleurig haar en een dubbelfocusbril op zijn neus praat hard in de telefoon in een taal die haar niet bekend in de oren klinkt. Hij gebaart haar binnen te komen en te gaan zitten. Ze haalt een stapel papieren van een van de stoelen. Dan ziet ze een naamplaatje op het bureau waar ARUN DESHPANDE op staat, en haar handpalmen beginnen te zweten. Terwijl ze wacht, pakt ze haar aantekenboekje en potlood.

Hij legt de hoorn neer en geeft haar een gekwelde glimlach. 'Hallo, ik ben Arun Deshpande, directeur van Shanti. Kom alsjeblieft binnen,' zegt hij, ook al zit ze er al.

'Dank u. Mijn naam is Asha Thakkar. Ik ben hier op bezoek, ik woon in de Verenigde Staten. Ik... ben hiervandaan geadopteerd, vanuit dit weeshuis. Ongeveer twintig jaar geleden.' Ze stopt het uiteinde van het potlood in haar mond als ze op zijn reactie wacht.

Deshpande duwt zich weg van het bureau. 'Thakkar? Van Sarla Thakkar? Is ze familie van je?'

'Sarla... eh, ja, ze is mijn oma. Mijn vaders moeder. Waarom vraagt u dat?'

'We zijn je oma erg dankbaar. Ze heeft de donatie voor dit gebouw gedaan, dat moet zo'n twintig jaar geleden zijn geweest. Ze wilde er zeker van zijn dat we boven genoeg klaslokalen hadden voor alle kinderen. Elke dag studeren ze daar na schooltijd. Muziek, taal, kunst.'

'O, ik... dat wist ik niet.' Asha kauwt op het uiteinde van haar potlood.

'Ik heb haar al jaren niet meer gezien. Doe haar alsjeblieft mijn hartelijke groeten.'

'Ja, dat zal ik doen.' Asha haalt diep adem. 'Meneer Deshpande, de reden dat ik hier ben, is dat ik hoop dat u me kunt helpen. Ik... probeer mijn biologische ouders te vinden, degenen die me hier hebben gebracht, naar het weeshuis.' Als hij niet reageert, gaat ze verder: 'Ik wil ook zeggen dat ik erg dankbaar ben voor alles wat u hier voor me gedaan hebt. Ik heb een goed leven in Amerika, ik hou van mijn ouders' – ze pauzeert even, zoekend naar de woorden om hem te overtuigen – 'en ik wil geen problemen veroorzaken. Het is alleen dat ik graag wil... Ik heb altijd erg graag mijn biologische ouders willen vinden.'

Meneer Deshpande zet zijn bril af en begint de glazen te poetsen met de punt van zijn overhemd. 'Mijn kind, we hebben hier elk jaar honderden kinderen. Vorige maand nog werden er meer dan twaalf nieuwe baby's op de stoep achtergelaten. Degenen die geluk hebben, worden geadopteerd; de anderen blijven hier totdat ze van school komen, uiterlijk tot ze zestien zijn. We kunnen niet van ieder kind documenten bijhouden. We weten niet eens van iedereen de precieze leeftijd, en in die tijd, tja...' Hij zucht diep en houdt zijn hoofd schuin om haar aan te kijken. 'Ik kan het wel even nakijken. Goed. Thakkar. Asha, zei je?' Hij wendt zich naar de voorhistorische computer op zijn bureau. Na een paar minuten met het toetsenbord te hebben gerommeld en op het scherm te hebben gekeken, wendt hij zich weer tot haar. 'Het spijt me, ik kan die naam niet vinden. Er is geen document over jou. Zoals ik al zei, het bijhouden van documenten...' Hij haalt zijn schouders op en zet zijn bril weer op zijn neus.

Ze krijgt een hol gevoel in haar maag en kijkt neer op haar aantekenboekje, waar de bladzijde leeg blijft. *Geen document over me.* Ze drukt haar nagels in haar handpalmen om de tranen die achter haar ogen branden tegen te houden.

'Weet je, er zijn wel andere kinderen hier geweest, net als jij, en het is moeilijk om de moeder te vinden, zelfs als ze een naam hebben. Soms willen die vrouwen niet gevonden worden. Vaak waren ze niet getrouwd en wist niemand dat ze een baby hadden gekregen of dat ze de baby hier hadden gebracht. Het zou erg... moeilijk voor die moeders kunnen zijn als het nu uit zou komen.'

Asha knikt en knijpt in haar potlood om haar zelfbeheersing te bewaren. *Wat is mijn volgende vraag? Wat moet ik op die lege bladzijde schrijven?*

Opeens buigt Arun Deshpande zich naar voren en kijkt naar Asha's gezicht. 'Je ogen, ze zijn zo ongewoon. Ik heb die kleur maar één keer eerder gezien bij een Indiase vrouw.' Er komt opeens een begrijpende blik in zijn ogen. 'Wanneer zei je dat je bent geadopteerd?'

'1985. Augustus. Echt? Wat...'

'En weet je hoe oud je was?' Hij gooit een stapel papieren omver op zijn weg naar de archiefkast achter haar stoel.

'Ongeveer een jaar, denk ik.' Ze staat op en gluurt over zijn schouder.

Hij bladert door het archief, dat er nog ongeorganiseerder uitziet dan zijn bureau. 'Ik herinner me haar nog... Ze kwam uit Daman of Dahanu, een van die noordelijke dorpjes. Ik denk dat ze helemaal hiernaartoe kwam lopen. Ik herinner me die ogen.' Hij schudt zijn hoofd, kijkt haar dan aan. 'Dit zal heel wat tijd kosten. Ik moet heel 1984 doorzoeken... deze documenten, en dan nog een aantal ergens anders in het gebouw. Zal ik je bellen als ik iets vind?'

Ze voelt zich koortsig bij de gedachte dat de informatie hier is, ergens in dit rommelige kantoor. Ze kan nu niet gewoon weggaan. 'Kan ik u helpen zoeken?'

259

'Nee, nee.' Hij lacht een beetje. 'Ik ben er zelfs niet zeker van wat ik zoek, maar als het hier is, dan zal ik het vinden. Dat beloof ik je. Voor Sarla-ji. Beloofd. Honderd procent.' Hij beweegt zijn hoofd van de ene naar de andere kant, zoals de mensen dat hier op die vreemde manier doen. Dit is de manier waarop de dingen gaan in India, dat heeft ze nu wel geleerd. Je moet vertrouwen hebben. Ze scheurt een bladzijde uit haar aantekenboekje om haar nummer op te schrijven en stopt haar potlood achter haar oor. 'Hebt u een pen?'

Een paar dagen later gaat Asha terug naar Shanti. Als ze het hek door is, heeft ze de neiging om naar het kantoor van meneer Deshpande te rennen. Ze voelt zich nerveus als ze op hem zit te wachten. Als hij binnenkomt, staat ze op. 'Ik ben zo snel mogelijk gekomen. Wat hebt u gevonden?'

Hij gaat achter zijn bureau zitten en geeft haar een map. 'Ik herinner me haar nog. Je moeder. Ik zal die ogen nooit vergeten.' In de map zit een enkel blad papier, een half ingevuld formulier. 'Het spijt me dat het niet veel is,' zegt hij. 'In die tijd vonden we het het beste als het anoniem bleef. Nu houden we alles beter bij, om gezondheidsredenen en zo. O, en ik heb wel ontdekt waarom ik je eerst niet kon vinden. Kijk hier...' Hij buigt naar voren en wijst naar een plek op het formulier. 'Je naam was Usha toen je hier kwam. Ik denk dat onze archieven toch niet zo slecht zijn.' Hij leunt achterover, glimlachend.

Usha. Haar naam was Usha. Haar geboortenaam. Gegeven door haar moeder. Usha Merchant.

'Het was mijn eerste maand als de nieuwe directeur, toen jij hier kwam. We zaten helemaal vol, en ik mocht eigenlijk geen kinderen meer aannemen. Maar je moeder kwam hier met haar zus, die me ervan overtuigde je te nemen. Ze zei dat je hier al een nichtje had, dat het niet goed zou zijn jullie te scheiden.'

'Een nichtje?' Asha heeft het haar hele leven zonder neefjes en nichtjes moeten doen, maar sinds ze in India is, komen ze van overal tevoorschijn.

'Ja, de dochter van je tante. Ze zei dat ze een jaar ouder was dan jij, maar dat was voordat ik hier kwam, en er zijn zeker geen archieven uit die tijd.'

'Meneer Deshpande, ik wil haar gaan zoeken... mijn moeder, mijn ouders. Weet u hoe ik dat kan doen?' vraagt Asha, en ze probeert de brok in haar keel weg te slikken.

Hij schudt zijn hoofd. 'Het spijt me. Het verbaast me al dat ik dat formulier heb gevonden.'

Meneer Deshpande helpt haar een autoriksja aan te houden en geeft de chauffeur instructies haar naar het treinstation te brengen. Ze klemt de map stevig in de ene hand en schudt meneer Deshpandes hand met de andere. 'Heel hartelijk bedankt. Fijn dat u me hebt willen helpen.'

'Succes ermee, mijn kind. Wees voorzichtig.'

Terug in haar stoel in het kantoor van *The Times* staart ze naar het formulier in de map, al kent ze de schaarse informatie al uit haar hoofd.

Naam: Usha
Geb. dat.: 18-08-1984
Geslacht: V
Moeder: Kavita Merchant
Vader: Jasu Merchant
Leeftijd bij aankomst: 3 dagen

Maar een paar feiten, toch leveren ze nieuwe ontdekkingen op. Haar moeder was niet ongehuwd. Haar ouders waren getrouwd, en ze weet hun namen. Haar eigen naam in het eerste jaar van haar leven was Usha Merchant. Asha oefent om het op te schrijven, eerst in blokletters, dan als handtekening, en ten slotte alleen de initialen die ze gebruikt om haar teksten te ondertekenen. Ze kijkt naar haar spiegelbeeld op het donkere scherm.

Usha Merchant. Ziet ze eruit als een Usha? 'Usha Merchant,' zegt ze, en ze steekt haar hand uit om zich aan de nietmachine voor te stellen. Asha legt haar hoofd tegen de achterkant van de stoel en staart naar het plafond. Ze roept naar Meena in haar kantoor. 'Ik weet niet eens waar ik moet beginnen. Hoe kan ik haar dan vinden?'

'Nou, je bent precies op de goede plek. *The Times* heeft toegang tot de beste databases in India.' Meena buigt zich over Asha heen om op haar toetsenbord te typen. 'We hebben goede informatie over alle grote steden.'

'Maar als ze niet in een stad is? Als ze ergens in een dorp is? De weeshuisdirecteur zei dat ze hier kwam, lopend, geloof ik, vanuit een dorp.'

Meena stopt en kijkt haar aan. 'Echt?'

'Ja, hoezo?'

'Dat is opmerkelijk. Dat een vrouw dat doet, zeker in die tijd, toen het openbaar vervoer nog niet erg betrouwbaar was. Ze moet erg vastberaden zijn geweest om je hier te krijgen.' Meena trekt er een stoel bij. 'Oké, ik zal je laten zien hoe je hiermee kunt werken. Het zijn alleen steden, maar je kunt net zo goed hier beginnen. Begin met Mumbai. Mooi dat hun naam niet Patel of zoiets is. Het zal makkelijker zijn om haar te vinden via een mannelijk familielid, onroerend goed en zo. Oké, daar gaan we dan, huurderslijst voor Merchant... O, nou ja, toch nog heel wat.'

Er zijn geen Kavita's, maar alleen al in Mumbai zijn er tientallen vermeldingen van Jasu Merchant of J. Merchant, en ze hebben nog geen andere steden geprobeerd. Asha begint met een lange lijst namen en is een paar uur bezig kleine stukjes informatie aan elkaar te plakken. Tegen het eind van de dag heeft ze het teruggebracht tot drie adressen, die misschien geen van alle iets zullen opleveren. Toch voelt ze zich hoopvol als ze naar de lift loopt met haar aantekenboekje tegen haar borst gedrukt.

'Wens me succes,' zegt ze over haar schouder tegen Meena. 'Wie weet wat ik vind.'

48

Revolution

Palo Alto, Californië, 2005
Somer

'Zie jezelf als een sterke boom, een majestueuze boom, en adem diep in via je onderbuik.' Genevieve, de yogainstructrice, heeft een rustgevende stem die met haar meegolft als ze tussen de twaalf mensen door loopt die verspreid in de studio staan. Somer staat kaarsrecht, haar armen hoog boven haar hoofd, handpalmen tegen elkaar. De zool van een voet ligt stevig tegen de dij van het andere been, en haar ogen staren strak naar een wit vlekje op de stenen muur tegenover haar. Met *vrikshasana*, de boomhouding, heeft ze al problemen gehad sinds ze een paar maanden geleden met Liza met deze yogalessen begon. Somer stond altijd te wiebelen en viel dan om, terwijl de anderen rustig stilstonden. Op een dag na de les vertelde Genevieve Somer dat het de kunst was je geest rustig te maken en je te concentreren op het moment. Wat maakte dat een groot verschil, zo'n kleine verandering in waar je je op richt, hoe je ertegenaan kijkt. In plaats van te vechten en te worstelen om in balans te blijven, vond ze een punt om naar te staren en opeens ging al haar energie dezelfde kant op en was de houding niet moeilijk meer. Vandaag staat Somer perfect stil in vrikshasana, samen met de anderen, totdat Genevieves rustige stem hun zegt de volgende houding aan te nemen.

Somer gaat twee of drie keer per week naar deze yogastudio met de ambitieuze naam Revolution. Toen ze na de eerste paar lessen met spierpijn wakker werd, besefte ze hoe lang het geleden was dat ze iets echt fysieks had gedaan, sinds ze had gerend tot haar longen brandden of gezwommen tot haar spieren lekker moe waren, zoals ze had gedaan tijdens haar korte zwangerschappen. Twintig en nog wat jaren geleden, nadat haar lichaam haar in de steek had gelaten, was Somer opgehouden het als een belangrijk deel van zichzelf te beschouwen. Als haar rug pijn deed of haar allergieën opspeelden, haatte ze haar ouder wordende lichaam omdat het haar steeds weer in de steek liet. Elke nieuwe yogahouding die ze probeerde, was een uitdaging, niet alleen met het rekken en draaien, maar ook omdat ze haar lichaam weer moest leren kennen, welke spieren stijf waren, welke gewrichten stram. Ze moest voorzichtig zijn met zichzelf, eerst de grenzen van haar lichaam leren kennen, en dan voorbij die grenzen gaan. Gedurende dat proces kon Somer dat lichaam dat haar zoveel jaren geleden had verraden, weer terugwinnen.

Het omslagpunt kwam op een dag dat Genevieve de groep zei op hun adem te letten. 'Hou je je adem in?' vroeg ze hun. 'Let eens op of je je adem inhoudt na het inademen, en als dat zo is, wat durf je dan niet te laten gaan? Of hou je je adem in na het uitademen? En wat durf je dan niet binnen te laten?' Somer besefte dat ze het allebei deed, en dus werd ze geregeerd door angst, iets wat Krishnan haar al vele keren had gezegd.

Na drie maanden alleen te hebben gewoond, heeft ze een paar manieren gevonden om de eenzaamheid tegen te gaan. Op donderdag gaat ze naar de Italiaanse les van Giorgo, die veel sexyer klinkt dan hij is, een oude Siciliaan met grijs haar bij wie de witte borstharen boven zijn overhemd uitkomen. Ze leert de taal langzaam, om zich voor te bereiden op haar reisje naar Toscane. Door de week, als ze het druk heeft in de kliniek en de straten van Palo Alto gonzen van de studenten, vindt ze het tempo van haar nieuwe leven draaglijk.

De weekenden zijn moeilijker. De vele uren strekken zich eindeloos uit, en grote delen van de dag heeft ze niemand om tegen te praten. Meestal maakt ze een afspraak met Liza, die de levensstijl van een vrouw alleen tot in perfectie heeft aangenomen, om te gaan eten of wandelen. Toch zijn het de weekenden dat ze Kris het meest mist. Ze hunkert naar de luie ochtenden waarop ze in bed bleven en de krant lazen. Als het avond wordt, wilde ze dat ze arm in arm met hem naar het Thaise restaurant in de buurt kon lopen om samen een kokosnootcurry te eten. Ze mist zijn zware arm over haar lichaam als ze alleen in bed ligt. Als ze studenten ziet, probeert ze zich het zorgeloze gevoel te herinneren dat ze toen met Kris had. Ze blijft hangen bij de herinneringen aan de eerste tijd met Asha, toen ze een kleine knop was die zich voor hun ogen ontvouwde en alles wat ze zei of deed hen aan het lachen maakte: naar de dierentuin gaan en de hele tijd bij de apen blijven kijken, waarbij Asha haar ouders gebaarde dat ze apengeluiden en apengebaren moesten maken voordat ze weg mochten. De vakantie die ze doorbrachten in San Diego toen Asha zes was en Krishnan tot zijn nek in het zand begroef nadat hij op het strand in slaap was gevallen.

De tijd alleen heeft Somer doen beseffen hoeveel van haar leven om Kris en Asha draaide. Door de jaren heen heeft ze hun alles gegeven en soms voelde ze spijt om het opofferen van haar carrière, maar zonder hen was haar leven zinloos en leeg geweest. Zelfs nu nog kijkt ze elke week het meest uit naar de zondagochtenden dat ze naar het huis teruggaat zodat zij en Kris Asha kunnen bellen op de afgesproken tijd. Hij en Asha praten het meest, maar dat zit Somer niet meer zo dwars als vroeger. Vaak brengt de stem van Asha van zoveel kilometers ver weg tranen in haar ogen. Het is niet echt, dat weet ze wel, dat zij en Kris doen alsof ze een gelukkig getrouwd stel zijn. Maar tijdens die dertig minuten dat ze de telefoonlijn met hen deelt, en als ze naderhand met Kris een kop koffie drinkt in de keuken, voelt het helemaal niet onecht.

Nu is het, veel te snel, lijkt het wel, tijd voor *shavasana*, de rusthouding die ze de laatste tien minuten van de les aannemen. Eerst was dat het deel waar Somer erg tegen opzag, daar liggen met niets anders dan onrustige gedachten in haar hoofd: gedachten aan Asha's vertrek, de woede van haar dochter tegenover haar, ruzie met Krishnan, de promotie die ze niet heeft gekregen, de onzekerheid over haar toekomst. Shavasana, lichaamshouding, bedoeld om lichaam en geest te ontspannen, was haar vijand: het enige moment dat ze gedwongen was haar donkerste gedachten onder ogen te zien. Toen die gedachten er eenmaal waren, kon ze ze niet meer wegduwen. Ze infiltreerden haar tijd alleen, als de eenzaamheid pijn deed, als de rust haar appartement overspoelde. Het was op een zondagmorgen, terwijl ze in bed de uren tot het telefoongesprek met Asha telde, dat het tot Somer doordrong dat al haar pogingen om haar dochter te beschermen een averechtse uitwerking hadden gehad. Het was angst waardoor Somer haar niet had willen laten gaan, maar door haar vast te willen houden had ze het tegenovergestelde bereikt. Ze had Asha weggejaagd. Net als bij de boomhouding had haar constante geworstel haar uit haar evenwicht gebracht.

Op een ochtend toen ze onder de douche stond totdat hij koud werd, besefte Somer eerst dat ze al het warme water had opgemaakt en vervolgens dat er niemand was voor wie ze het had moeten bewaren. Daarop gaf Somer aan zichzelf toe dat ze vanaf een bepaald moment niets meer in haar huwelijk had gestopt. Ze had altijd van Kris verwacht dat hij zich zou aanpassen aan haar cultuur, zoals hij in het begin ook deed. Zelfs nadat ze een Indiase baby hadden geadopteerd, zelfs toen hij heimwee had, zelfs toen hij haar had gevraagd met hem mee te gaan. Somer had het gevoel dat ze al zoveel aan hun gezin had gegeven. Maar haar moeder zei altijd dat de sleutel tot een succesvol huwelijk was dat iedere echtgenoot zoveel gaf als hij maar kon. En dan nog iets meer. Ergens in dat extra geven, in de ruimte die ontstaat door gulheid zonder het bij te houden, zat het verschil tussen huwelijken die gedijden en die welke dat niet deden. Elke keer dat Sundari een van haar vele vragen over India en de cultuur stelde, vragen die Somer niet kon beantwoorden en die ze zich ook nooit had gesteld, bedacht Somer dat het ook anders had gekund. Ze had kunnen omarmen wat ze geprobeerd had weg te duwen. Een kleine verandering in perspectief, een kleine verandering in benadering, had het verschil kunnen maken.

Nu, als ze haar ledematen laat uitrusten in shavasana, haar vingers laat opkrullen, denkt Somer aan Asha en Krishnan, samen aan het andere eind van de wereld. Voor het eerst wordt ze door een oceaan gescheiden van de twee mensen die het weefsel van haar leven hebben gevormd. Toen ze ieder hun vertrek naar India aankondigden, vond ze het ondoordachte besluiten, bedoeld om haar te straffen. Maar nu ziet Somer dat die besluiten er al jaren aan hadden zitten komen. Zij had gehandeld uit woede en angst, zij had haar gezin in de steek gelaten zonder rekening te houden met de gevolgen van die keuze. Net zoals ze met een man uit een andere cultuur was getrouwd zonder te begrijpen wat dat voor hem betekende. Net zoals ze een kind uit India had geadopteerd zonder goed na te denken over de implicaties. Altijd zo druk bezig met het bereiken van de volgende mijlpaal op haar pad, had ze vergeten dat pad te onderzoeken of vooruit te kijken.

49

De enige veilige grond

Mumbai, India, 2005
Asha

De eerste twee adressen leveren niets op, er wonen andere J. Merchants. Het was een hele worsteling voor Asha om daarachter te komen. Onderweg naar het derde adres op haar lijstje, wenst ze dat ze Parag bij zich had om voor haar te tolken. Ze begint te geloven dat het een stom idee was, te denken dat ze haar ouders zou kunnen vinden in deze stad met twaalf miljoen mensen, als ze al in Mumbai zijn. Als ze nou eens in een van die dorpen zijn die Deshpande noemde? Zou ze daar naartoe kunnen gaan? Hoe moet ze met die mensen praten? Als de chauffeur voor een vervallen flatgebouw stopt, aarzelt Asha om uit te stappen. Maar hij bevestigt met nog meer onbegrijpelijke woorden en drukke handgebaren dat dit de plek is die ze zoekt. Er staan geen namen van huurders beneden, dus begint Asha de trap op te klimmen, waar het naar menselijke uitwerpselen ruikt. Ze bedekt haar neus en mond met haar hand. Kakkerlakken schuifelen druk in de hoeken, en op de eerste verdieping stapt ze voorzichtig langs een man die op zijn bedrol ligt te slapen. Ze kijkt de andere kant op, maar krijgt een naar gevoel in haar maag. Twee onaangename gedachten wisselen elkaar af in haar hoofd: de gedachte dat haar ouders misschien hier wonen en de gedachte dat als dat niet zo is, ze niet weet waar ze hen dan moet gaan zoeken.

Op de tweede verdieping staan de meeste deuren van de appartementen open. Kleine kinderen rennen door de gangen en zitten elkaar achterna in en uit de deuropeningen. Door een van die deuren ziet Asha een jonge vrouw gehurkt de vloer vegen. 'Pardon, weet u misschien waar ik de Merchants kan vinden? Kavita Merchant?' zegt Asha. De vrouw schudt haar hoofd heen en weer, tilt een kruipende baby op en gebaart Asha haar te volgen. Ze lopen de etage over en zonder te kloppen rechtstreeks een ander appartement in, waar een andere jonge vrouw een kleed uitklopt op het balkon. Het appartement is benauwend klein – één kamer, lijkt het – en nauwelijks gemeubileerd. De verf op de muren bladdert af en er hangt één peertje aan het plafond. Er komt een geur van gebakken uien en kruiden uit de kleine keuken. De twee vrouwen praten met elkaar, en bekijken Asha nieuwsgierig. Ze zijn niet veel ouder dan zij. Als er geen taalverschil zou zijn geweest, zou hun samenzweerderige gepraat zo door kunnen gaan voor het gezellige geklets van Asha en haar vriendinnen thuis. Maar deze vrouwen wonen hier met man en kinderen in plaats van met studiegenoten, hun dagen in beslag genomen door huishoudelijke taken in plaats van studieboeken. Asha krijgt een claustrofobisch gevoel bij de gedachte dat ze in zo'n kleine ruimte zou moeten wonen.

'Kavita ben? Zoek je Kavita ben?' vraagt de tweede vrouw in aarzelend Engels.

'Ja, Kavita Merchant,' zegt Asha.

'Kavita ben woont hier niet meer. Verhuisd naar Vincent Road. Weet je Vincent Road?'

Asha rent de twee trappen af en het gebouw uit. *Iemand weet waar mijn moeder is.* Eindelijk, ze weet dat ze op het goede spoor zit. De eerste taxichauffeur die ze aanspreekt, weet niet waar Vincent Road is. De tweede wel, maar die is niet enthousiast om daar op dit tijdstip van de dag naartoe te gaan. Asha haalt wat contanten uit haar zak, maar dat kan hem niet overtuigen. *Verdorie. Zo dichtbij.* Ze gaat naar Vincent Road, al moet ze de taxi kapen en er zelf naartoe rijden. Ze maakt haar geldbuidel leeg en zwaait met alle bankbiljetten. Ten slotte knikt hij en opent de achterdeur van binnenuit. Haar gedachten tollen in het rond tijdens de rit van een halfuur op de achterbank van haar vierde taxi van die dag. De verschillende ontdekkingen van de laatste vierentwintig uur wervelen door haar hoofd. Haar naam was Usha. Ze heeft de ogen van haar moeder. Ze heeft een nicht. Ze heeft ouders die op Vincent Road wonen, hier in Mumbai. Haar hart bonkt zo hard dat ze het gevoel heeft dat het uit haar borst zal springen.

Vincent Road blijkt een korte straat te zijn, maar twee blokken lang, met drie grote gebouwen die appartementen lijken te bevatten. Ze betaalt de chauffeur alles wat ze hem heeft beloofd en bedenkt heel even dat ze nu geen geld meer heeft om naar huis te komen. Het eerste gebouw heeft geen Merchants. Ze stapt het tweede gebouw binnen en ziet een man in uniform aan een tafel in de hal zitten. 'Kunt u me vertellen of Kavita Merchant hier woont?'

De man in uniform schudt zijn hoofd. 'Vaste portier heeft pauze. Kom later maar terug.'

Asha ziet een map op de tafel voor hem. 'Kunt u het alstublieft nakijken? Kavita Merchant?'

De man, die eruitziet alsof hij liever zelf pauze zou hebben, slaat de map open en gaat met zijn vinger langs een lijst met namen. 'Merchant... Hahn. Vijay Merchant. Zes-nul-twee.'

Vijay? 'En Kavita? Kavita Merchant? Of Jasu Merchant?' zegt ze, terwijl ze rondkijkt of de vaste portier ergens te bekennen is.

'Nai, enige Merchant hier is Vijay. Vijay Merchant.'

Ze voelt haar bonzende hart helemaal naar haar voeten zakken. *Hoe kan dat nou?* Er is nog maar één gebouw op Vincent Road. Ze draait zich om om weg te gaan.

'Ah, daar is hij,' zegt de man tegen een andere, net zo geklede man, die de vaste portier moet zijn. 'Dit meisje zoekt Kavita Merchant. Geen Kavita hier op lijst. Ik heb verteld maar één Merchant hier. Vijay Merchant.'

'Hè? Stomme idioot. Weet je dan niks?' zegt de portier, waarna hij iets brabbelt wat ze niet kan verstaan, behalve de namen Kavita en Vijay. De portier legt haar uit: 'Deze man is in de war. Kavita Merchant woont hier, ja. Maar de flat staat op Vijays naam. Dat is de reden van de verwarring.'

'Vijay?'

'Hahn. Vijay. Haar zoon.'

Wat? 'Nee. Dat kan haar niet zijn. Ze... ze heeft geen kinderen. Ik geloof niet dat deze vrouw kinderen heeft. Kavita Merchant?' zegt ze weer, en ze kijkt in haar aantekenboekje. 'M-e-r-c-h-a-n-t. De naam van haar man is Jasu Merchant.'

'Hahnji, mevrouw,' zegt de portier. Hij kijkt haar recht aan en zegt vol vertrouwen: 'Kavita en Jasu Merchant. En hun zoon Vijay. Flat zes-nul-twee.'

Hun zoon. De woorden weergalmen in haar hoofd als ze het probeert te begrijpen. 'Zoon?'

'Hahn, je kent hem!' De portier denkt dat haar herhaling betekent dat ze het weer weet. 'Moet ongeveer jouw leeftijd zijn. Negentien, twintig jaar.'

Mijn leeftijd? 'Weet u... het zeker?' De woorden en getallen schieten door Asha's hoofd heen en weer als biljartballen. Opeens komen de feiten op een rijtje te staan, begrijpt ze het, en ook weer niet. Haar biologische ouders hebben een kind. Een ander kind. Eentje die ze hebben gehouden. Ze krijgt een zure smaak in haar mond. *Hem hebben ze gehouden. Hun zoon. Ze hebben hem gehouden in plaats van mij.*

Ergens in de verte hoort ze de portier praten, maar ze vangt maar een paar woorden op. 'Kavita... voor een tijdje weggegaan... terug naar haar dorp... over een paar weken terug.'

De grond beweegt onder haar voeten. Ze struikelt en vindt op de een of andere manier een traptree om op te gaan zitten. Het was niet zo dat haar moeder niet getrouwd was. Het was niet zo dat ze geen kind wilden. Het was niet zo dat ze zich er geen konden veroorloven. *Het kwam door mij. Mij wilden ze niet.*

Ze is zich er vaag van bewust dat de twee mannen naar haar kijken, maar ze kan de tranen die over haar wangen rollen niet tegenhouden. 'Het spijt me... het was een lange dag. Ik ben niet gewend aan de hitte,' probeert ze uit te leggen. 'Het gaat wel. Maakt u zich geen zorgen.' Als de woorden uit haar mond komen, beseft ze hoe absurd ze moet klinken voor deze twee onbekenden. Ze zullen zich geen zorgen over haar maken zoals dadima, die waarschijnlijk thuis zit te wachten met een kop chai. Of haar vader, die belde om haar succes te wensen voor ze naar het weeshuis ging.

Of zelfs haar moeder, die voor ze naar India vertrok de bittere malariapillen door fruitsmoothies mengde zodat ze ze beter kon innemen.

Ze begraaft haar hoofd in haar handen en huilt hulpeloos bij deze twee mannen, die haar niet beter kennen dan Kavita en Jasu zouden doen als ze nu deze hal zouden binnenkomen. Bij die gedachte voelt Asha haar maag ineenkrimpen. Ze raakt in paniek bij de gedachte aan verdere vernedering. *Ik moet hier weg.* Luid sniffend staat ze op en raapt haar rugzak van de grond. Ze heeft een drukkend gevoel op haar borst en het enige waar ze aan kan denken, is dat ze naar buiten moet. 'Ik moet weg.' Ze draait zich om naar de deur.

'Hoe heet je?' roept een van hen haar achterna. 'Dan zeg ik haar dat je geweest bent.'

De lucht buiten is dik van de smog, maar het is toch een welkome afwisseling van dat gebouw en zijn onthullingen. Ze moet daar ver, ver vandaan zien te komen. Er stopt een riksja voor haar. 'Ritje, mevrouw?' Hij grijnst naar haar met een mondvol scheefstaande, verkleurde tanden.

Ze klimt achterin en zegt: 'Churchgate, jaldi!' Ze heeft de gewoonte van Priya overgenomen om automatisch tegen chauffeurs te zeggen dat ze snel moeten rijden, maar ze heeft het nog nooit zo gemeend als nu.

Hij fietst weg en zegt: 'Waar gaat u naartoe, mevrouw?'

Op dat moment herinnert ze zich dat ze de vorige taxichauffeur haar laatste contanten heeft gegeven. Ze heeft geen geld meer. Ze zoekt wanhopig in haar rugzak, doorzoekt alle vakken en rommelt erin rond. Een doos chocolaatjes. Ghirardelli vierkante mintchocolaatjes. Haar lievelingschocola. *Mam.* Ze moet ze op het vliegveld stiekem in haar rugzak hebben gestopt, net zoals ze vroeger een chocolaatje in haar lunchtas stopte. Asha slaakt een kreet, en de chauffeur draait zich om. Ze gebaart dat er niets aan de hand is en gaat verder met zoeken. Je weet maar nooit wat hij zal doen als ze hem niet kan betalen. Achter haar aantekenboek vindt ze een versleten envelop, de envelop die haar vader haar op het vliegveld heeft gegeven. Er ontsnapt een lachje door haar tranen. Haar va-

ders cadeautje zal haar helpen thuis te komen. Ze opent de envelop en telt de roepies. Ze tikt de chauffeur op zijn schouder en laat
hem het geld zien. 'Hoe ver kan ik hiermee komen?'

Hij spuugt op de weg voor hij antwoordt. 'Tot in Worli.'

De chauffeur stopt en ze stapt uit de riksja in een menigte mensen die allemaal ergens naartoe lijken te klimmen. Ze kijkt op en
ziet een enorm, sierlijk bewerkt gebouw boven aan een lange trap
staan. 'Pardon.' Ze spreekt een van de klimmers aan. 'Wat is dit
voor gebouw?'

'De Mahalaxmi Tempel.'

Ze knippert met haar ogen en kijkt weer naar het gebouw. Ze
hoort de echo van dadima's stem in haar hoofd. *Het brengt een beetje vrede in mijn dag.* Asha klimt langzaam de treden op. De smalle
weg naar de tempel is omzoomd met winkeltjes, die bloemen,
dozen met snoepjes, kleine beeldjes van hindoegoden en andere
souvenirs verkopen. Tijdens haar lange klim omhoog beginnen er
regendruppels te vallen, die steeds sneller naar beneden komen,
waardoor ze harder gaat lopen. Als ze de top nadert, heeft ze een
adembenemend uitzicht over de Arabische Zee. Ze doet haar sandalen buiten de tempel uit en legt ze bij de honderden die er al
liggen. Binnen is de grond koel onder haar blote voeten. Eerst lijkt
het er stil, vergeleken met de lawaaierige drukte buiten, maar als
haar oren zich hebben aangepast, hoort ze een zacht gezang en de
golven die buiten tegen de rotsen slaan.

In de tempel staan drie gouden standbeelden van hindoegodin-
nen, ieder in haar eigen nis, versierd met sieraden, bloemen en
offeranden van kokosnoten en fruit. Er hangen gele, witte, en
oranje bloemenslingers vanaf het midden van het plafond, waarna ze om de pilaren zijn gedraaid. Asha gaat op haar knieën in het
midden van de open ruimte zitten en kijkt om zich heen wat anderen doen. Voor de middelste godin staat een priester met een
kaalgeschoren hoofd en een witte lendendoek om een ceremonie
uit te voeren met een stel dat bloemenslingers draagt. Enkele gezette vrouwen van middelbare leeftijd in sari staan te zingen in
een hoek. Een jonge man van haar leeftijd zit naast haar met zijn
ogen dicht, hij wiebelt van voor naar achter en bidt.

273

Van haar leeftijd. Ze heeft een broer. Vijay. Een broer van wie ze nooit iets heeft geweten, en een die zeker niets van haar weet. Hij kan overal zijn in deze stad. Hij kan hier zijn. De geur van wierook bereikt haar neusgaten. Ze sluit haar ogen en ademt diep in. Al die jaren heeft ze naar haar ouders verlangd, dromend van het moment dat ze hen zou ontmoeten en zich eindelijk compleet zou voelen. Ze had altijd gedacht dat zij ook naar haar zouden verlangen. Haar gezicht wordt rood van schaamte over hoe dom ze is geweest. De tranen stromen weer. Haar ouders hebben helemaal niet naar haar verlangd. Ze missen haar niet. Ze hebben zich gewoon van haar ontdaan.

En op dat moment zijn de dromen die ze in haar hart heeft gedragen en die in haar witmarmeren doosje zaten, verdwenen. Ze lossen op in de lucht als de rook die van de wierook voor haar komt. Haar vragen zijn beantwoord, de geheimen betreffende haar wortels zijn verdwenen. Er is niets meer voor haar om uit te zoeken. Ze hoeft haar ouders niet te ontmoeten, alleen maar om weer te worden afgewezen, in haar gezicht te worden verworpen.

Het zingen en neuriën om haar heen overspoelt haar en verdringt de boze stemmen in haar hoofd. De zilveren armband glijdt gemakkelijk van haar pols. Asha draait hem rond tussen haar vingers. Ze knijpt en het zachte metaal buigt mee onder de druk. Hij is verwrongen, dof van ouderdom, onvolmaakt. Dit is blijkbaar het enige wat ze ooit van haar moeder zal hebben. Ze houdt hem tussen haar handpalmen en sluit haar ogen. Dan legt ze haar voorhoofd tegen de grond en huilt.

50

Een krachtige liefde

Mumbai, India, 2005
Kavita

Alleen het scherpe getintel in haar linkervoet dwingt Kavita om van houding te veranderen. Ze was verloren in haar eigen gedachten, herhaalde mantra's die ze zich nog uit haar jeugd herinnert, en riep herinneringen op aan haar moeder. Het is alsof de tijd stilstaat in dit binnenste heiligdom van de tempel zonder ramen naar buiten, en het ritmische gezang van de pandit draagt haar op golven naar het verleden. De pandit voert een Laxmi-puja uit voor een jong stel, waarschijnlijk net getrouwd. Kavita zelf bidt meestal het liefst tot Laxmi, de godin van voorspoed, maar vandaag zit ze voor de godin Kali, die, met Durga, de heilige geest van het moederschap vertegenwoordigt. Ze voelt zich veilig hier, met de bekende geur van brandende wierook en het fijne getinkel van de bel in haar oren, los van de wereld buiten en zijn problemen.

Andere gelovigen komen en gaan: jong en oud, mannen en vrouwen, plaatselijke bewoners en toeristen. Sommigen wandelen een keer langzaam rond, alsof ze een museum bezoeken. Anderen komen om haastig iets te offeren, een kokosnoot of een tros bananen, op weg naar een sollicitatiegesprek of een bezoek aan het ziekenhuis. Die groep mollige, rijke vrouwen komt hier elke morgen om te zingen en hun gelovigheid hardop te demonstreren. Maar anderen, net als Kavita, zitten er maar, soms urenlang. Dat zijn degenen, begrijpt ze nu, die rouwen. Net als zij rouwen ze om een verlies zo groot en zo diep en zo allesomvattend dat het hen dreigt weg te spoelen van verdriet.

Ze knielt en buigt voorover naar de grond om haar laatste gebed te zeggen, zoals ze altijd doet, voor haar kinderen. Al rouwt ze vandaag als dochter, haar plichten als moeder houden nooit op. Ze bidt voor Vijays veiligheid en zijn redding. Ze bidt voor Usha, waar ze ook mag zijn, en stelt zich haar zoals altijd voor als een klein meisje met twee vlechtjes. In al die jaren is ze nooit in staat geweest om zich voor te stellen hoe haar dochter eruit zou zien als volwassen vrouw, dus is dit het beeld dat ze in gedachten houdt, een jong kind, verstild in de tijd. Ze kust de tegen elkaar gelegde toppen van haar wijsvingers, en dan de enkele, zilveren armband aan haar pols. Met tegenzin staat ze op en schudt de stijfheid uit haar gewrichten. Ze wil niet weg, maar er is een trein die ze moet halen. Buiten regent het nu. De gestage stortregen doorweekt haar als ze de bekende traptreden van de Mahalaxmi Tempel af loopt in de richting van het centraal station van Mumbai.

Kavita staat op het perron terwijl de andere passagiers zich om haar heen verspreiden. Er staat hier niemand op haar te wachten. Rupa zou komen, maar zal wel te druk zijn met de voorbereidingen. Kavita vult haar longen met de bekende geur van aarde en gaat op haar tas zitten om te wachten. De velden die ze aan de horizon ziet, zijn groener dan ze zich herinnert, of is haar blik afgestompt door de grijze monotonie van Mumbai? Andere dingen zijn veranderd sinds de laatste keer dat ze hier was, bijna drie jaar geleden. De zandwegen zijn geplaveid en er staat een telefooncel buiten het station. Er staan verschillende auto's geparkeerd, de moderne types die ze eerst alleen in Mumbai zag. Alles bij elkaar is het een beetje onrustbarend. Kavita is eraan gewend om aan thuis te denken als een statische plek die niet verandert.

'Bena!' Kavita hoort de bekende stem en staat op om in Rupa's armen te verdwijnen. Haar oudere zus is ook veranderd door de leeftijd, ziet Kavita, haar haren zijn nu meer grijs dan zwart.

'O, Kavi, goddank dat je er bent.' Rupa houdt haar stevig vast en ze gaan heen en weer in hun omhelzing. 'Kom mee,' zegt ze, en ze laat haar eindelijk los. 'Challo, iedereen wacht.'

Kavita gaat met haar vinger langs de rand van de roestvrijstalen beker. Wat vreemd om thee te krijgen, om als gast te worden behandeld, hier in het huis van haar jeugd. Er is niet veel veranderd, merkt Kavita, gerustgesteld. De muren zijn geler en de vloeren vertonen meer barsten dan eerst, maar verder ziet het huis van haar ouders er hetzelfde uit. *Hoe zal bapu eruitzien?*

'Verwacht niet te veel, Kavi. Hij is niet meer dezelfde als vroeger, dit is allemaal erg moeilijk voor hem,' zegt Rupa, nippend van haar thee. 'Vannacht werd hij wakker en riep om ba, en het kostte me heel wat moeite om hem weer rustig te krijgen.' Ze zucht, zet haar beker neer en begint het uiteinde van haar sari om haar vinger te draaien. Een zenuwachtig gebaar dat Kavita zich herinnert van vroeger. 'Hij merkt het niet als zijn eigen lichaam naar het toilet moet, maar hij merkt wel dat zijn vrouw voor het eerst in vijftig jaar niet naast hem slaapt.' Rupa schudt haar hoofd. 'Ik begrijp het niet helemaal, maar dat is pas een krachtige liefde.'

De ziekenverzorgster komt binnen en knikt naar Rupa om aan te geven dat ze hun vader heeft gewassen en aangekleed en dat ze nu naar hem toe kunnen. 'Ze is een zegen, Kavi,' zegt Rupa zachtjes als ze opstaan. 'Ze heeft zoveel geduld met bapu, zelfs als hij dwars is. En ba was dol op haar...' Bij het noemen van haar moeder breekt Rupa's stem, en Kavita voelt haar eigen gezicht vertrekken. Ze klemmen zich aan elkaar vast zoals ze vroeger deden toen ze als kleine meisjes een bed deelden. 'We moeten sterk zijn voor bapu,' zegt Rupa, en ze veegt met de gedraaide rand van haar sari de tranen van haar zus weg en dan die van zichzelf. 'Kom, bena.' Ze pakt Kavita's hand stevig vast en ze lopen de slaapkamer binnen.

Het eerste wat Kavita aan haar vader opvalt, die met gestrekte benen op het bed zit, is zijn ingevallen gezicht. Zijn wangen zijn ingevallen, en zijn kaakbeenderen accentueren een veel smaller profiel dan ze zich herinnert. Ze rent naar hem toe, valt op haar knieën naast het bed en raakt zijn voeten aan met haar hoofd. Ze schrikt als ze de scherpe hoeken van zijn botten door het laken voelt. En dan voelt ze de bekende aanraking van zijn hand op haar hoofd.

'Mijn kind,' zegt hij met een krakende stem.

'Bapu?' Kavita kijkt hoopvol naar hem op. 'Kent u me nog?' Ze gaat naast hem op het bed zitten en klemt zijn twee tengere handen lichtjes tussen die van haar.

'Natuurlijk, dhikri, ken ik je.'

Ze ziet het melkachtige grijs van glaucoom dat over zijn ogen ligt, waardoor hij weinig meer kan zien dan wat vage schaduwen vlak voor hem.

'Rupa, beti, waar is je ba naartoe? Wil je haar zeggen dat ik haar wil spreken?' Hij spreekt de woorden in Kavita's richting. Ze deinst even terug, twee dingen tegelijk beseffend. Niet alleen herkent haar vader haar niet, hij begrijpt ook nog steeds niet dat haar moeder dood is. Ze weet niet wat ze nu moet doen, als Rupa aan de andere kant op het bed gaat zitten.

'Bapu, het is Kavita. Ze is net aangekomen, ze komt helemaal uit Mumbai!' Rupa's stem klinkt geforceerd opgewekt.

'Kavita,' herhaalt haar vader, die zich nu richt naar Rupa's stem en naar haar kijkt. 'Kavita, hoe gaat het met je, beti?' Hij legt een hand tegen Rupa's wang. 'Weet jij dan misschien waar je moeder is?'

Rupa geeft hem rustig antwoord, alsof ze tegen een kind praat. 'Bapu, we hebben hier al over gepraat. Ba is er niet meer. Ze was al heel lang ziek, en nu is ze er niet meer. De crematieceremonie is morgen.'

Kavita ziet een korte blik van herkenning over haar vaders uitgemergelde gezicht glijden, een pijnlijke droefheid in die ogen die verder niets zien. Hij leunt achterover tegen zijn dunne kussen en sluit zijn ogen. *'Ay, ram,'* bidt hij zachtjes. Kavita knijpt haar eigen ogen dicht, en de tranen worden eruit geperst en rollen over haar wangen. Ze legt haar vaders hand tegen haar gezicht en kust hem.

'Voel je er maar niet te vervelend over, Kavi. Soms herkent hij mij ook niet, en ik ben hier elke dag,' zegt Rupa terwijl ze een thali afspoelt en hem aan Kavita geeft.

Die opmerking, al is ze onschuldig bedoeld, maakt een nieuwe wond bij Kavita, hij herinnert haar eraan dat ze niet hier was voor haar familie. 'Achha, dat weet ik, het geeft niet,' antwoordt Kavita plichtsgetrouw terwijl ze de thali met een handdoek afdroogt.

'Het is zo moeilijk voor hem, ba's overlijden. Het is alsof het laatste restje wil om te leven nu aan het wegzakken is. Ik maak me er zorgen over hoe de ceremonie hem zal aangrijpen. Het is fijn dat jij er bent. Je brengt ons allemaal kracht.' Rupa slaat haar armen om haar zus en knijpt met een vochtige hand in haar schouder.

Kavita verwondert zich over het vermogen van haar zus om hier zo volwassen over te zijn, bezorgd over wat iedereen nodig heeft, zorgend voor het huis, voorbereidingen treffend voor de ceremonie. Het enige wat Kavita voelt, is de diepste wanhoop over het verlies van haar ouders: de dood van haar moeder, de afwezigheid van haar vader. Het voelt alsof de structuur van haar familie onder haar uit elkaar valt. Ze kijkt rond en is bijna verbaasd dat de muren van het huis nog overeind staan. Ze weet nog niet goed wie ze is in de wereld als haar ouders niet meer achter haar staan. Ook al is het al vijftien jaar geleden dat ze Dahanu verliet, dat gevoel dat ze in het huis van haar ouders een klein meisje is, is niet veranderd. In stilte vermaant ze zich dat ze zich gedraagt als een kind, dat ze egoïstisch is in het licht van haar zusters sterkte.

'Wanneer komen Jasu en Vijay?' zegt Rupa.

'Met de ochtendtrein.' Kavita pakt de volgende thali van Rupa aan. Ze zegt maar niet dat Jasu waarschijnlijk alleen komt.

51

Moeder India

Mumbai, India, 2005
Asha

Asha zit aan haar bureau in het kantoor van *The Times*, omringd door haar aantekeningen. In het midden liggen twee boodschappen van Sanjay. Ze heeft al vaak aan hem gedacht sinds ze twee weken geleden naar Shanti is geweest, maar ze kan zich er niet toe brengen hem te bellen. Door de ontdekking die ze gedaan heeft in de hal van dat gebouw aan Vincent Road voelt ze zich beschaamd en in de war. Ze kan het niet aan zichzelf uitleggen, en al helemaal niet aan iemand anders. Ze wil Sanjay nog niet zien omdat ze het niet allemaal weer wil beleven.

Vandaag probeert Asha haar interviews te bewerken, maar in plaats daarvan denkt ze steeds aan wat Meena die dag in Dharavi heeft gezegd: 'Het lijkt erop dat Moeder India niet van al haar kinderen evenveel houdt.' Ze loopt naar de terminal die haar met de database van *The Times* verbindt. In het zoekvak typt ze 'India, geboortecijfers', en ze krijgt meer dan duizend resultaten. Ze verfijnt haar zoekopdracht door er 'meisjes en jongens' aan toe te voegen en krijgt een tiental artikelen. Ze klikt het eerste artikel aan, van de Verenigde Naties uit 1991, en leest hoe de geboortecijfers voor meisjes in India gestaag omlaag zijn gegaan. De bijbehorende grafiek toont de steile achteruitgang voor meisjes en de groter wordende kloof tussen meisjes en jongens. Het volgende artikel bekritiseert de verspreiding van lichtgewicht echoapparaten over het land. De komst van de kleinere, betaalbare apparaten heeft het voor mensen zonder gewetensbezwaren mogelijk gemaakt het platteland van India te doorkruisen en te verdienen aan vrouwen in verwachting die het geslacht van hun ongeboren kind willen weten. Al heeft de Indiase overheid het maken van een echo om het geslacht vast te stellen al tien jaar geleden strafbaar gesteld, het wordt nog steeds veel gedaan en leidt vaak tot geslachtsselectieve abortus – een term die Asha nog nooit heeft gehoord.

Het derde artikel noemt de moord op meisjesbaby's, samen met bruidverbranding en bruidsschatdoden, als onderdeel van een serie over de strijd voor vrouwenrechten in India. Asha kijkt dit artikel heel even snel door voor ze haar ogen moet sluiten, en vervolgens het artikel. Haar maag begint zich om te draaien. Ze dwingt zichzelf om nog naar één artikel te kijken, en zoekt naar iets opbeurends. Ze vindt een persoonsbeschrijving van een Canadese filantroop die een aantal weeshuizen heeft gesticht door heel India. Asha staart naar de foto van een oudere blanke vrouw in een sari, aan alle kanten omringd door lachende Indiase kinderen. Onder de foto staat dat de adoptie van de kinderen uit deze weeshuizen naar andere landen niet wordt aangemoedigd.

Asha hijst zichzelf uit de stoel en gaat terug naar haar bureau, waar een verstild beeld van Yashoda, het meisje met het geschoren hoofd uit de sloppenwijk, op het scherm staat. Kleine Yashoda, zo vol energie en belofte midden in de ellende van Dharavi. Yashoda, met haar lieve glimlach, zich niet bewust van haar luizenbesmetting en het feit dat ze nooit naar school zal gaan. *Zou mijn leven zo geweest zijn als ik in India was gebleven?* De afgelopen maanden heeft ze Meena benijd om haar geweldige journalistieke carrière, en Priya om haar leefstijl van winkelen en salons bezoeken. Maar nu is het Asha duidelijk dat dat niet haar leven zou zijn geweest. Ze zou geweest zijn als Yashoda of haar zus Bina, gewoon een van India's statistieken, weer een klein meisje om wie niemand wat geeft. Wat voor toekomst zullen die meisjes hebben? Zullen ze hun hele leven, van kind tot moeder, in Dharavi wonen, zoals de blauw geslagen vrouw die ze hebben geïnterviewd? Of zullen ze geluk hebben, zullen ze uit de sloppen komen, maar eindigen als die twee vrouwen in het gebouw aan Shivaji Road, opgezadeld met mannen, kinderen en huishoudelijke plichten?

Haar hele leven heeft Asha gedroomd over wat ze heeft gemist doordat ze haar biologische ouders niet kent: onvoorwaardelijke liefde, echt begrip, een natuurlijke band. *Is dat echt wat ik heb gemist? Of was het alleen een leven zonder kansen?* Arun Deshpandes woorden komen terug in haar gedachten. *Degenen die geluk hebben, worden geadopteerd.* Ze denkt aan haar jeugd in Californië, haar slaapkamer die twee keer zo groot is als de huizen in Dharavi, haar Harper-schooluniform, haar Ivy League-opleiding. Al die jaren dat ze over haar biologische ouders heeft nagedacht. Misschien hebben ze haar een dienst bewezen.

Usha. Haar moeder hield genoeg van haar om haar een naam te geven.

Ze staart naar het scherm, naar de dunne veter die om Yashoda's nek hangt, en herinnert zich hoe betoverd het kleine meisje was door Asha's ringen. Meena legde later uit dat die meisjes wel sieraden zien, maar ze nooit bezitten. Haar moeder hield genoeg van haar om haar een zilveren armband te geven.

Dat is opmerkelijk. Dat een andere vrouw dat doet... Ze moet erg vastberaden zijn geweest om je hier te krijgen. Haar moeder hield genoeg van haar om helemaal vanuit het een of andere kleine dorpje te komen om haar naar het weeshuis te brengen. Ze hield genoeg van haar om haar weg te geven.

Ze hield genoeg van haar.

Ze hield van haar.

Asha veegt de tranen van haar gezicht en dwingt zich om de rest van het interview met Bina te bekijken, om een sprankje hoop te vinden. Nu ze zichzelf op het scherm ziet, beseft ze hoe ongevoelig ze was met haar vragen over het korte haar en school. Parag probeerde alleen maar die meisjes wat schaamte te besparen, niet haar interview te hinderen. Het leed van Bina en Yashoda wordt in de schaduw gesteld door de tragedie van het gehandicapte meisje dat vervolgens verschijnt. Asha kijkt weer weg als ze haar ziet, net als ze op de dag van het interview heeft gedaan. Dan, langzaam, kijkt ze weer naar het scherm en buigt ze zich voorover om beter te kunnen zien. Ze herinnert zich niet dat ze het gezicht van het meisje eerder heeft gezien. Het meisje glimlacht, en haar moeder ook. De vrouw lijkt echt gelukkig als ze begint aan haar wandeling van twee kilometer met haar beenloze dochter op haar rug. *Hoe kan dat?*

De vrouw in het volgende interview, degene met de blauwe plekken in de groene sari, glimlacht helemaal niet, behalve heel even als Asha haar het biljet van vijftig roepie geeft. *Verdorie. Waarom heb ik haar niet meer gegeven?* Misschien had ze zich dan een nacht of twee niet hoeven prostitueren om haar drie kinderen en haar aan alcohol verslaafde man te kunnen voeden. Op het scherm zien haar ogen er hol uit. Asha kijkt in haar aantekeningen en herinnert zich dan dat deze vrouw van haar eigen leeftijd is. Ze kan zich niet voorstellen hoe het is om je lichaam te moeten verkopen, of om al die andere dingen te doen die deze vrouwen doen om voor hun gezin te zorgen. Asha schrijft wat op en gaat dan terug om het nog een keer te bekijken, richt zich op de vrouwen als ze praten over wat ze elke dag voor hun gezin doen. De volgende gedachte daalt op haar neer als een parachute op de grond. Het echte verhaal van het leven in Dharavi zijn die moeders. Zij zijn het gezicht van de hoop voor die kinderen, geboren in armoede en troosteloosheid. Asha haalt een stilstaand beeld van de glimlachende moeder van het gehandicapte kind op en kopieert het in een nieuw bestand. Boven de foto typt ze de titel: 'Het gezicht van de hoop: overleven in de stedelijke sloppenwijken'.

Ze begint te typen, vertelt het verhaal van de moed van die vrouwen. Haar vingers vliegen over het toetsenbord, houden met moeite de ideeën bij die in haar hoofd opkomen. Ze werpt een blik op de klok op het scherm en beseft dat het al bijna zeven uur is. Ze wordt zo thuis verwacht. De bekende stoot adrenaline stroomt door haar lichaam, net als in de nachten bij de *Herald*, en ze weet dat ze door moet gaan, de hele nacht, als dat nodig is. Nog steeds typend, pakt Asha de telefoon en klemt hem tussen haar hoofd en schouder. Devesh neemt op.

'Hoi, je spreekt met Asha. Wil je memsahib alsjeblieft zeggen dat ik vanavond niet thuiskom. Ik ben op kantoor. Kom morgen weer thuis.' Ze praat langzaam, pauzeert tussen elk woord om het hem te laten begrijpen. Ze werkt de hele nacht ijverig door tot haar hele verhaal vorm begint te krijgen. Pas dan legt ze haar hoofd op haar bureau om uit te rusten.

Als Meena 's ochtends aankomt, zit Asha in haar kantoor te wachten. 'Arre, wat zie jij eruit, vreselijk. Ben je hier de hele nacht gebleven?' 'Ja, eigenlijk wel, maar dat is niet belangrijk. Hoor eens, ik wil nog een keer naar Dharavi, ik moet nog een paar interviews doen.' 'Hoezo, wil je deze keer met een paar mannen praten?' Meena zet haar zonnebril af en laat haar handtas op het bureau vallen. 'Nee, met vrouwen. Moeders, om precies te zijn.' Meena trekt een wenkbrauw op. 'Klinkt interessant.' Ze gaat zitten. 'Ik luister.' 'Nou, ik was van plan om me op de kinderen te richten, weet je. Ik heb de interviews steeds maar weer bekeken en ik besefte dat het zo deprimerend is omdat de kinderen in die omstandigheden worden geboren, ze kiezen daar niet voor en hebben er geen macht over. Het is droevig, maar het is geen interessant verhaal. Als je echter het gezichtspunt verandert en het verhaal van de kinderen via hun moeders vertelt, dan verandert alles. Dan zie je moed. Veerkracht. De kracht van de menselijke geest.' 'Ik vind het goed,' erkent Meena, en ze draait rond in haar stoel. 'Het is een goede hoek. Maar hoor eens, Asha, ik zit vol, ik kan niet met je mee.' 'En Parag?' Meena haalt haar schouders op. 'Dat moet je hem zelf vragen.'

Op weg naar Dharavi beschrijft Asha aan Parag welk soort personen ze zoekt voor een interview. Ze weet niet zeker of hij meegaat uit een gevoel van professionele plicht of uit mannelijke ridderlijkheid. 'Zeg, hoor eens, ik ben blij dat je met me meegaat,' zegt ze als ze uit de taxi stappen. Hij knikt met zijn hoofd op die rustige, Indiase manier. 'Nee, echt. Ik weet de weg hier niet zo goed, zoals je waarschijnlijk al hebt gemerkt. Ik heb je hulp echt nodig.' Ze ziet een klein glimlachje en besluit het onderwerp verder te laten rusten.

Dharavi is vol vrouwen, moeders die voor hun kinderen zorgen. Er zijn genoeg bereidwillige deelnemers, maar Asha loopt over het pad tot ze de eerste vrouw vindt die ze wil interviewen. Ze zit rustig kleren te wassen in een emmer voor haar hut, terwijl er drie kinderen om haar heen lopen. Asha doet namaste tegen de vrouw en wacht tot Parag toestemming heeft gevraagd om de camera aan te zetten. Ze fluistert een paar vragen tegen Parag, en laat hem praten en luisteren terwijl zij iets naar achteren gaat staan en het interview opneemt. Nadat ze een paar vragen heeft beantwoord, nodigt de vrouw hen uit in haar hut te komen. Asha en Parag moeten bukken om binnen te kunnen komen. Binnen ziet Asha twee dunne bedrollen op de vloer uitgerold en op de muur ertussen ingelijste foto's van een oudere man en vrouw. Ze weet dat zulke foto's overleden familieleden of goeroes eren, meestal met verse bloemen, maar deze twee zijn versierd met verwelkte slingers die vol zoemende vliegen zitten. In de hoek is een klein altaar met beeldjes en wierookstokjes. Nadat ze het binnenste van de hut heeft gefilmd, zet Asha de camera uit. Ze vraagt Parag de vrouw te bedanken voor haar tijd. Hij vertaalt het en draait zich weer om naar Asha.

'Ze vraagt of je wat chai wilt.'

Asha glimlacht naar de vrouw, die niets heeft en haar toch thee aanbiedt. Bij een eerder bezoek zou deze vraag haar een ongemakkelijk en schuldig gevoel hebben gegeven. 'Ja, graag. Een kop thee zal heerlijk zijn.' Ze gaan buiten zitten terwijl de vrouw theezet, en Asha leert de kinderen handjeklap.

De andere interviews die ze afnemen, gaan ongeveer hetzelfde, veel makkelijker dan de vorige keer. Ze hebben uitgebreide gesprekken met de vrouwen over hun leven, hun kinderen en hun hoop voor de toekomst. Ze worden binnengevraagd in andere hutten en krijgen nog meer thee en snacks aangeboden. Asha vraagt Parag alle namen van de moeders met wie ze praten op te schrijven. Tegen de tijd dat ze honger hebben en willen gaan lunchen, ziet ze in gedachten het verhaal vorm krijgen. 'We zijn een goed team,' zegt ze, en ze houdt haar handpalm voor Parag op voor een high five. Aarzelend beantwoordt hij het gebaar, en glimlacht.

'Zeg, hou je van pau-bhaji?' vraagt ze. 'Ik weet een geweldig stalletje vlakbij.'

Na de lunch moet Parag naar een ander deel van de stad voor zijn volgende opdracht, dus biedt hij aan om voor Asha een taxi te zoeken voor hij naar het treinstation gaat. Op de hoek verderop ziet ze een man die verse bloemen en bloemslingers verkoopt.

'Dat hoeft niet,' zegt ze tegen Parag. 'Ik blijf hier nog even.'

Hij kijkt haar met opgetrokken wenkbrauwen aan en kijkt vervolgens als een waarschuwing over haar schouder naar de sloppenwijk. Ze is nooit in Dharavi geweest zonder begeleiding.

'Ga maar, ik red me wel.' Ze geeft een speels duwtje tegen zijn schouder. Nadat hij is weggegaan, loopt Asha naar de bloemenverkoper en vraagt om vijf slingers. Dan loopt ze naar de ijsverkoper en koopt een stuk of twaalf *kulfi*-ijslollies. Ze gaat Dharavi weer in en loopt over het pad tot ze bij de eerste vrouw komt die ze die morgen hebben geïnterviewd. Ze hangt nu was aan de lijn. Asha houdt haar twee bloemslingers voor en gebaart naar de hut. Een langzame glimlach verspreidt zich over haar gezicht en ze duikt tussen de opgehangen kleren door. Ze accepteert de bloemen, legt haar handpalmen tegen elkaar en buigt haar hoofd. Asha lacht en geeft haar drie kulfi-ijsjes. Als ze terugloopt naar het pad om naar de volgende hut te gaan, hoort ze het vrolijke gelach van de kinderen.

Ze deelt de rest van de slingers en ijsjes op dezelfde manier aan de andere vrouwen uit: geen woorden, geen vertaling, geen camera. Als ze klaar is, houdt ze een taxi aan en klimt ze achterin. Nu ze eindelijk kan uitrusten, voelt Asha hoe pijnlijk haar knieën zijn, het gevolg van haar nacht zonder slaap. Haar haar voelt vet aan, nog erger dan waaraan ze in India gewend is geraakt. Het zal heerlijk zijn het lekker te wassen als ze thuiskomt. Toen ze klein was, borstelde haar moeder het 's morgens geduldig uit, terwijl zij naar tekenfilms keek. Het was een van haar lievelingstijdstippen van de dag, als ze van Bugs Bunny opkeek om naar school te gaan en haar onwillige haar zat netjes in twee staartjes.

De laatste tijd denkt Asha vaak aan herinneringen als deze. De uitgebreide verjaardagsfeestjes die haar moeder elk jaar organiseerde, waarbij ze de hele ochtend bezig was de taart te bakken en te glazuren. Het jaarlijkse paaseieren zoeken in hun tuin voor de kinderen uit de hele buurt, waarbij ze altijd wat extra eieren voor Asha verstopte in hetzelfde hoekje van haar zandbak. En deze camera, vooral de camera. Geen van haar ouders vond het in het begin leuk dat ze interesse had in de journalistiek, maar haar moeder accepteerde het op een gegeven moment. Net zoals ze deed toen Asha zo ver van huis naar de universiteit ging, en Engels koos in plaats van geneeskunde. Ondanks dat ze zoveel keuzes heeft gemaakt die haar moeder verdriet deden, sommige zelfs expres, heeft Asha nooit getwijfeld aan de standvastigheid van haar moeders liefde. Ze voelt een steek van wroeging omdat ze zo boos was op haar moeder voor ze wegging, en omdat ze sinds die tijd zulke korte, betekenisloze gesprekken hebben gevoerd.

Het is al laat in de middag als Asha terugkomt op kantoor, en al begint ze last te krijgen van het tekort aan slaap van de vorige nacht, ze kan nog niet ophouden. Ze neemt de nieuwe interviews door en begint te schrijven. Ze blijft werken tot ze het raamwerk van het verhaal klaar heeft. Ze kijkt het helemaal door en leunt dan achterover in haar stoel. Er is meer materiaal nodig en een heleboel opmaak, maar ze heeft een verhaal, een verhaal dat alleen zij kan vertellen. Asha sluit haar ogen en een trage glimlach verspreidt zich over haar gezicht. Ze is uitgeput, en er is maar één persoon met wie ze wil praten. Ze pakt de telefoon en toetst het nummer van haar ouders in. Hij gaat vier keer over voordat het antwoordapparaat aanslaat. 'Mam?' zegt Asha. 'Hoi, ik ben het. Is er iemand? Pap?' Ze wacht even en probeert het dan nog een keer. Ze probeert haar moeders mobiele telefoon ook. Geen antwoord. Vreemd. Waar kan ze zijn op een doordeweekse dag om vijf uur 's middags? Asha legt de telefoon weg, leunt achterover in haar draaistoel en strekt haar armen ver boven haar hoofd als een grote geeuw aan haar mond ontsnapt. Ze voelt een diepe vermoeidheid in haar botten. Ze zal morgen wel bellen, als ze wat heeft geslapen.

52

Niet precies zo lekker als ik me herinner

Menlo Park, Californië, 2005
Krishnan

Krishnan loopt rond met de telefoon in zijn hand, begint een nummer in te toetsen en breekt het dan weer af. Hij gaat aan de keukentafel zitten. *Dit is belachelijk. Waarom ben ik zo zenuwachtig?* Hij heeft de meeste tijd van zijn terugvlucht vanuit zijn congres in Boston besteed om erover na te denken wat hij tegen Somer wil zeggen, en nu kan hij zich er niet eens toe brengen op te bellen. Zijn koffer staat ongeopend in de hal, en in de keuken vraagt een stapel post om zijn aandacht. Het enige wat hij heeft gedaan sinds zijn terugkeer is luisteren naar de boodschappen, teleurgesteld dat er niets van Somer bij is.

Hij haalt diep adem en toetst het nummer weer in. Ze neemt na de tweede keer overgaan op.

'Hoi, met mij,' zegt hij. 'Ik wilde je even laten weten dat ik weer terug ben.'

'O, mooi. Dus ik zie je zondag weer?' zegt Somer. Buiten hun wekelijkse gezamenlijke telefoongesprekken met hun dochter heeft Krishnan Asha een paar keer zelf gebeld, om haar steun te geven bij de zoektocht naar haar biologische ouders. De laatste keer dat hij heeft gebeld, was Asha net in het weeshuis geweest, maar ze was terughoudend en gaf vage antwoorden op zijn vragen.

Hij merkte dat hij er voor het eerst zenuwachtig over was, maakte zich zorgen dat Asha's ontdekkingen invloed zouden hebben op hun relatie. Voor één keer voelde hij mee met Somer, hij begreep dat ze hierdoor van streek kon raken. Komend weekend zal een van hun laatste telefoontjes zijn, want Asha zal over een paar weken thuiskomen. Krishnan heeft geen idee waar ze mee terug zal komen, en hoe hun gezin erdoor beïnvloed zal worden. Hij wil het daarvoor graag goedmaken met Somer. Het vage gevoel van verlangen en spijt dat hij tijdens hun scheiding heeft gehad, is met Asha's ophanden zijnde terugkeer veel sterker geworden. Nu, op vijfenvijftigjarige leeftijd, maakt hij zijn vrouw weer op een onhandige manier het hof.

'Ja. Zeg, hoor eens, ik heb net de foto's van mijn reis naar India opgehaald en ik dacht dat je ze wel graag zou willen zien.' Hij haalt nog een keer diep adem. 'Misschien kan ik een keer langskomen... morgenavond... heb je dan tijd? We kunnen uit eten gaan?' In de pauze die volgt, doet Krishnan zijn ogen stijf dicht en probeert iets beters te bedenken.

'Kris, ik moet morgen de stad in voor een afspraak na het werk,' zegt Somer. Ze pauzeert even voor ze verdergaat: 'Ik had een abnormaal mammogram vorige week. Het is waarschijnlijk niks, maar ik heb voor de zekerheid een afspraak gemaakt voor een biopsie.'

'O.' Krishnan laat dit even bezinken. 'Nou, zal ik je ernaartoe brengen? Dan kunnen we daarna uit eten gaan.'

Na weer een lange pauze zegt ze: 'Oké, mijn afspraak is om halfvijf.'

'Dan pik ik je om halfvier op.' Hij verbreekt de verbinding en rommelt door de spullen op het aanrecht tot hij de camera vindt. Hij pakt de telefoon weer en toetst het nummer van de fotowinkel in. 'Hallo, hoe snel kan ik fotoafdrukken krijgen van een geheugenkaart?'

Somer glimlacht naar Krishnan als ze in de auto stapt. Ze begroeten elkaar met een kus op de wang, en het valt hem op hoe goed ze eruitziet. Ze heeft blosjes op haar wangen en haar mouwloze blouse laat haar opmerkelijk gespierde armen zien.

'Cal-Pacific,' zegt ze, en ze pakt haar veiligheidsgordel.

De vorige keer dat hij zijn vrouw naar dat ziekenhuis bracht, was voor haar laatste miskraam. De herinnering aan die periode in hun leven brengt hem nu van zijn stuk. Krishnan neemt Highway 280 naar San Francisco, de langzaamste en landschappelijk mooiere van de twee snelwegen, die Somer altijd het liefst neemt. Hij kijkt naar haar terwijl ze door het raam naar de heuvels staart.

'Ik heb een knobbeltje onder mijn oksel gevonden,' zegt Somer, en ze geeft daarmee antwoord op de vraag die hij niet durft te stellen. 'Twee weken geleden, onder de douche. Ik weet bijna zeker dat het een cyste is, maar met het oog op mijn familiegeschiedenis wil ik het laten nakijken. Vorige week heb ik een mammogram gehad, en de radioloog zag een abnormale massa.'

'Wie was de radioloog?' vraagt Krishnan. 'Heb je een kopie van de foto's? Ik zou Jim ernaar kunnen laten kijken...'

'Dank je, maar dat is niet nodig. Ik heb er zelf naar gekeken, en ik heb een second opinion gevraagd. Ik wil een biopsie om het zekere voor het onzekere te nemen.' Haar stem is rustig, geen spoor van de bezorgdheid en angst die op haar drukten toen ze worstelden met onvruchtbaarheid, hun vorige medische probleem.

'Wie doet de biopsie? Mike doet een hoop consulten in het CPMC, ik zou hem kunnen vragen wie het beste is.'

Somer kijkt hem aan. 'Kris,' zegt ze rustig maar resoluut, 'jij hoeft dit niet voor me op te lossen. Ik wil je er alleen maar bij voor steun, oké?'

'Oké.' Hij houdt zijn stuurwiel steviger vast en voelt dat zijn handen klam zijn. Hij reikt naar de airco en worstelt om rustig te blijven, terwijl risicofactoren als krantenkoppen door zijn gedachten gaan. Blank, midden vijftig, geen biologische kinderen, moeder met borstkanker... allemaal factoren die Somers kans erop vergroten. De enige factor in de andere kolom is ironisch genoeg dat wat zoveel verdriet teweeg heeft gebracht: dat haar menstruatie twintig jaar eerder is gestopt dan zou moeten.

'Heb ik je al verteld dat ik een e-mail van Asha heb gekregen, vorige week toen jij weg was? Ze was naar een plaats geweest die Elephant Cave heet.'

'Elephanta Caves. Ja, ik heb haar gezegd dat ze die niet mocht missen.' Krishnan glimlacht. 'Het is op een eiland in de haven. Er zijn grotten uit de oudheid, met beeldhouwwerken in de rotsen. Het is een grote toeristische attractie. Heb ik je daar nooit mee naartoe genomen?'

'Ik geloof het niet. Blijkbaar zijn er overal apen, en ze bespringen de bezoekers, de toeristen en zo, ze springen op hun schouders op zoek naar eten. Asha stuurde een foto waarop ze een aapje een banaan voert. Het zag ernaar uit dat ze erg veel plezier had. Het deed me denken aan toen ze nog klein was. Weet je nog hoe gek ze was op de apen in de dierentuin?

Hé, kijk eens,' zegt ze. 'Red's Java House. Dat het er nog staat na zoveel jaren.' Somer wijst uit het raam naar het kleine witte hutje waar ze in het weekend hamburgers gingen halen toen ze nog in San Francisco woonden.

Hij dwingt zich te glimlachen. 'Ja, niet te geloven. Hoe lang is het geleden... twintig jaar of zo?'

'Zevenentwintig, sinds we hier voor het eerst kwamen. Tjee. Ouder dan Asha. Hebben we haar hier ooit mee naartoe genomen?'

'Hmmm. Ik geloof het niet. We konden ons iets beters veroorloven tegen de tijd dat we haar kregen.' Ze lachen allebei. Het vette eten van Red's was niets bijzonders, maar ze konden samen eten voor minder dan vijf dollar, en dat was belangrijk met hun arts-assistentensalaris. Het is goed om te lachen, en Krishnan voelt iets van de spanning uit zijn schouders wegtrekken.

Terwijl Somer in het ziekenhuis papieren invult aan de receptiebalie, bekijkt Krishnan haar gespierde benen die onder de knielange rok uitsteken. Hij krijgt opeens de impuls om naar haar toe te lopen, haar haren op te tillen en haar nek te kussen. In plaats daarvan slaat hij zijn benen over elkaar en pakt een tijdschrift. Na een paar minuten komt ze naast hem zitten en gluurt ze over zijn schouder.

'Good Housekeeping? Ik wist niet dat je op zoek was naar kipmaaltijden,' zegt ze terwijl ze naar het artikel kijkt dat hij voor zich heeft.

Hij legt het tijdschrift neer. 'Ik ben een beetje afwezig, geloof ik.'

'Laat me de foto's eens zien,' zegt ze.

'Foto's?'

'Van je reis naar India.'

'O. Ik geloof dat ik ze in de auto heb laten liggen.'

'Dokter Thakkar?' roept een verpleegkundige die de wachtkamer binnenkomt.

Krishnan kijkt met een schok op, tot Somer haar hand kalmerend op die van hem legt. 'Deze keer niet, dokter Thakkar.' Ze glimlacht, klopt op zijn hand en volgt de verpleegkundige.

Terwijl hij zit te wachten, gaan Krishnans gedachten langs de slechtste scenario's. Borstamputatie, bestraling, chemotherapie. De overlevingskans is voor borstkanker relatief goed, maar Krishnan weet genoeg van ziekten om te beseffen dat er een wrede onrechtvaardigheid bij komt kijken. Norse patiënten overleven tegen beter weten in, maar de aardige, degenen die koekjes voor hem bakken of tomaten meebrengen uit hun tuin, lijken altijd vroeg te overlijden. Sterftecijfers zijn gemiddelden, zonder rekening te houden met wie het wel of niet verdient. *Dit mag niet gebeuren. Niet met haar. Niet nu.*

De laatste paar maanden zijn moeilijk geweest. Hun huis, waar hij zo weinig mogelijk tijd doorbrengt, is vol herinneringen aan hun leven samen. Hij had nooit gedacht dat hij de middelmatige maaltijden van Somer zou missen die in de keuken stonden te pruttelen als hij thuiskwam, of de manier waarop haar kleren aan het eind van de dag slordig op hun bed lagen. En de ochtenden. De ochtenden dat hij bij het krieken van de dag opstond om te gaan opereren, zich douchte en aankleedde, terwijl haar lichaam opvallend afwezig was in hun bed. Er was geen kus als hij wegging naar de kou van de operatiekamer, niets om naar terug te komen. Zijn huis en zijn werk hadden zonder haar aanwezigheid dezelfde steriele uitstraling gekregen.

Hij staat op en ijsbeert zo vaak langs de receptiebalie dat de vrouw die daar zit niet meer afwachtend opkijkt als hij eraan komt. Ergens in de tas die Somer heeft achtergelaten, gaat haar telefoon. Hij houdt er niet van, van dit wachten. Hij denkt aan de honderden keren dat hij een wachtkamer in is gelopen om met familie te praten, om verpletterend nieuws te brengen. Gisteren nog moest hij een vrouw die niet ouder was dan hijzelf vertellen dat haar man hersendood was. Hij moedigde haar aan familieleden te bellen, om gedag te zeggen terwijl hij nog aan de beademing lag.

'Gedag zeggen? Hij leeft dus nog?' zei de vrouw met absolute overtuiging.

Krishnan had nooit kunnen begrijpen waarom sommige familieleden van zijn patiënten zich nog zo aan hen vastklampten, lang nadat hun hersenen niet meer werkten en hun lichaam een leeg omhulsel was geworden. Maar nu wel. Omdat het gebeurt zoals nu, in een flits. Het ene moment zit je in de auto met je vrouw te lachen, en het volgende hoor je een vreselijke diagnose in de wachtkamer van het ziekenhuis. De hersenen, ondanks alle verbazingwekkende neurologische paden en capaciteiten, met alle geheimen die hij is gaan respecteren, kunnen dit soort nieuws niet aan. Die families zagen nog steeds ergens daarbinnen de persoon van wie ze hielden, tussen de slangetjes en draden en machines die hem in leven hielden. Ze klampten zich vast aan de dromen die ze hadden: naar hun dochters bruiloft gaan, hun kleinkind in hun armen houden, samen oud worden. Nu weet hij dat het ook niet zo makkelijk zou zijn om Somer te laten gaan, zelfs als dat is wat ze zelf zou willen.

Ze verschijnt weer in de wachtkamer en gaat naast hem zitten. 'Gaat het?' vraagt hij haar. Ze knikt. 'Je telefoon ging,' zegt hij.

'O, waarschijnlijk mijn yogalerares. Ik sla nooit een les over op dinsdag.' Krishnan knikt, bezorgd over hoe zijn stem zal klinken. 'Zeg, bedankt,' zegt ze terwijl ze haar tas op haar schoot trekt, 'dat je bent meegegaan vandaag. Ik ben echt blij dat je er bent.'

'Natuurlijk. Waar zou ik anders moeten zijn?' Hij knijpt in haar knie en laat zijn hand daar liggen.

'Wanneer krijg je de uitslag?'

'Ze zetten er haast achter. Hopelijk over een dag of twee.'

Krishnan is verbaasd door de plotselinge emotie die hij voelt, de brok in zijn keel. 'Kom op, laten we hier weggaan,' zegt hij, en hij slaat zijn arm om haar schouders en houdt haar dicht tegen zich aan. 'Ik neem je mee uit eten, waar je ook maar naartoe wilt in deze geweldige stad. Zeg het maar.'

Het is een heerlijke lentedag in San Francisco, zonnig en zo helder dat ze de Bay Bridge perfect kunnen zien vanaf hun picknicktafel voor Red's. Somers haar, meestal in een staart gebonden, waait nu in het briesje los om haar gezicht.

'Het is niet precies zo lekker als ik me herinner,' zegt ze, terwijl ze de in folie gewikkelde hamburger voor haar gezicht houdt. Ze lacht op een manier die haar tien jaar jonger maakt.

'Ik denk dat onze smaak de afgelopen paar decennia een beetje is veranderd,' zegt Kris.

'En niet te vergeten onze stofwisseling. Ik denk dat deze frietjes morgen rechtstreeks op mijn heupen zijn terug te vinden.' Ze lacht vrolijk.

'Weet je dat je er geweldig uitziet, lieverd,' zegt hij.

'Je bedoelt, aangenomen dat ik geen kanker heb?'

'Nee, ik bedoel dat je er echt geweldig uitziet. Gespierd, fit. Doe je aan yoga?'

'Ja, en nu heb ik mijn moeder ook zover gekregen. Na haar laatste operatie had ze moeite haar arm omhoog te krijgen en dingen te tillen, het ergerde haar enorm. Je weet dat ze graag alles zelf doet,' zegt Somer. 'Dus heb ik haar hier meegenomen naar een paar lessen, en een paar dvd's gekocht waarmee ze thuis kan werken. Het hielp het littekenweefsel genezen, haar bewegingen verbeterden en haar energieniveau is veel hoger.'

'Dat is geweldig.'

'Ik was verbaasd dat het zo'n groot verschil maakte, en haar oncoloog ook. Ik heb een artikel geschreven voor het tijdschrift *Stanford Women's Health* over de voordelen van yoga voor overlevenden van borstkanker. Het kankercentrum vroeg me workshops voor patiënten te geven. Ik denk dat ik mam vraag hier te komen en het samen met mij te doen. Zij kan de yogahoudingen demonstreren terwijl ik de dia's laat zien.'

'Ze heeft geluk dat jij voor haar zorgt,' zegt Krishnan. 'Wij allemaal.' Hij lacht naar Somer, de sterke, intelligente vrouw vol zelfvertrouwen op wie hij verliefd werd, die nu een kant van zichzelf toont die hij lange tijd niet heeft gezien. *Is ze de laatste maanden zo veranderd, of ben ik door de jaren heen gewoon blind geworden?* En toch lijkt het niet alleen Somer die is veranderd. De hele manier van hun omgaan met elkaar voelt anders. Of het nou de tijd is dat ze gescheiden waren, dat Asha weg is, of de angst voor de biopsie, het voelt alsof er nu een helder licht op hen schijnt dat alles onthult wat ze jarenlang hebben onderdrukt. En het is net zoals op zijn operatietafel, al zijn die waarheden onplezierig, ze helder zien is de eerste stap naar genezing.

Somer lacht en speelt met haar ketting, wat hem doet denken aan de dagen van hun verkering. En daarmee laten ze alle onuitgesproken woorden over ziekte, dood en angst achter zich, en praten ze voor het eerst sinds ze gescheiden wonen in detail over hun leven nu ze alleen zijn. Somer vertelt hem over haar fietsvakantie in Italië en de veranderingen van personeel in de kliniek. Hij vertelt haar over het aankomende clubtoernooi van de tennisvereniging en de kapotte boiler in hun huis. Opvallend afwezig in hun gesprek is hun dochter. Krishnans foto's blijven onaangeraakt in zijn auto liggen. Ze zitten buiten totdat de wachtende zeemeeuwen de restanten van hun eten hebben opgeruimd, totdat de lucht kil wordt en twinkelende lichtjes de omtrek van de brug verlichten.

'We moeten maar eens gaan.' Somer slaat haar armen om zich heen, rillend.

De rit naar huis is snel voorbij en het dringt tot Kris door dat hij hen naar hun huis heeft gebracht, waar hij nu alleen woont. Ze zitten op de oprit in de auto, als een stel tieners. Hij zet de motor uit. 'Hoor eens, wil je... wil je vannacht hier slapen?' vraagt hij, en hij voelt zich nogal schaapachtig. 'Ik weet dat we nog een hoop...'

Ze onderbreekt hem door twee vingers op zijn mond te leggen, en glimlacht. 'Ja.'

Als Kris 's morgens zijn ogen opendoet, ziet hij Somers zonnige haar uitgespreid op het kussen liggen. Hij zucht en voelt de plotselinge golf emotie die hij ook voelde toen hij pas verliefd was. Hij laat zich uit bed rollen, voorzichtig om haar niet wakker te maken. Als hij naar beneden loopt, bedenkt hij dat de koelkast nog leeg is na zijn week weg, en hij overweegt even snel naar de supermarkt te gaan om ontbijt te halen. Terwijl hij het koffiezetapparaat vult, ziet hij het rode lichtje van het antwoordapparaat knipperen. Het is zijn moeder in India. Ze zegt niets, behalve dat hij terug moet bellen, maar zelfs door de krakende lijn weet Krishnan dat er iets mis is.

53

Een familiezaak

Mumbai, India, 2005
Asha

Onderweg naar huis valt Asha in de taxi in slaap, dus moet de taxichauffeur haar wakker maken als ze er zijn. Ze betaalt hem en gaat het gebouw in. Ze is nu al zesendertig uur op, en het meeste ervan is een wazige vlek – schrijven, filmen, bewerken – beelden van de vrouwen van Dharavi flitsen door haar hoofd. Ze probeert zich in te prenten dat ze morgenochtend haar moeder moet bellen. Asha geeuwt, klopt op de deur van de flat en wacht op de bekende voetstappen van Devesh. Ze haalt Sanjays kaartje uit haar zak. *Beloofd is beloofd.* Ze zal hem ook morgenochtend bellen, nu ze eindelijk zelf het hele verhaal heeft. Asha hoort geluiden binnen en na even gewacht te hebben, probeert ze de deur, die open blijkt te zijn. Binnen zet ze haar tas neer, stapt over een hele verzameling chappals die in de hal verspreid liggen, en loopt naar de zitkamer, waar ze het lage gemurmel van stemmen hoort. *Wie kan er nou op dit uur op bezoek zijn?*

Dadima zit op de bank, geflankeerd door twee vrouwen die allebei ernstig kijken. Dadima's hoofd is gebogen, maar al voordat ze haar gezicht ziet, weet Asha dat er iets mis is. 'Dit is Asha, mijn kleindochter uit Amerika,' zegt dadima als ze opkijkt. 'Excuseer me even.' Ze staat op, sloft naar Asha en pakt haar hand.

'Ja, ja, natuurlijk,' zeggen de dames eensgezind, knikkend.

Dadima loopt zwijgend naar de kleine kamer die het afgelopen jaar Asha's thuis is geworden. Ze gaat op het bed zitten en gebaart

Asha naast haar te komen zitten. 'Dhikri, je dadaji's tijd is geko-men. Hij is vanmorgen vroeg in zijn slaap overleden.'

Asha's hand gaat naar haar mond. 'Dadaji?' Ze kijkt naar de deur. 'Waar...?'

Dadima pakt rustig haar hand. 'Beti, ze hebben zijn lichaam al meegenomen. Hij is vanmorgen vroeg overleden, heel vredig.'

Vanmorgen, toen ik... aan het werk was? Dadima's stem is vast, maar haar roodomrande ogen vertellen Asha genoeg. Ze kijkt neer op de handen die in haar schoot liggen, twee paar ineengestren-geld: dadima's knokige vingers met blauwe aders zichtbaar onder de slappe huid, en die van haarzelf, stevig en jeugdig. Als tranen langzaam het landschap van hun handen laten vervagen, pakt dadima haar handen steviger vast en fluistert hees: 'Ik moet je vra-gen iets te doen, Asha. Je vader zal niet hier zijn om zijn rol als oudste zoon te vervullen, dus moet jij zijn plaats innemen. Jij moet de brandstapel bij de crematieceremonie van je dadaji aansteken. Ik heb met je ooms gesproken en zij zullen naast je staan, maar ik wil dat jij hem aansteekt.' Ze wacht even voor ze verdergaat. 'Het is je plicht tegenover je familie,' zegt ze resoluut, om elke vorm van protest te onderdrukken.

Asha weet zeker dat dat niet waar is. Ja, het is de rol van de oudste zoon om hoofd van de familie te worden als de patriarch is overleden, maar bij zijn afwezigheid zijn andere mannen ook goed: ooms, vrienden, neven, zelfs buren. Als er iets is wat Asha geleerd heeft in India, dan is het wel dat er altijd een lange rij mannen klaarstaat om een gerespecteerde taak op zich te nemen. Ze kijkt in de ogen van haar oma en ziet dat ze vastbesloten is. Dadima heeft Asha opgenomen in deze clan alsof ze altijd een van hen is geweest, ze heeft haar behandeld alsof ze bijzonder en sterk is. *Je plicht tegenover je familie. Mijn familie.* Mensen die Asha een jaar geleden nog nooit had ontmoet en met wie ze nauwelijks had gesproken, die haar midden in de nacht van het vliegveld kwamen halen, die haar meenamen naar toeristische attracties die ze zelf niet weer hoefden te zien, die haar hebben geleerd een lengha te dragen, te vliegeren, allerlei nieuwe soorten voedsel te eten. Ze is niet in deze familie geboren, ze is niet met hen opgegroeid, maar dat maakte geen verschil. Ze hebben alles voor haar gedaan.

En nu is het haar beurt. Asha krijgt een brok in haar keel en knikt instemmend.

De duiven maken Asha wakker als het licht van de ochtendschemering door het raam schijnt. Ze hoort hen pikken en koeren op het balkon terwijl ze door het vogelvoer schuifelen dat dadima daar elke morgen strooit, zelfs vandaag. Asha staat op, doucht en kleedt zich aan, zoals haar oma haar heeft gezegd.

In de zitkamer staat een grote, ingelijste foto van dadaji, versierd met verse bloemen. Dadima zit aan tafel en staart uit het raam, met haar vaste kop thee. 'Hallo, beti. Kom, we moeten ons aankleden. De pandit zal zo hier zijn.' Asha voelt zich nerveus als ze de slaapkamer van haar grootouders binnengaan. Haar ogen gaan onmiddellijk naar dadaji's kant van het bed. Op het bed liggen twee sari's. Dadima pakt de bleekgele met een smalle, geborduurde rand en houdt hem Asha voor. 'Je dadaji zou het leuk hebben gevonden als je je eerste sari draagt. Doe de onderrok en blouse aan en dan laat ik je zien hoe je hem om moet doen.' De andere sari blijft op het bed liggen, onversierd en puur wit, de traditionele kleur die Indiase weduwen de rest van hun leven dragen. De afwezigheid van kleur, sieraden en make-up geeft hun rouw aan. Asha verwondert zich weer over haar oma, die aan de ene kant de traditie helemaal volgt, en aan de andere kant weer helemaal niet. Voor deze reis zou ze dit soort tegenstrijdigheid gekmakend hebben gevonden, hypocriet bij haar ouders en anderen. Maar de ervaringen van het afgelopen jaar hebben haar geleerd dat de wereld veel ingewikkelder is dan ze ooit had gedacht. Ze begon met het zoeken van één familie en eindigde met het ontdekken van een andere. Ze kwam naar India zonder enige kennis over haar biologische ouders, maar met zekerheid over de rest van haar leven, en nu is het tegenovergestelde waar.

Dadima's sariblouse, die gemaakt is voor een vrouw die kinderen heeft gebaard en gevoed, is veel te wijd voor Asha. Als ze voorstelt een T-shirt te dragen, aarzelt dadima eerst, dan gaat ze overstag en ten slotte moet ze toegeven dat het goed staat. 'Ik vraag me af waarom we dat niet allemaal doen,' mompelt dadima tegen zichzelf als ze Asha's sari vastmaakt. Als dadima klaar is, kijkt Asha in de spiegel, en ze staat versteld. De sari flatteert haar en zit verrassend gemakkelijk.

Vlak nadat ze klaar zijn met aankleden, beginnen de familie-leden te arriveren. Priya, Bindu en de andere vrouwen verzamelen zich in de zitkamer bij de foto van dadaji, sommige zingen zacht, andere bidden in stilte. Als de pandit er is, vraagt dadima of Asha met hen meegaat naar het balkon. Asha's maag rammelt als ze langs de keuken loopt, maar dadima heeft al gezegd dat ze niet mogen eten tot na de ceremonie.

Buiten zegt de pandit tegen dadima: 'Waar zijn je zonen, Sarla-ji?'

'We zullen ze bij de *ghats* ontmoeten,' zegt ze, 'maar Asha zal je assisteren bij de rituelen, in haar vaders plaats.'

Er trekt een blik van verwarring over zijn gezicht, dan een moei-zaam glimlachje. 'Alsjeblieft, Sarla-ji, je wilt toch de ziel van je echtgenoot niet compromitteren. Je moet een mannelijk familielid kiezen, een van je andere zonen...'

Asha kijkt naar haar oma, ziet haar vermoeide ogen. 'Pandit-ji, met alle respect, dit is een familiezaak. We hebben ons besluit genomen.'

Als ze aankomen, zien ze dat er al honderden mensen aanwezig zijn voor de ceremonie. Er zijn tientallen mensen uit het zieken-huis, gekleed in witte jassen. Ze ziet Nimish en andere neven, haar ooms en nog meer familieleden die ze in de loop van de tijd heeft ontmoet. Sanjay staat naast zijn vader, zijn ogen net zo rood als die van haar. Ze herkent veel buren uit het gebouw, en zelfs de groen-teman die elke dag aan hun deur komt. Neil en Parag van de krant zijn er. De meeste rouwenden begroeten haar met gebogen hoofd en hun handen tegen elkaar in namaste, en een paar buigen zich om dadima's voeten aan te raken in een ultiem gebaar van respect.

De houten brandstapel is bijna net zo hoog als Asha, met dadaji's lichaam in een wit laken erbovenop. Asha staat naast de pandit en kijkt vol aandacht toe als hij begint te zingen. Hij doopt zijn vingers in vaten heilig water, rijstkorrels en bloemblaadjes, strooit ze over de brandstapel en gebaart haar hetzelfde te doen. Al snel maakt het continue ritme van het gezang van de pandit haar heel rustig, en ze wordt zich minder bewust van de mensen om haar heen.

De pandit gebaart naar Asha's ooms, en ze komen naar voren. Hij spreekt zacht en legt gepofte rijst, stokjes wierook en een pot ghee in hun opgeheven handen. Haar ooms lopen rond de brandstapel en leggen hun offergaven bij dadaji's lichaam. Ze beëindigen het lopen om de brandstapel en komen weer naast dadima staan.

Ten slotte spreekt de pandit een paar woorden in het Gujarati tegen Asha en wijst op de vlam die in de olielamp brandt. Asha kijkt in dadima's gegroefde gezicht, in haar vochtige ogen, en doet dan een stap naar voren. Ze pakt de bij elkaar gebonden takken van de olielamp. De pandit zegt haar drie keer rond de brandstapel te lopen en dan met de vlam het uiteinde aan te raken. Met trillende handen houdt ze de vlam ertegen tot kleine vlammetjes langs de randen van de takken lekken.

Asha gaat weer naast dadima staan en kijkt toe hoe de vlammen langzaam langs de brandstapel omhoog kruipen en dan het in wit gehulde lichaam van haar opa verzwelgen. Door de vlammen ziet ze de gezichten van haar neven en ooms. *Mijn familie.* Alleen haar vader ontbreekt, maar ze weet dat haar aanwezigheid hier is wat hij zou willen. Op een bepaald moment is de familie die je creëert belangrijker dan die waarin je geboren bent, heeft hij haar gezegd. Asha pakt dadima's gerimpelde hand en houdt hem stevig vast terwijl de tranen langs haar wangen rollen.

54

Ongewoon rustig

Dahanu, India, 2005
Kavita

'Wist je dat deze hier lagen?' vraagt Kavita, terwijl ze een *Stardust*-nummer met ezelsoren uit 1987 omhooghoudt.

'Nee. Wat deed ba daar nou mee? Ze kon niet eens lezen!'

'Ik weet het niet. Misschien voor de foto's?' Kavita bladert door het versleten filmtijdschrift. 'Arre! Moet je deze kleding eens zien, zo ouderwets. Lieve help.'

Rupa loopt naar Kavita, gaat op haar tenen staan en gluurt in de metalen kast die Kavita aan het uitzoeken is. 'Bhagwan! Er liggen er wel honderd!' Ze lacht en haalt een stapel tijdschriften uit de kast die met een touwtje zijn samengebonden.

'Ik kan niet geloven dat ze geld uitgaf aan tijdschriften, en nog wel Bollywoodtijdschriften. Onze zuinige moeder, die op elk korreltje suiker bespaarde. Ik vraag me af waarom ze deze allemaal bewaarde,' zegt Kavita.

'Wie had kunnen weten dat ba zo'n filmfan was?' Rupa legt de tijdschriften naast haar moeders sari's op het bed.

'O, het is goed om weer eens te lachen. Ik heb het gevoel dat ik niets anders heb gedaan dan huilen sinds ik hier ben.' Kavita glimlacht zwakjes naar haar zus, ze voelt zich weer schuldig.

'Hahn. Het was moeilijk vanochtend, hè? Om bapu zo te zien?' Rupa doelt op de crematieceremonie die vanochtend in het dorp is gehouden. Hun vader viel huilend op zijn knieën zodra hij hun moeders lichaam op de brandstapel zag. Zijn tengere lichaam schokte van het snikken. Niemand kon hem troosten. De aanblik van zijn rauwe verdriet, zijn uiterste wanhoop, was meer dan Kavita aankon. Ze wist niet wat erger was, de aanblik van het lichaam van haar moeder of die van haar radeloze vader ernaast. Kavita was blij dat Jasu bij haar was, dat zijn sterke armen haar vasthielden toen ze huilde als een kind. Normaal rouwden de vrouwen thuis in plaats van de crematie bij te wonen, maar de zusters konden bapu niet alleen laten gaan. Lange tijd stonden ze naar het vuur te staren, totdat de laatste sintels uitdoofden. De as werd door de pandit met een schepje bij elkaar geraapt en in een aardewerken urn aan hen gegeven. Daarna, tijdens de woorden en omhelzingen die ze met de gasten wisselde, legde Kavita Vijays afwezigheid zo kort mogelijk uit, al had ze het wel uit willen schreeuwen. *Nee, mijn zoon is er niet, maar zijn geld wel: in die slingers van goudsbloemen, in het voedsel dat jullie allemaal zullen eten.*

'Mmm.' Kavita knikt. 'Erg moeilijk. Ik ben blij dat hij nu slaapt. Misschien is het een zegen dat zijn geheugen hem in de steek laat. Misschien weet hij het allemaal niet meer als hij wakker wordt.'

'Helaas lijkt het erop dat het enige deel van zijn geheugen dat nog wel werkt, het deel is dat zich haar herinnert. Het is eigenlijk wel schattig,' zegt Rupa. 'Moet je nagaan, toen ze trouwden was ba zestien en hij achttien. Ze zijn een halve eeuw samen geweest. Hij kan zich waarschijnlijk zijn leven van voor haar niet eens meer herinneren.'

Kavita knikt instemmend. Ze kan de woorden niet uitspreken omdat haar keel weer dichtgesnoerd zit van de tranen.

Het water is ongewoon rustig deze morgen. Fijne rimpeltjes op het oppervlak dansen ingetogen met de vroege stralen van de zon. Strepen helder zonlicht contrasteren met het donkere water eronder, als gouddraad dat in een donkere sari is geweven. Als Kavita haar tenen in het zachte, koele zand van de zandbank begraaft, probeert ze zich voor te stellen hoe het zou voelen om naar de diepte van dit water te zakken. Om helemaal vrij te zijn, vrij van alle zorgen en verplichtingen van dit leven, vrij om gewoon te drijven, drijven... drijven... en dan te verdwijnen.

Ze weet dat haar moeders ziel niet meer in de as in de aardewerken urn naast haar zit, maar ze wil geloven dat een deel van haar hier vandaag is. Haar moeder zou de rust van deze morgen fijn vinden. Kavita pakt de urn en legt haar handen om de brede onderkant. 'Ba,' zegt ze zacht, en dan glimlacht ze, omdat ze beseft dat het haar moeders geest moet zijn die de rust van deze morgen heeft gebracht. Pas jaren nadat Kavita zelf moeder werd, ontdekte ze in hoeveel dingen haar moeder de hand had; ze werkte rustig, doelbewust op de achtergrond van hun levens. En, denkt Kavita terwijl ze de urn op haar schoot houdt, haar moeders invloed is er nog steeds. *Als de moeder valt, valt het hele gezin.*

'Bena?' Rupa verschijnt naast haar, met haar sari respectvol over haar hoofd gedrapeerd. 'Hij is nu klaar voor ons.' Ze gebaart lichtjes met haar hoofd naar de roeier die naast zijn vlot staat, dat op het water drijft.

'Hahn. Laten we gaan.' Kavita staat langzaam op om de urn niet te verstoren. Ze lopen naar de wachtende roeier, die zelf op een amfibiewezen lijkt. Zijn lichaam, naakt op een lendendoek na die over zijn heupen en dijen hangt, is leerachtig van de zon. Hij staat tot zijn middel in het water, net zo op zijn gemak in het water als op het land. Zijn benen zijn slank maar gespierd, geschikt om door het water te rennen voor hij op het vlot springt. Kavita en Rupa zitten ieder op een uiteinde van het vlot met hun gezichten naar elkaar toe, terwijl de roeier in het midden tussen hen in staat. Hij stuurt met doelbewuste bewegingen van de lange bamboepaal die hij over de bodem duwt. Kavita stelt zich andere as daarbeneden voor, de overblijfselen van andere geliefden die in deze wateren zijn verspreid: vaders, moeders, zusters, kinderen. Ten slotte zijn ze ver genoeg van de kant en de roeier zet zijn bamboepaal als een speer in het zand van de bodem. De zon is nu helemaal zichtbaar aan de horizon, zijn oranje gloed verwarmt hun gezicht en nek.

Ze hadden de pandit kunnen vragen mee te gaan om *sloka's* te zingen als ze hun moeders as verstrooien. Maar ze wilden allebei dit eerbewijs aan hun moeder alleen doen. Zelfs hun vader, vonden ze allebei, kon beter niet meegaan vandaag. Twee dagen na de crematie vorige maand begon hij weer te vragen waar zijn vrouw was. Of het door de aftakeling van zijn geest kwam of dat die hem de pijn van de waarheid probeerde te besparen, wisten ze niet. In elk geval hadden ze besloten hem te vertellen dat hun moeder een bezoek bracht aan haar zus in een ander dorp en de volgende dag weer terug zou zijn. Deze tante was een paar jaar geleden al overleden, maar dat feit was geen probleem voor hun vader. Hun uitleg zorgde ervoor dat hij de rest van de dag rustig was. De volgende morgen, toen hij het weer vroeg, herhaalden ze hun leugen. Elke dag werd het makkelijker om die leugen te vertellen. De dagen gingen voorbij en hun vader verviel langzaam weer in zijn dagelijkse routine, mopperend dat de plafondventilator te zwak was of zijn thee niet heet genoeg. Na een paar dagen was Jasu weer teruggegaan naar Mumbai, terwijl Kavita had besloten nog even te blijven om dit laatste ritueel uit te voeren.

Kavita haalt het deksel van de urn en houdt hem Rupa voor. Al is er geen duidelijke hiërarchie in hun gezin van alleen dochters, met dit gebaar toont ze respect voor Rupa als oudste. Rupa steekt haar hand in de smalle hals van de urn en haalt er een handvol grijze as uit. Als ze haar vingers langzaam opent, waait een deel meteen weg in het lichte briesje. Ze houdt haar hand boven het water en laat de as op het water glijden. Die blijft even drijven en is dan niet langer zichtbaar, vermengt zich met de zee en alles wat erin is.

Kavita steekt haar hand in de urn en strooit de as heen en weer over het water, een beweging die ze ook altijd maakt om bloem uit te spreiden als ze rotli maakt. Ze kijken hoe het verdwijnt, dan steekt Rupa haar hand weer in de urn. Zo gaan ze door, pakken om de beurt een handvol, tot de urn bijna leeg is. Dan, zonder dat ze iets hoeven te zeggen, houden ze samen de urn boven het water en kantelen hem tot de laatste as eruit is. De stilte die volgt wordt verbroken door Rupa. Haar snikken zijn eerst zacht, maar worden luider als haar hele lichaam schudt van het huilen. Kavita slaat een arm om haar zus, dan nog een, en houdt haar vast zolang ze huilt. Ze kijken samen toe tot de laatste overblijfselen van hun moeders lichaam onder het oppervlak zijn verdwenen.

55

Dat is familie

Mumbai, India, 2005
Asha

'De *mulligatawny* is hier erg lekker.' Sanjay zit tegenover haar in de nis, zijn handen zorgvuldig gevouwen op tafel, zijn ogen gericht op die van haar.

Omdat dadima bleef aandringen, heeft ze erin toegestemd vandaag met hem te gaan lunchen. Hij vertrekt binnenkort naar Londen, maar ze wilde haar oma niet graag alleen laten na de crematie. Dus hier zit ze dan, zonder make-up, haar ongewassen haar in een paardenstaart, in een chic restaurant met een man die haar meer raakt dan welke andere man dan ook tot nu toe. Asha doet de menukaart dicht. 'Oké, dan neem ik dat,' zegt ze. 'Sanjay, wat betekent Usha?'

Hij kijkt op van zijn menukaart. 'Usha? Het betekent... dageraad. Hoezo?'

'Dageraad,' herhaalt ze, terwijl ze uit het raam kijkt. 'Dat is de naam die zij me hebben gegeven. Mijn biologische ouders hadden me slechts drie dagen voor ze me naar het weeshuis brachten, maar ze noemden me Usha.'

Hij legt de menukaart neer en buigt zich naar voren. 'Heb je ze gevonden?'

Asha knikt. Ze heeft het nog aan niemand verteld. En als ze eenmaal de woorden hardop heeft uitgesproken over de waarheden die ze nu kent, dan zullen ze een onbetwistbaar deel van haar worden. 'Ik heb ze gevonden. Ik heb ze niet gezien, maar ik heb ze gevonden.'

De ober komt naar hen toe. Sanjay bestelt voor hen beiden en stuurt hem dan weg.

'Hun namen zijn Kavita en Jasu Merchant,' gaat ze verder. 'Ze wonen in een appartementengebouw in Sion.' Ze wacht even. 'En ze hebben een zoon. Vijay. Hij is een of twee jaar jonger dan ik.' Ze kijkt naar Sanjay voor een reactie, en hij knikt haar bemoedigend toe. 'Ze kregen een zoon nadat ze mij hadden weggegeven. Ze hebben hem gehouden omdat hij een jongen was, en...'

'Je weet niet of dat de reden was.'

Asha kijkt hem geërgerd aan. 'Kom nou, ik ben niet van gisteren.'

'Er kunnen allerlei verklaringen zijn. Misschien konden ze zich op dat moment geen kind veroorloven. Misschien woonden ze op een onveilige plek. Misschien hadden ze spijt dat ze jou kwijt waren en wilden ze toch een kind. Je kunt niet in het hart van iemand anders kijken, Asha.'

Ze knikt en draait de zilveren armband om haar pols rond. 'Ze kwam uit een dorp ten noorden van hier, een paar uur verderop. Ze reisde helemaal naar de stad, alleen om...' Haar stem zakt weg, er komt een brok in haar keel.

'... om je naar het weeshuis te brengen?' maakt Sanjay haar zin af.

Asha knikt. 'En ze gaf me dit.' Ze laat hem de armband zien.

'Ze gaven je alles wat ze te geven hadden,' zegt Sanjay. Hij reikt over de tafel naar haar hand. 'Hoe voel je je, nu je het weet?'

Asha staart uit het raam. 'Ik schreef vroeger altijd brieven, toen ik een klein meisje was,' zegt ze. 'Brieven aan mijn moeder, ik vertelde haar wat ik op school leerde, wie mijn vriendinnen waren, de boeken waar ik van hield. Ik moet ongeveer zeven zijn geweest toen ik de eerste schreef. Ik vroeg mijn vader hem op de post te doen, en ik weet nog dat hij een heel bedroefde blik in zijn ogen kreeg en zei: 'Het spijt me, Asha, maar ik weet niet waar ze is.' Ze kijkt Sanjay weer aan. 'Toen ik ouder werd, veranderden de brieven. In plaats van over mijn leven te vertellen, begon ik allerlei vragen te stellen. Had ze krullend haar? Hield ze van kruiswoordpuzzels? Waarom had ze me niet gehouden?' Asha schudt haar hoofd. 'Zoveel vragen.

307

En nu weet ik het,' gaat ze verder. 'Ik weet waar ik vandaan kom, en ik weet dat ze van me hielden. Ik weet dat ik nu heel wat beter af ben dan ik anders zou zijn geweest.' Ze haalt haar schouders op. 'En dat is genoeg voor me. Sommige antwoorden moet ik gewoon zelf zien uit te vinden.' Ze haalt diep adem. 'Weet je, ik heb haar ogen.' Asha glimlacht, haar ogen schitteren nu. Ze legt haar hoofd tegen de achterkant van de nis. 'Ik wilde dat er een manier was om hun te laten weten dat het goed met me gaat, zonder... hun leven binnen te dringen.'

De ober komt en zet soepkommen voor hen op tafel neer. Asha realiseert zich hoeveel honger ze heeft. Ze heeft de afgelopen dagen erg weinig gegeten, tussen haar doorwaakte nacht en de crematie van haar opa. Ze proeft haar soep. Ze eten een poosje zonder te praten.

'Weet je, ik ben naar het weeshuis geweest, en daar ontdekte ik dat mijn oma een grote donatie heeft gedaan, nadat ik ben geadopteerd,' zegt Asha. 'De naam van onze familie staat op een plaquette buiten, en ze heeft me er nooit iets over gezegd. Is dat niet gek?'

Sanjay haalt zijn schouders op en schudt zijn hoofd. 'Nee, dat vind ik niet. Ik vind het wel logisch. Ze was dankbaar.' Als hij de niet-begrijpende blik in haar ogen ziet, buigt hij zich voorover en gaat verder: 'Voor jou. Ze was dankbaar voor jou.'

Asha kijkt neer op haar handen. 'Echt?'

'Absoluut. Het is heel normaal hier. Mijn opa liet een put graven in zijn geboortedorp, zijn manier om iets terug te doen voor alle mensen die hem hebben geholpen.'

Asha haalt diep adem. 'Het is een beetje overweldigend om te denken aan alle dingen die mensen door de jaren heen voor me gedaan hebben, waar ik niet eens iets van wist, nog steeds niets van weet. Ik ben daar een product van... van al die inspanningen, van al die mensen die van me hielden, zelfs voordat ze me echt kenden.'

Sanjay glimlacht. 'Dat is familie.'

'Weet je, ik heb het mijn ouders altijd kwalijk genomen dat er geen biologische band tussen ons was. Ik dacht altijd dat er iets ontbrak. Maar nu... Het is echt bijzonder; ze hebben zoveel voor

me gedaan, weet je, zelfs zonder de bloedband. Ze hebben het gedaan, gewoon... gewoon omdat ze het wilden.' Ze veegt haar
mond af met een servet en glimlacht. 'Dus ik ben heel wat mensen
dankbaar.' Ze ademt nog eens diep in. 'En ik ben mijn moeder een
excuus schuldig.'

'Nu we het er toch over hebben, je bent mij een kopie van je project schuldig als het klaar is. Ik zal het aan mijn vriend bij de BBC
geven. En als je dan beroemd bent, dan sta je helemaal bij me in
het krijt.' Hij knipoogt. 'Dan verdien ik op zijn minst een bezoek
aan Londen.'

'We zullen zien.' Asha glimlacht. 'Zeg, ga je morgen met me mee
iets doen? Ik wil langs Shanti gaan om iets af te geven.'

56

Oceanen oversteken

Mumbai, India, 2005
Somer

Somer kijkt naar Krishnan in de stoel naast haar. Hij staart uit het raam naar de lege lucht. Oppervlakkig gezien lijkt hij op de honderden andere Indiase mannen in dit vliegtuig, een goed geklede, hoogopgeleide man op weg naar huis voor een bezoek. Maar Somer ziet de kleine aanwijzingen van iets anders onder het oppervlak: Krishnans kaak, die hij meestal dichtgeklemd houdt, is vandaag slap. Zijn halfopen oogleden maken zijn donkere ogen dof en kleiner dan normaal. En in zijn mondhoeken ziet ze een trillinkje. Het is een gezichtsuitdrukking die haar man niet vaak heeft, normaal gesproken straalt hij zelfvertrouwen uit in de operatiekamer, kracht op het tennisveld, en verder overal ondoordringbaarheid.

Ze legt haar hand op die van hem. Zijn ogen beginnen te tranen, en terwijl hij uit het raam blijft kijken, pakt hij haar hand en vlecht hun vingers in elkaar. Hij houdt haar vast alsof zijn leven ervan afhangt. Net zoals hij dat afgelopen nacht deed, toen ze voor de tweede nacht op rij, na zes maanden gescheiden te zijn geweest, samen in bed lagen. Gisteren, terwijl ze vliegtickets en visa aan het regelen waren, hield hij zich de hele dag groot. Maar gisternacht, toen hun koffers gepakt in de hal klaarstonden, nadat de taxi voor de volgende ochtend was besproken, huilde hij als een kind om de vader die hij net had verloren.

Er was geen twijfel over of ze met hem mee zou gaan. Zodra hij haar gisterochtend wakker had gemaakt met het nieuws, had

Somer dat aangeboden. Ze wilde niet dat hij het moest vragen, en daar leek hij dankbaar voor. Haar plaats was bij haar gezin, en dat wist ze nu in het diepste van haar ziel.

Ze komen midden in de nacht in Mumbai aan, nemen een taxi van het vliegveld en worden door een bediende binnengelaten. Ze slapen een paar uur onrustig voor het ochtend is. Als ze samen de zitkamer binnenkomen, valt het Somer op hoeveel ouder de moeder van Kris eruitziet, haar haar dunner en helemaal wit nu. Krishnan valt op zijn knieën om haar voeten aan te raken, iets wat Somer hem nooit eerder heeft zien doen. Hij en zijn moeder omhelzen elkaar en wisselen een paar woorden in het Gujarati. Hun conversatie tijdens het ontbijt, dat bestaat uit thee en toast, is beperkt, gedempt.

'Beta, we hebben wat te regelen bij de bank,' zegt Sarla tegen Krishnan. Hij knikt en kijkt naar Somer.

'Prima, gaan jullie maar. Ik wacht wel tot Asha wakker is.'

Somer opent de deur van Asha's kamer en ziet haar dochter diep in slaap, haar haar uitgespreid op het kussen, haar ademhaling rustig en zwaar. Ze ziet er opeens ouder uit dan toen ze vertrok en lijkt toch ook op het kind naar wie ze zo vaak heeft gekeken toen ze sliep. Somer doet de deur zachtjes dicht en gaat terug naar de zitkamer. Ze kijkt op haar horloge en pakt haar mobiel. Ze toetst een nummer in.

'Hallo, u spreekt met Somer Thakkar. Kunt u dokter Woods voor me oproepen? Ja, ik wacht wel. Bedankt.' In de minuten die volgen, staart ze naar het tafelkleed en gaat met haar vingernagel langs de bloempatronen. Eindelijk hoort ze een stem.

'Dokter Woods.' Zijn stem verraadt dat hij wakker is gemaakt.

'James, met Somer. Sorry dat ik je nog zo laat lastigval, maar...'

Hij geeuwt. 'Het geeft niet. Ik heb al geprobeerd je te bereiken. Het is goed nieuws, Somer. De biopsie was negatief. Het is een goedaardige cyste. Je bent veilig.'

Somer sluit haar ogen en haalt diep adem. 'O, godzijdank.' Ze zucht. 'Dank je, James. Ga maar weer lekker slapen. Tot ziens.' Ze legt de telefoon neer en steunt haar hoofd in haar handen.

'Mam?'

Somer draait zich om en ziet Asha in haar nachtpon, haar haar in de war. 'Asha, lieverd.' Ze staat op, spreidt haar armen wijd uit en Asha loopt erin.

Nadat ze elkaar hebben omhelsd, trekt Asha zich terug en kijkt haar aan. 'Mam? Wat was dat? Met wie praatte je net?'

Somer streelt het haar van haar dochter en merkt dat het een stuk is gegroeid. 'Kom eens hier, lieverd, ik moet je iets vertellen.' Ze pakt Asha's hand en ze gaan samen aan tafel zitten. 'Het gaat prima met me, dat moet je eerst weten. Ik heb een paar dagen geleden een biopsie gehad omdat ik een knobbeltje in mijn borst had, maar het blijkt goedaardig te zijn. Dus alles is in orde.'

De rimpels in Asha's voorhoofd blijven. Haar ogen staan ernstig.

'Het is echt goed,' zegt Somer, en ze streelt Asha's knie. 'Wat fijn om je weer te zien, lieverd.'

Asha springt op en slaat haar armen om Somers nek. 'O, mam. Weet je het zeker? Echt?'

'Ja, echt.' Ze pakt Asha's handen en knijpt erin. 'Hoe gaat het met je?'

Asha gaat weer zitten. 'Ik heb je echt gemist, mam. Ik ben blij dat je er bent.'

'Natuurlijk.' Somer glimlacht. 'Waar zou ik anders zijn?'

'Ik weet dat het voor dadima ook veel betekent,' zegt Asha. 'Ze probeert het niet te laten blijken, maar het is moeilijk voor haar. Ik hoor haar 's avonds in bed huilen.'

'Het moet vreselijk zijn,' zegt Somer. 'Je man verliezen na... wat, vijftig jaar?'

'Zesenvijftig. Ze zijn een jaar na de onafhankelijkheid getrouwd,' zegt Asha. 'Ze is een verbazingwekkende vrouw. Ik heb zoveel van haar geleerd. Iedereen is geweldig geweest; weet je dat ik hier tweeëndertig neven en nichten heb? Het is echt geweldig geweest, echt.'

Somer glimlacht. 'En hoe staat het met je project?'

Asha's ogen glanzen en ze recht haar rug. 'Ga je met me mee naar *The Times* vandaag? Dan kan ik het je laten zien.'

Somer volgt Asha door de doolhof van de redactiekamer, onder de indruk van de zelfverzekerdheid waarmee haar dochter zich in die omgeving beweegt.

'Meena?' Asha stopt eindelijk om op een deur te kloppen. 'Ik wil je aan mijn moeder voorstellen.'

Het kleine vrouwtje springt op uit haar stoel. 'Ah, dus dit is de beroemde dokter Thakkar. Asha heeft veel over u verteld. Leuk u te ontmoeten.'

Ze steekt haar hand uit en Somer drukt hem, zich ervan bewust hoe fijn het voelt dat iemand haar meteen als Asha's moeder beschouwt.

Meena richt zich tot Asha: 'Heb je het haar al laten zien?'

Asha schudt haar hoofd, glimlachend.

'Breng het maar hiernaartoe,' zegt Meena. 'Ik zal de lichten vast uitdoen.'

'We hebben alle interviews die ik in de sloppenwijk heb gedaan, gefilmd,' legt Asha uit terwijl ze haar laptop op Meena's bureau zet. 'En ik heb wat hoogtepunten samengevoegd in een korte film.' De drie vrouwen gaan dicht bij elkaar staan voor het scherm.

Als de lichten weer aangaan, is Somer niet in staat iets te zeggen, zo ontroerd is ze door wat ze net heeft gezien. Asha heeft hoop kunnen vinden op de meest onwaarschijnlijke plek. Midden in de armoede en wanhoop van de sloppenwijk heeft ze de vurigheid van de liefde van een moeder laten zien. *En hoe we wat dat betreft eigenlijk allemaal hetzelfde zijn.* Aan het eind van de film was een dankwoord aan alle moeders die de film mogelijk hebben gemaakt. Asha heeft alle vrouwen bij name genoemd. Somers naam was de laatste, op een eigen scherm.

Meena verbreekt de stilte. '*The Times* publiceert haar verhaal volgende maand in een speciaal hoofdartikel. Asha's naam komt boven het artikel te staan en onder de foto's.' Ze slaat haar arm om Asha heen. 'Uw dochter is echt een talent. Ik verheug me al op het volgende dat ze gaat doen.'

Somer glimlacht als een trots gevoel zich door haar lichaam verspreidt. Kris had gelijk. India is goed voor haar geweest.

'Nu heb ik wel zin in een lunch. Klaar, mam?'

'Wat een leuk restaurant is dit,' fluistert Somer over het witte tafelkleed. 'Is het nieuw?' De menukaart van het hotel-restaurant ziet eruit alsof hij rechtstreeks uit Florence komt.

'Ja, het was net open toen ik hier kwam,' zegt Asha. 'Ze hebben een echt Italiaanse kok en het is zo lekker dicht bij het appartement, ik kan hier gewoon naartoe als ik het Indiase eten even beu ben.' Ze bestellen een salade en pasta bij de ober en doen zich te goed aan het brood.

'En, heeft pap je het nieuws al verteld?' vraagt Asha.

'Ik geloof het niet.' Somer voelt haar maag zich automatisch samentrekken en gaat de mogelijkheden in gedachten na. 'Welk nieuws?'

'Ik heb een jongen ontmoet, Sanjay,' zegt Asha met muziek in haar stem. 'Hij is intelligent en grappig en zo knap. En hij heeft van die diepbruine ogen, weet je wel?'

'Ja, dat denk ik wel,' zegt Somer, en ze schudt haar hoofd. 'Dodelijk.' Ze lachen samen terwijl ze eten en bijpraten.

Als de tiramisu wordt gebracht, maakt Asha haar excuses. 'Mam,' zegt ze, 'het spijt me... het spijt me dat ik zo vervelend was voor ik wegging. Ik weet dat het niet makkelijk voor je was...'

'Lieverd,' onderbreekt Somer haar, en ze pakt haar hand over de tafel. 'Het spijt mij ook. Ik zie dat dit jaar je goed heeft gedaan. Ik ben zo trots op wat je hebt gedaan. Je hebt zoveel geleerd, bent zo volwassen geworden.'

Asha knikt. 'Weet je,' zegt ze zacht, 'wat ik vooral heb geleerd, is dat alles veel ingewikkelder is dan het lijkt. Ik ben zo blij dat ik hiernaartoe ben gegaan, mijn familie heb leren kennen, dingen heb ontdekt over waar ik vandaan kom. India is een verbluffend land. Er zijn onderdelen waar ik van hou, die echt als thuis voelen. Maar tegelijkertijd zijn er hier dingen waar ik liever niets mee te maken heb, weet je.' Ze kijkt Somer aan. 'Klinkt dat afschuwelijk?'

'Nee, lieverd.' Ze raakt Asha's wang aan met de rug van haar hand. 'Ik denk dat ik het wel begrijp,' zegt Somer, en dat meent ze. Dit land heeft haar Krishnan en Asha gegeven, de belangrijkste personen in haar leven. Maar toen ze vocht tegen de kracht van zijn invloed, was het ook de oorsprong van haar grootste verwarring.

57

Ochtendgebed

Dahanu, India, 2005
Kavita

Elke ruwe stenen tree die ze op klimt, roept meer herinneringen op. Al is het meer dan twintig jaar geleden dat ze dit huis met Jasu deelde, de zolen van haar voeten herinneren het zich alsof er geen tijd voorbij is gegaan. Bij al de bezoeken aan Dahanu de afgelopen twee decennia, zelfs aan dit huis waar Jasu's moeder nog steeds woont, heeft ze zich nooit zo gevoeld. Misschien komt het door de tijd van de dag, dit vredige uur voordat het dorp ontwaakt en het geluid van menselijke activiteit vanuit alle richtingen hoorbaar wordt. Misschien is het het jaargetijde, de laatste dagen van de lente, als de chickoobomen vol in bloei staan en de lucht vullen met hun zoete geur. Misschien komt het doordat ze hier alleen is gekomen: niet om haar schoonouders te bezoeken, niet om Vijay het huis van zijn jeugd te laten zien, maar alleen. Of misschien is het haar gemoedstoestand, dat ze gisteren haar moeder voor het laatst vaarwel heeft gezegd bij de zee.

Kavita heeft haar vaders huis deze morgen al vroeg verlaten, voordat de ziekenverzorgster wakker was. Ze heeft zich snel gewassen en aangekleed en heeft een paar dingen verzameld uit de mandir: een diya, een wierookstokje, een ketting met kralen van sandelhout, het koperen beeldje van Krishna die fluitspeelt. Het was haar bedoeling om buiten haar puja uit te voeren, omdat ze de frisse ochtendlucht als achtergrond wilde voor haar ochtendgebed. Maar toen ze eenmaal buiten stond met die bekende voor-

315

werpen in haar hand, begon Kavita vanzelf te lopen, helemaal naar haar oude huis. Haar schoonmoeder zal zeker nog wel een uur slapen, dus kan ze weer wegglippen zonder dat iemand haar gezien heeft.

Als ze boven aan de stenen trap staat, spreidt Kavita het versleten kleedje uit op dezelfde plek als vroeger. Ze knielt erop neer, met haar gezicht naar het oosten. Een voor een legt ze de voorwerpen die ze heeft meegebracht neer: Krishna in het midden, diya rechts, wierook links, kralen voor haar. Elke beweging volgt automatisch op de vorige, een serie rituelen die ze zo vaak heeft uitgevoerd dat het vanzelf gaat. Ze strijkt een lucifer aan om de diya aan te steken. Ze houdt het wierookstokje in de vlam totdat het ontbrandt, en zwaait het dan heen en weer tot er een oranje puntje aan verschijnt. Als ze alles gedaan heeft, leunt ze achterover op haar hielen en zucht diep, een zucht die voelt alsof ze hem al jaren heeft ingehouden.

Ze ontspant de spieren van haar lichaam en staart in de hypnotische vlam totdat haar ademhaling een rustig ritme aanneemt. De bekende geur van brandende ghee en wierook vult haar neusgaten. Ze ziet de zon opkomen aan de horizon in de verte, en hoort het gekwetter van vogels in de bomen boven haar. Ze sluit haar ogen en pakt de kralen op, voelt met haar vingers aan de groeven terwijl ze zachtjes zingt. Ze is vervuld van zoiets groots dat ze het gevoel heeft dat het door haar longen zal barsten. Maar tegelijkertijd voelt ze zich leeg. Wat haar hart en gedachten vult, is een overweldigend gevoel van leegheid, een diepe rouw om alles wat ze heeft verloren.

Kavita heeft de as pas gisteren uitgestrooid, maar het is al een maand geleden dat ze haar moeder heeft verloren. Ze had verwacht dat ze bedroefd zou zijn, maar het komt als een schok dat ze zich zo losgeslagen voelt door de dood van haar moeder. Ze heeft dit dorp al jaren geleden verlaten, het huis van haar ouders zelfs nog veel eerder. Ze leeft al heel lang als volwassene, maar door het verlies van haar moeder voelt ze zich weer een kind. De herinneringen die nu in Kavita's hoofd opkomen, zijn van zo lang geleden dat ze ze niet kan plaatsen: haar moeders koele hand op

haar koortsige voorhoofd, de geur van jasmijn in haar haar geweven.

Kralen tussen haar vingers
Een koele hand op haar voorhoofd
De geur van wierook en jasmijn

Nu is ze haar vader ook aan het verliezen. Hij glijdt weg van haar,
ze kan het voelen. Op sommige dagen voelt Kavita dat zijn geest
zich sluit; er zijn nog veel meer dagen dat hij zich ver weg voelt.
Drie dagen geleden, toen ze hem rijstpudding voerde met een lepel,
noemde hij haar 'Lalita'. Er kwamen tranen in haar ogen toen ze die
naam hoorde, zo is ze al vijfentwintig jaar niet meer genoemd. Ze
huilt nu weer, herinnert zich hoe het van zijn lippen klonk.

Lalita
Kralen tussen haar vingers
Een koele hand op haar voorhoofd
Wierook en jasmijn

Was het de goede beslissing om hier weg te gaan, om zoveel jaren
geleden hun familie achter te laten? Het had anders kunnen lopen
als ze het niet hadden gedaan. Ze deden het voor Vijay, maar uiteindelijk was hij verloren voor hen. En hoe lang is het geleden dat
ze Vijay verloor? Waar is dat jongetje gebleven dat met zijn neefjes
in het stof speelde? Waar onderweg heeft hij zijn onschuld verloren? Wat is er gebeurd met het kind dat 'Overwinning' genoemd is?

Overwinning
Kralen tussen haar vingers
Lalita
Een koele hand op haar voorhoofd
Wierook en jasmijn

Het is al meer dan twintig jaar geleden dat ze haar twee dochters
heeft verloren, de ene die nooit een naam of een leven heeft gehad,

en haar dierbare Usha. Met de gedachte aan Usha komt de fysieke pijn in haar hart. Er is geen dag voorbijgegaan sinds Usha's geboorte dat Kavita niet aan haar heeft gedacht, heeft gerouwd om het verlies, en gebeden dat de holle gevoelens van droefheid voorbij zouden gaan. Maar God heeft niet geluisterd. Of anders heeft hij haar nog niet vergeven. Want de pijn in haar hart is er nog steeds.

Usha
Kralen tussen haar vingers
Overwinning
Een koele hand op haar voorhoofd
Lalita
Wierook en jasmijn

Ze heeft twintig jaar ver van haar familie doorgebracht. Ze heeft eerst haar dochters verloren, toen haar zoon, en nu haar ouders. De enige relatie die succes heeft gehad, ondanks al die wrede complicaties, is haar huwelijk met Jasu. Ja, hij heeft onderweg fouten gemaakt en verkeerde beslissingen genomen, maar haar echtgenoot is uitgegroeid tot een goede man. Hun reis samen was bezaaid met ontberingen en verdriet, en toch hebben ze geleerd de spijt en de wrok, die sterker hadden kunnen worden tijdens hun leven, te begraven. Ze zijn samen gegroeid, naar elkaar toe, twee bomen die op elkaar leunen als ze ouder worden. Als hun tijd is gekomen, zijn zij en Jasu misschien zo gelukkig dat ze een liefde hebben gehad als haar ouders, blijvend tegen beter weten in en zelfs in de dood.

Kavita denkt aan alles wat ze nog niet weet, zelfs nu als volwassene. Ze weet niet waar haar dochter is. Ze weet niet waar het fout ging met Vijay. Ze weet niet of bapu haar vandaag of morgen nog zal kennen. Ze weet niet hoe ze verder moet zonder haar moeders koele hand op haar voorhoofd. Het enige wat ze zeker weet, is dat ze de volgende dagen voor haar vader zal zorgen. Daarna zal ze haar koffer pakken, de trein nemen naar Mumbai, en naar huis en Jasu teruggaan.

58

Afscheidscadeaus

Mumbai, India, 2005
Asha

'Mam liet me weer ver achter zich.' Asha bukt zich om haar sportschoenen los te maken.

Haar vader en dadima zitten aan tafel, genietend van een tweede kop thee, zoals elke ochtend. 'En ze heeft maar een week gehad om te wennen aan de heerlijke luchtvervuiling van Mumbai,' zegt haar vader. 'Je kunt je wel voorstellen hoe ze je eruit zal lopen in de frisse Californische lucht.' Hij masseert Asha's schouders even als ze naast hem gaat zitten.

'Niet slecht voor een oude dame,' zegt haar moeder, terwijl ze haar gezicht afveegt en naar de karaf met water reikt die op tafel staat.

'Devesh, *limbu pani* layavo!' roept dadima over haar schouder naar de keuken. Devesh verschijnt met een glas gekoeld, versgeperst limoensap met rietsuiker en zet het op tafel voor Somer neer. Sinds ze heeft laten merken dat ze dit arbeidsintensieve drankje. erg lekker vindt, zorgt dadima dat er elke morgen een glas klaarstaat als ze terugkomen van het hardlopen. 'Noem jezelf geen oude dame! Wat ter wereld moet ik dan wel niet zijn?' lacht dadima.

Somer neemt een slokje. 'Mmm, heerlijk. Dank je, Sarla.'

Dadima beweegt haar hoofd zijwaarts en excuseert zich, laat hen met z'n drietjes achter.

'Je bent dus helemaal van de koffie af, mam,' zegt Asha.

Somer knikt. 'De eerste weken waren moeilijk, maar nu merk ik dat ik de hele dag alert ben als ik gehydrateerd blijf, en ik mis de cafeïne helemaal niet.'

'Het is niet te geloven, zo gespierd als je bent.' Asha legt een hand op haar moeders biceps. 'Heb je aan gewichtheffen gedaan?'

'Een beetje. Maar het komt vooral door de yoga. Ik heb een geweldige studio gevonden, vlak bij... eh, vlak bij de kliniek.'

'Yoga, hè? Misschien moet ik met je meegaan, ik kan wel wat meer spieren gebruiken. Ik ben zo volgestopt door paps familie. Ziet ze er niet geweldig uit, pap?' zegt Asha tegen hem.

'Ja,' zegt hij, en hij glimlacht betekenisvol naar haar moeder. 'Ja, dat doet ze zeker.' Haar vader slaat zijn armen van achteren om haar moeder heen en geeft haar een kus op haar hoofd. 'En wist je al dat je moeder een artikel heeft gepubliceerd in een medisch tijdschrift?'

'Echt waar?' zegt Asha.

'Ja, hoe vind je dat? Nu ben je niet meer de enige schrijver in de familie.' Haar moeder lacht.

'Weet u zeker dat u niet meegaat, dadima? Ik beloof dat ik het aan niemand zal vertellen,' zegt Asha, terwijl ze één wenkbrauw optilt en glimlacht. Ze stopt een stapel opgevouwen kleren in een grote koffer op het bed.

'Nai, nai, beti. Het is nog geen twee weken na de crematie. Ik kan het huis niet verlaten, behalve om naar de tempel te gaan. Trouwens, wat moet een oude vrouw als ik nou op het vliegveld? Ik zou maar in de weg lopen, net als een koffer waar je op moet letten.' Ze glimlacht naar Asha. 'Maak je maar geen zorgen. Nimish zal je brengen, en Priya komt toch ook?'

'Ja,' zegt Asha, worstelend om de overvolle koffer dicht te krijgen. 'Ze zijn over een paar uur hier. Maar toch zou ik willen dat u meeging.'

'Je moet gewoon maar snel weer terugkomen, beti. Wat denk je van volgend jaar? Misschien krijgen we onze Priya eindelijk zover dat ze zal gaan trouwen in het volgende trouwseizoen.'

'Ik weet het niet, dadima. Ik zou er maar niet te vast op rekenen.' Asha lacht en gaat op het bed zitten, tussen haar koffer en haar oma. In de stilte die volgt op hun gelach staart Asha naar de grond, naar haar oma's oude, knokige voeten die de afgelopen maanden zoveel kilometers met haar hebben gelopen. Dadima duwt een losse haarsliert achter Asha's oor en bij die aanraking knijpt Asha haar ogen dicht. Haar gezicht vertrekt als ze begint te huilen.

'Beti.' Dadima legt één hand boven op Asha's handen en met de andere streelt ze Asha's haar terwijl ze huilt.

'Ik weet niet hoe ik u moet bedanken voor alles. Ik kan niet geloven dat het twintig jaar heeft geduurd voor ik hier kwam.' Ze haalt diep adem voor ze verdergaat. 'Ik dacht dat ik het allemaal wel wist voordat ik hier kwam, maar ik had het met zoveel dingen mis. Ik heb het gevoel dat er nog zoveel is wat ik niet weet.'

'Ah, beti,' zegt dadima, 'dat is nou opgroeien. Het leven verandert ons steeds, leert ons nieuwe lessen. Kijk naar mij, ik ben zesenzeventig, en ik leer nu pas hoe ik wit moet dragen.' Asha dwingt zich tot een glimlach. 'Wat me eraan herinnert, ik heb nog wat voor je,' zegt dadima terwijl ze opstaat en naar de slaapkamerdeur loopt.

'Dadima, nee!' roept Asha uit. 'Ik heb mijn koffer net dicht.' Ze laat zich achterover op het bed vallen, lachend, en veegt haar ogen af met de zijkant van haar handen.

'Dan moet je er gewoon nog een meenemen,' zegt dadima als ze de kamer uit sloft. Ze komt terug met een kartonnen doos en gaat weer naast Asha op het bed zitten. Ze haalt een met stof bedekt boek uit de doos en geeft het aan Asha.

Asha gaat met haar hand over de marineblauwe kaft en de gouden letters die *Oxford English Dictionary* vormen. 'Wauw. Dit moet wel vijftig jaar oud zijn.'

'Nog ouder, zelfs,' zegt dadima. 'Ik heb hem van mijn vader gekregen toen ik mijn middelbareschooldiploma haalde, ongeveer... o, zestig jaar geleden. Ik heb je toch verteld dat hij een anglofiel was? Ik vond het woordenboek best handig toen ik privéles gaf. Jij zult veel grotere dingen doen in je carrière, dat weet ik zeker. Leg het op je bureau om je te herinneren aan het vertrouwen dat ik in je heb, net zoals mijn vader in mij had.'

Asha knikt met tranen in haar ogen. 'Dat zal ik doen,' fluistert ze. 'En nog wat.' Dadima geeft haar een blauwfluwelen, rechthoekig kistje. Asha klikt het slot open en doet dan het deksel omhoog. Ze deinst terug als ze ziet wat erin zit. Het is een set bij elkaar passende juwelen, diepgeel goud bezet met heldergroene smaragden: een ketting, oorhangers en vier armbanden. Ze kijkt met open mond op naar haar oma.

Dadima haalt haar schouders op. 'Wat heb ik nou nog aan sieraden op mijn leeftijd? Ik ga toch niet meer naar bruiloften. Ik heb deze op mijn eigen bruiloft gedragen.'

'O, dadima, wilt u ze dan niet zelf houden?' vraagt Asha, en ze kijkt haar vol ongeloof aan.

Dadima schudt haar hoofd. 'Het is de gewoonte dat deze naar mijn dochter zouden gaan. Ik wil dat jij ze krijgt. En dat zou dadaji ook willen.' Asha knikt naar de oogverblindende juwelen voor haar. 'En trouwens, ze staan jou zo mooi,' zegt dadima terwijl ze een oorbel naast Asha's oor houdt. 'Laten je ogen prachtig uitkomen.' Als ze elkaar omhelzen, zegt dadima zacht: 'Ga je het je ouders vertellen, beti, wat je te weten bent gekomen in het weeshuis?'

Ze maken zich van elkaar los en Asha veegt haar gezicht af en knikt. 'Als we thuis zijn. Ik weet niet hoe ze erover denken, vooral mam, maar ze verdienen het de waarheid te horen.'

Dadima legt haar koele, papierachtige handen om Asha's gezicht. 'Ja, dat doen we allemaal, beti.'

59

Terugkeer van de hoop

Mumbai, India, 2005
Somer

Somer is haar koffer aan het pakken, als er op de deur wordt geklopt. 'Kom erin,' zegt ze over haar schouder, in de veronderstelling dat het Asha is.

In plaats daarvan komt de moeder van Kris binnen met een grote doos. 'Hallo, beti, ik heb een paar dingen voor je.'

'O, nou, Krishnan is net naar beneden gerend om een van de buren gedag te zeggen.'

'Geeft niet,' zegt Sarla terwijl ze een groot pak in een dunne witte doek op het bed legt. 'Deze zijn niet voor hem, maar voor jou.'

Somer verschuift haar koffer en gaat op het bed zitten, zij en haar schoonmoeder gescheiden door het pak tussen hen in. Sarla begint het touwtje om het pak los te maken en de lagen van de witte doek uit te vouwen tot er een stapel prachtige sari's tevoorschijn komt in de kleuren van edelstenen.

'Ik wil dat jij deze krijgt. Ik zal de andere weggeven aan een liefdadigheidsinstelling, maar ik wil dat deze, de sari's die ik naar mijn verschillende huwelijksceremonies heb gedragen, in de familie blijven.' De oude vrouw legt haar beide handen, met de palmen naar beneden, boven op de stapel. 'Ik heb er een paar voor de andere meisjes apart gehouden, maar zij hebben er zelf zoveel. Ze vinden die van mij maar ouderwets, en dat zijn ze ook. Ik weet dat je geen Indiase kleren draagt, maar je kunt ze als beddensprei of gordijn gebruiken, dat vind ik niet erg,' lacht Sarla.

Somer vouwt de diep oranjegele sari boven op de stapel open en gaat met haar hand over de gladde zijde, het sierlijke, gouden patroon langs de rand. Hij is adembenemend, de kleur van de zonsondergang. 'Dat zou zonde zijn. Ik zou graag willen proberen ze te dragen, ik weet niet hoe, maar...'

'Asha kan het je laten zien.' Sarla's glimlach accentueert de diepe lijnen om haar mond.

'Dank je. Ik weet hoe bijzonder deze zijn. Ik beloof dat ik er goed voor zal zorgen,' zegt Somer, en ze voelt de emotie zich in haar borst opkroppen. 'Ik waardeer het enorm. En... ik ben je dankbaar dat je zo goed voor Asha hebt gezorgd het afgelopen jaar.'

'Tja...' Sarla bedekt Somers handen met die van haar. 'Niemand kan de plaats van een moeder innemen, maar ik heb geprobeerd in jouw plaats voor haar te zorgen. Ze is een heel bijzondere jonge vrouw. Ik zie veel van jou in haar. Je kunt trots zijn op hoe je haar hebt opgevoed.'

'Dank je,' zegt Somer met tranen in haar ogen. De deur piept open en Krishnan komt binnen. 'Maar zoals je weet, heb ik dat niet alleen gedaan.' Ze lacht en knikt naar de deur. 'Je zoon verdient ook wat lof.'

'Ja, geef me alsjeblieft wat lof. Wat heb ik deze keer gedaan?' vraagt Krishnan.

'Niets. Helemaal niets. Kom erbij zitten,' zegt Sarla. 'Ik heb een paar dingen voor je.'

Somer pakt de stapel sari's in haar armen en loopt naar de andere kant van de kamer, terwijl Krishnan op haar plaats op het bed gaat zitten. Ze vraagt zich even af of ze weg moet gaan om hun wat privacy te geven, maar dan spreekt Sarla tegen hen allebei.

'Ik weet dat jullie wel wat water hebben waar jullie in Californië wonen,' zegt ze. 'Misschien kunnen jullie een mooi plekje vinden, een vredige plek die papa fijn zou vinden.' Ze geeft Kris een kleine pot met grijze as. 'Waar jullie dit kunnen uitstrooien.'

Van de andere kant van de kamer ziet Somer Kris' schouders een beetje in elkaar zakken als hij de pot aanpakt.

'We zullen wat van de as hier uitstrooien in de zee als het tijd is, maar...' Sarla steekt haar kin uit en haar ogen glanzen als ze naar haar zoon kijkt. '... hij was er altijd zo trots op dat je daar was. En deze is ook voor jou. Een beetje oud, maar hij doet het nog steeds.' Sarla haalt een versleten stethoscoop uit de doos.

Somer herkent onmiddellijk het instrument dat ze de vader van Kris altijd zag dragen bij hun vorige bezoek. Hij en die stethoscoop waren onafscheidelijk, hij droeg hem vaak zelfs nog bij het avondeten. Krishnan heeft er nu geen nodig in zijn eigen praktijk, heeft er waarschijnlijk al jaren geen gebruikt, maar ze begrijpt het belang van dit cadeau.

'Weet je het zeker? Wil je hem niet zelf houden...?' zegt hij terwijl hij hem ronddraait in zijn handen.

Sarla sluit haar ogen. 'Hahn, beta, ik weet het zeker. Hij heeft het me heel duidelijk gezegd.'

Ze wachten in de hal van het vliegveld, nog een uur voor ze gaan boarden. Krishnan drinkt wat hij als zijn laatste kop Indiase chai beschouwt, en Asha en Somer drinken tonic met limoen.

'Mam heeft me vanmorgen de zonnegroet geleerd,' zegt Asha tegen Kris. 'Je had mee moeten doen. Je zult stram en stijf zijn tegen de tijd dat we thuiskomen, en wij zijn dan nog helemaal lenig.' Kris schudt glimlachend zijn hoofd en duikt weer in zijn krant.

'Weet je, ik denk erover om volgend jaar naar een yogaretraite van twee weken te gaan,' zegt Somer.

'Cool. Waar?' zegt Asha.

'Mysore.'

Kris kijkt op van zijn krant, hij en Asha kijken elkaar aan, en dan kijken ze samen naar Somer. 'Mysore... India?' vraagt Kris.

'Ja,' antwoordt ze. 'Mysore, India. Ze hebben daar een groot yogaretraitecentrum. Ik heb het er met mijn instructrice over gehad. Ze denkt dat ik er bijna klaar voor ben.' Langzaam verspreidt zich een glimlach over haar gezicht. De eerste keer dat ze naar India ging, was het voor Asha. Deze keer was voor Krishnan. Misschien zal de volgende keer voor haar zijn. 'Misschien kunnen we met z'n allen gaan.'

'Ja,' zegt Asha, 'dat zou geweldig zijn.'

'Alleen jij...' Somer buigt zich naar Kris en klopt op zijn buik. 'Jij moet beter in vorm komen als je ons bij wilt houden.' Ze lachen allemaal.

Asha strekt haar armen boven haar hoofd en geeuwt. 'Ik kijk niet uit naar deze vlucht,' zegt ze. 'Zevenentwintig uur? Dat zal de langste tijd worden die we ooit zo dicht bij elkaar hebben doorgebracht.' Ze wijst naar Somer in de stoel aan haar linkerkant en Kris aan de rechterkant.

'Nou, niet helemaal,' zegt Somer. Kris gluurt over zijn leesbril en Asha kijkt haar met gefronste wenkbrauwen aan. 'Zo'n twintig jaar geleden hebben we deze vlucht toch ook gemaakt.'

Krishnan grinnikt. Asha glimlacht en geeft haar een speelse stomp tegen haar schouder.

Somer leunt achterover in haar vliegtuigstoel en kijkt door het raampje hoe de lichtjes van Mumbai in het duister verdwijnen. In de stoel naast haar ligt Asha al te slapen, haar hoofd en kussen op Somers schoot, haar voeten op die van Krishnan. Ze zouden allebei ook moeten proberen te slapen, maar ze weet dat Krishnan, net als zij, Asha niet wil storen. Hij steekt zijn hand uit naar Somer, en zij pakt hem. Ze laten hun ineengestrengelde handen rusten op Asha's slapende lichaam tussen hen in, net zoals de eerste keer dat ze deze reis maakten.

60

Zo goed gedaan

Mumbai, India, 2009
Jasu

Hij houdt het versleten stukje papier krampachtig in zijn hand en probeert de letters die erop staan te vergelijken met de rode tekens op het bordje op de deur voor hem. Hij kijkt een paar keer van het papier naar de deur om er zeker van te zijn dat hij geen fout maakt. Als hij het zeker weet, drukt hij op de bel en binnen klinkt een schril gerinkel. Terwijl hij wacht, gaat hij met zijn handpalm over het koperen plaatje naast de deur en voelt met zijn vingers aan de randen van de reliëfletters. Als de deur opeens opengaat, trekt hij zijn hand terug en geeft een ander papiertje aan de jonge vrouw die opendoet. Ze leest het, kijkt naar hem op en doet een stap achteruit om hem binnen te laten.

Met een kleine beweging van haar hoofd beduidt ze hem dat hij haar moet volgen door de gang. Hij voelt even of zijn overhemd onder zijn buikje wel in zijn broek zit, en haalt zijn vingers door zijn grijzende haar. De jonge vrouw loopt een kantoor in, geeft het papiertje aan iemand binnen en wijst hem dan een stoel. Hij stapt naar binnen, gaat zitten en vouwt zijn handen in elkaar.

'Ik ben Arun Deshpande.' De man achter het bureau draagt een smalle bril. 'Meneer Merchant, nietwaar?'

'Ja,' zegt Jasu, en hij schraapt zijn keel. 'Jasu Merchant.'

'Ik begrijp dat u iemand zoekt.'

'Ja, we... mijn vrouw en ik, we willen geen moeilijkheden veroorzaken. We willen alleen maar weten wat er is gebeurd met een klein meisje dat hier vijfentwintig jaar geleden is gekomen. Haar naam was Usha. Merchant. We willen alleen maar weten of ze... Nou, we willen graag weten wat er met haar is gebeurd.'

'Waarom nu, meneer Merchant? Na vijfentwintig jaar, waarom nu?' vraagt Arun.

Jasu voelt dat hij een kleur krijgt. Hij kijkt neer op zijn handen. 'Mijn vrouw,' zegt hij zacht, 'ze is ziek...' Hij denkt aan Kavita in bed, heet van de koorts, ijlend en steeds maar weer dezelfde woorden fluisterend: 'Usha... Shanti... Usha.' Eerst dacht hij dat ze in zichzelf aan het bidden was, tot de nacht dat ze zijn hand had vastgegrepen en zei: 'Ga haar zoeken.' Na een telefoontje naar Rupa had hij de waarheid gehoord over wat er vijfentwintig jaar geleden was gebeurd en begreep hij wat ze van hem vroeg. Nu kan hij de goede woorden vinden om het uit te leggen. 'Ik wil haar wat rust geven voor het te laat is.'

'Natuurlijk. U moet begrijpen dat onze eerste prioriteit ligt bij de bescherming van de kinderen, zelfs als ze al volwassen zijn. Maar ik zal u zeggen wat ik kan.' Hij trekt een map uit zijn bureaula. 'Ik heb dat meisje een paar jaar geleden ontmoet. Ze heet nu Asha.'

'Asha,' zegt Jasu, langzaam knikkend. 'Dan woont ze dus nog in de buurt?'

De man schudt zijn hoofd. 'Nee, ze woont nu in Amerika. Ze is geadopteerd door een echtpaar daar, twee dokters.'

'Amerika?' Jasu zegt het de eerste keer hardop, ongelovig, en dan nog eens zachtjes als het tot hem doordringt. 'Amerika.' Er glijdt een glimlach over zijn gezicht. 'Achha. U zei "dokter"?'

'Haar ouders zijn dokters. Zij is journalist, tenminste, dat was ze toen ze hier was.'

'Journalist?'

'Ja, ze schrijft artikelen voor kranten,' zegt Arun, en hij tilt *The Times* van gisteren van zijn bureau. 'Ik heb zelfs een van haar artikelen hier in haar map. Ze heeft het me toegestuurd nadat ze terug was gegaan.'

'Achha, heel goed.' Jasu knikt met zijn hoofd heen en weer en reikt naar de krantenpagina die Arun ophoudt. Nu meer dan op welk ander moment in zijn leven dan ook wilde Jasu dat hij kon lezen.

'Weet u, ze kwam hier een paar jaar geleden, toen ze op zoek was naar u,' zegt Arun terwijl hij zijn bril afzet om hem schoon te vegen.

'Op zoek... naar mij?'

'Ja, naar u allebei. Ze was nieuwsgierig naar haar biologische ouders. Erg nieuwsgierig. En erg vasthoudend.' Arun zet zijn bril weer op zijn neus en gluurt erdoor. 'Was er iets speciaals waar u naar op zoek was, meneer Merchant? Iets wat u wilde?'

Jasu glimlacht bedroefd. Iets wat hij wilde? Hij kwam hier voor Kavita, natuurlijk, maar dat is niet alles. Vorig jaar, toen de politie hem belde om Vijay uit de cel te halen, had hij tegen zijn zoon ge-schreeuwd, hem een klap in zijn gezicht gegeven, hem tegen de muur gegooid. Vijay had gegrijnsd en tegen zijn vader gezegd dat hij zich geen zorgen meer over hem hoefde te maken, dat hij de vol-gende keer wel een van zijn vrienden zou vragen om de borg voor hem te betalen. De jongen heeft Kavita maar één keer bezocht in de afgelopen maand dat ze ziek is. Jasu schudt zijn hoofd een beetje en kijkt neer op het krantenartikel. 'Nee, ik wil niets. Ik wilde alleen maar weten hoe het met haar gaat. Er zijn dingen in mijn leven waar ik niet trots op ben, maar...' Er komen tranen in zijn ogen en hij schraapt zijn keel. 'Maar dit meisje heeft het goed gedaan, toch?'

'Meneer Merchant,' zegt Arun, 'er is nog iets.' Hij haalt een en-velop uit de map en reikt hem aan. 'Zal ik het u voorlezen?'

Kavita ziet er vredig uit als ze slaapt, als de morfine haar eindelijk wat rust geeft. Jasu zit in een stoel naast het bed en pakt haar ten-gere hand.

Door zijn aanraking gaan haar ogen open en ze likt haar droge lippen. Ze ziet hem en glimlacht. 'Jani, je bent terug,' zegt ze zacht.

'Ik ben er geweest, chakli.' Hij probeert langzaam te praten, maar de woorden komen eruit rollen. 'Ik ben naar Shanti geweest, het weeshuis. De man daar kent haar, hij heeft haar zelfs ontmoet, Kavi. Ze heet nu Asha. Ze is in Amerika opgegroeid, haar ouders zijn dokters, en ze schrijft artikelen voor kranten. Kijk, dit is van haar, zij heeft dit geschreven.' Hij wappert het artikel voor haar heen en weer.

'Amerika.' Kavita's stem is nauwelijks meer dan een gefluister. Ze sluit haar ogen en er loopt een traan langs de zijkant van haar gezicht in haar oor. 'Zo ver van huis. Al die tijd is ze zo ver van ons geweest.'

'Zo goed dat je dat gedaan hebt, chakli.' Hij streelt haar haar, dat in een losse staart is samengebonden, en veegt haar tranen weg met zijn ruwe vingers. 'Stel je eens voor dat...' Hij kijkt naar beneden, schudt zijn hoofd en klemt haar hand tussen die van hem. Hij legt zijn hoofd tegen hun handen en begint te huilen. 'Zo goed.'

Hij kijkt weer naar haar. 'Ze is ons komen zoeken, Kavi. Ze heeft dit achtergelaten.' Jasu geeft haar de brief. Er komt een klein glimlachje op Kavita's gezicht. Ze kijkt naar de bladzijden, terwijl hij uit zijn geheugen zegt: '"Ik heet Asha..."'

Lijst van Indiase woorden

Achha	– oké
Agni	– god van het vuur
Arre	– uitroep, betekent ongeveer 'O jee!'
Asha	– meisjesnaam die 'hoop' betekent
Ayah	– kinderjuf
Ba	– moeder
Bahot	– erg, zeer
Bapu	– vader
Basti	– nederzetting, sloppenwijk
Bathau	– laat het me zien
Beechari	– ongelukkige vrouw, verstotene
Beedi	– handgerolde sigaret
Ben, bena	– respectvolle benaming die 'zuster' betekent
Bengan bhartha	– auberginecurry
Beti, beta	– liefdevolle benaming die 'liefje' betekent
Bhagwan	– god
Bhai, bhaiyo	– respectvolle benaming die 'broer' betekent
Bhangra	– levendige Indiase dans
Bhath	– rijst
Bhel-puri	– snackvoedsel, wordt verkocht bij stalletjes op straat
Bhinda	– okra
Bindi	– merkteken (make-up of sticker) op het voorhoofd van een Indiase vrouw
Biryani	– rijstgerecht
Chaat	– snackvoedsel
Chai	– thee

Chakli	– vogel
Challo	– kom mee
Chania-choli	– tweedelig Indiaas kledingstuk met een lange rok en een kort topje
Chappals	– sandalen
Chawl	– flatgebouw met appartementen die bestaan uit één kamer om in te wonen en te slapen, en een keuken die ook dient als eetkamer; wc's worden gedeeld met andere appartementen
Chickoo	– sapotilla, fruit van een tropische boom
Crore	– tien miljoen (roepie)
Dadaji	– opa van vaders kant
Dadima	– oma van vaders kant
Daiji	– vroedvrouw
Dal	– linzensoep, dagelijks Indiaas gerecht
Dhaba-wallah	– rondbrenger van lunchblikken
Dhikri	– dochter
Dhoti	– traditionele Indiase kleding voor mannen
Diwali	– lichtjesfeest
Diya	– vlam/lichtje in een kleine aardewerken pot met een katoenen lont en ghee
Doh	– twee
Ek	– een
Futta-fut	– snel
Garam	– heet
Garam masala	– kruidenmengsel
Gawar	– belediging die 'dorpsjongen' betekent
Ghats	– plek bij de rivier waar crematies plaatsvinden
Ghee	– gezuiverde boter, wordt gebruikt in de Indiase keuken
Gulab jamun	– Indiase zoetigheid

Hahn, hahnji	– ja
Idli	– Zuid-Indiase hartige knoedel
Jaldi	– snel
Jalebi	– Indiase zoete delicatesse
Jamai	– bruiloftsstoet van de bruidegom
Jani	– troetelnaampje van echtgenoten voor elkaar
Jhanjhaar	– zilveren enkelband
Ji	– wordt achter een naam gezet om respect aan te duiden
Kabbadi	– tikkertje
Kachori	– hartige gebakken knoedel
Kajal	– kohl
Kali	– godin van vernietiging
Kanjeevaram	– soort zijde
Khadi	– karnemelksoep
Khichdi	– eenvoudige pap van rijst en linzen
Khobi-bhaji	– kool
Khush	– gelukkig
Kulfi	– bevroren, gearomatiseerd melkdessert
Kurta-pajama	– wijdvallend huispak
Laddoo	– Indiase zoetigheid
Lakh	– honderdduizend roepie
Lathi	– bamboestok die als wapen wordt gebruikt door de Indiase politie
Layavo	– breng me
Lengha	– tweedelig Indiaas kledingstuk voor vrouwen, met een rok
Limbu pani	– gezoet limoensap
Mandir	– hindoetempel
Mantra	– eentonig gezang

333

Masala	– geel peperig mengsel van een aantal gemalen specerijen
Masala dosa	– Zuid-Indiase gekruide pannenkoek
Masi	– tante van moeders kant
Mehndi	– henna
Mulligatawny	– kerriesoep

Naan	– plat brood, gebakken in een tandooroven
Nai	– nee
Namaste, Namaskar	– algemeen Indiaas gebaar van begroeting, dank, gebed of respect, waarbij de handpalmen voor het gezicht tegen elkaar worden gelegd
Namkaran	– naamgeefceremonie

Paan	– in een blad gewikkeld digestief voor na de maaltijd
Paisa	– munteenheid in o.a. India
Pakora	– platgeslagen groentebeignet
Pandit	– hindoepriester
Paneer	– geperste kaas
Paratha	– Indiaas plat brood
Pau-bhaji	– gemengde groentecurry met brood, vaak verkocht in stalletjes op straat
Pista	– pistache
Puja	– gebedsceremonie
Pulao	– basmatirijst met erwtjes en wortels
Puri	– gefrituurd brood

Raas-Garba	– Gujarati groepsdans
Rigna	– aubergine
Rotli	– plat brood

Saag paneer	– spinazie en kaascurry
Sabzi-wallah	– groenteverkoper
Salwar khameez	– tweedelig Indiaas kledingstuk voor vrouwen, met lange broek

Sambar	– heet gekruide Zuid-Indiase linzensoep
Samosa	– gefrituurde hartige flap
Sari	– traditioneel kledingstuk dat door Indiase vrouwen wordt gedragen, een rechthoekige lap stof van zeven meter lang die om het lichaam wordt geslagen over een lange onderrok en een korte blouse
Sassu	– schoonmoeder
Shaak	– groente
Shakti	– sterkte, de heilige vrouwelijke kracht
Shukriya	– dank u
Singh-dhana	– pinda's
Sloka	– vierregelige strofe in de Oudindische epische poëzie
Tabla	– dubbele trom
Thali	– groot bord van roestvrij staal of zilver
Tindora	– verschillende Indiase groenten
Usha	– meisjesnaam die 'dageraad' betekent
Wallah	– verkoper
Yaar	– ruwe taal (slang) voor vriend

Ciara Geraghty

Verdronken in jou

'Hoor eens,' fluisterde ik. 'Het spijt me. Ik zou hier niet moeten zijn. Ik weet niet wat me bezielt de laatste tijd.' Ik zweeg in de hoop dat Bernard iets zou zeggen. Dat deed hij niet. Ik haalde diep adem.
'Ik heb een vriend,' zei ik. 'Shane. Shane is mijn vriend. Ik bedoel, dat was hij en dat is hij waarschijnlijk nog steeds... het is ingewikkeld.' Mijn stem stierf weg toen ik hoorde hoe meelijwekkend ik klonk.

Als Grace op een ochtend wakker wordt in een onbekend bed komen er langzaam vlagen terug van de avond ervoor: een fles Baileys met verstreken houdbaarheidsdatum, die ze helemaal leeg gedronken heeft en Bernard O'Malley, haar ietwat sullige nieuwe collega op de IT-afdeling in wiens bed ze kennelijk is beland. Twee ingrediënten voor extra drama dat Grace doet beseffen dat er iets moet veranderen in haar leven.

Ze beseft dat haar leven tot een totale stilstand is gekomen: ze heeft een baan zonder uitzicht op beter, een relatie op afstand en een gespannen familieband met haar moeder en zussen. Gedwongen door de werkelijkheid en gesteund door Bernard neemt Grace haar leven weer in eigen hand. Stukje bij beetje komt ze in het reine met zichzelf en weet ze het enorme schuldgevoel van zich af te zetten waar ze sinds die ene vakantie in Spanje, nu een jaar geleden, mee rondloopt. En zelfs Bernard blijkt uiteindelijk een stuk minder sullig en veel sexyer dan ze in eerste instantie dacht...

'Geweldig! Grappig en warm, gevoelig en hartverscheurend en bovenal erg goed geschreven.' - Daily Mail

ISBN 978 90 6112 778 9